Zamki na piasku

Chris Bohjalian
Zamki na piasku

Z języka angielskiego przełożyła
Zofia Szachnowska-Olesiejuk

WYDAWNICTWO
SONIA DRAGA

Tytuł oryginału:
THE SANDCASTLE GIRLS

Copyright © 2012 by Chris Bohjalian
Copyright © 2015 for the Polish edition by Wydawnictwo Sonia Draga
Copyright © 2015 for the Polish translation by Wydawnictwo Sonia Draga

Translation Support by
Ministry of Culture of the Republic of Armenia
within the framework of
Armenian Genocide Centennial Program
Tłumaczenie otrzymało wsparcie
Ministerstwa Kultury Republiki Armenii
w ramach
Programu upamiętniającego stulecie Ludobójstwa Ormian

Projekt graficzny okładki: Mariusz Banachowicz

Redakcja: Bogumiła Pasionek-Szachnowska
Korekta: Natalia Karpińska, Aneta Iwan

ISBN: 978-83-7999-371-0

Sprzedaż wysyłkowa:
www.merlin.pl
www.empik.com
www.soniadraga.pl

WYDAWNICTWO SONIA DRAGA Sp. z o.o.
Pl. Grunwaldzki 8-10, 40-127 Katowice
tel. 32 782 64 77, fax 32 253 77 28
e-mail: info@soniadraga.pl
www.soniadraga.pl
www.facebook.com/wydawnictwoSoniaDraga

Skład i łamanie:
Wydawnictwo Sonia Draga

Katowice 2015. Wydanie I

Druk:
Drukarnia POZKAL Spółka z o.o.
Spółka komandytowa; Inowrocław

Pamięci mojej teściowej Sondry Blewer (1931-2011)
i mojego ojca Arama Bohjaliana (1928-2011).
Sondra nakłoniła mnie do napisania tej powieści, a ojciec
pomógł znaleźć inspirację.

*„Niczym heretycy zaspokajaliśmy
naszą potrzebę przyjrzenia się
horrorowi przeszłości,
uwieczniając go
szerokokątnym obiektywem"*

„Pytasz mnie: *Jeśli nie ma nikogo, kto mógłby wysłuchać tej historii,
to co pozostaje? Zbliżenie sufitu w kolorze jak z obrazów Duccia?"*

– PETER BALAKIAN „Sarajewo" (z tomu *Ziggurat*)

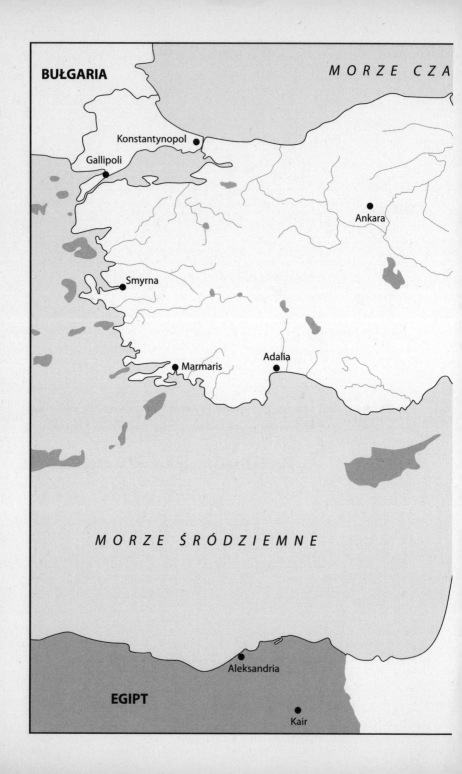

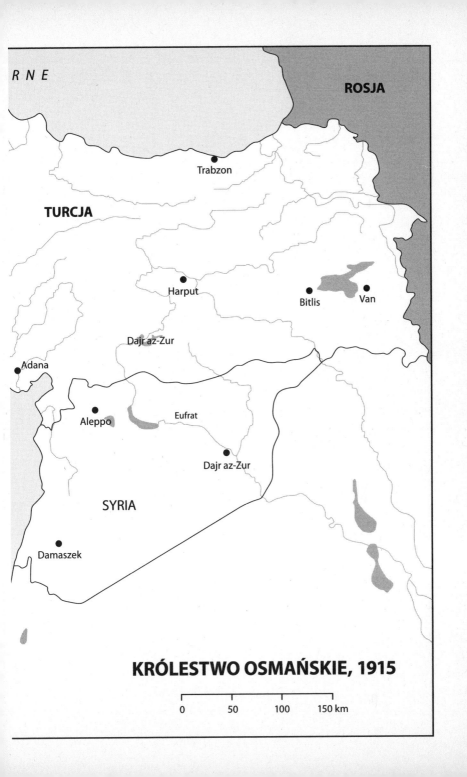

KRÓLESTWO OSMAŃSKIE, 1915

Prolog

Kiedy ja i mój brat bliźniak byliśmy małymi dziećmi, dziadek brał nas na kolana, najpierw jedno, potem drugie. Chwytał mnie i brata za typowe dla maluchów wałeczki tłuszczu, które niczym lina oplatały nasze talie, i lekko podrzucając nas do góry, mruczał: „Co to za wielki brzuszek". Oczywiście był to z jego strony czuły, pełen pobłażliwości gest, a nie subtelna aluzja dotycząca naszej wagi – wcale nie dawał nam do zrozumienia, że jeśli nie zrzucimy kilku kilogramów, będzie się nami musiała zająć fundacja Jenny Craig. Należy jeszcze wspomnieć o jednej kwestii. Otóż mój brat, kiedy tak podskakiwał na dziadkowych kolanach, z reguły miał na sobie biały golf i czerwone aksamitne pumpy. Matka często go tak ubierała, gdy szliśmy z wizytą do dziadków. Jej zdaniem taki właśnie strój nadawał jego wyglądowi brytyjski sznyt, niezbędny przy odśpiewaniu hitu zespołu Herman's Hermits *I'm Henry the VIII, I am* z 1965 roku, do czego notorycznie zmuszała go w trakcie tych wizyt. Wprawdzie od czasów, gdy utwór cieszył się popularnością, minęły już cztery lata, ale że akurat wtedy przyszliśmy na świat, matka z jakichś niepokojąco edypalnych pobudek uznała, że to „ich piosenka" – czyli nasza.

Wyobraźcie sobie: grubas w czerwonych pumpach śpiewający hit Herman's Hermits z fatalnym brytyjskim akcentem. Aż dziw, że nie został przez nikogo pobity.

Ja z kolei miałam w repertuarze piosenkę *Both Sides Now*, odrobinę nowszą, bo powstałą w 1968 roku, ale równie nieodpo-

11

wiednią. Jako czteroletnia dziewczynka nie zdążyłam wyrobić sobie absolutnie żadnego zdania na temat miłosnych złudzeń. Byłam za to obdarzona, pomimo całkiem sporej porcji ormiańskiego DNA, burzą blond loków, co sprawiło, że matka uczepiła się wersu o kaskadach anielskich włosów. Ubierała mnie w niebieską minispódniczkę i białe lakierowane kozaki ze skóry. W tym stroju raczej nie groziło mi pobicie, ale nie mogę się nadziwić, że żaden pracownik opieki społecznej nigdy nie zwrócił jej uwagi, iż ubiera swoją czteroletnią córkę jak prostytutkę.

Mój dziadek – tak samo zresztą jak babcia, choć pewnie z całkiem innych powodów – nie miał bladego pojęcia o rock and rollu, toteż zupełnie nie jestem w stanie sobie wyobrazić, co myślał o swoich wnukach w strojach rodem z *American Bandstand**. Poza tym, gdyby rok 1969 opatrzyć ścieżką dźwiękową, z pewnością opierałaby się na nagraniach z Woodstock, a nie na hitach Herman's Hermits czy Judy Collins. Tak czy owak, jedyne dźwięki, jakie słyszałam tamtego roku w domu dziadków – oczywiście oprócz traumatycznego refrenu wydobywającego się z gardła mojego brata, który brzmiał mniej więcej tak: „Każdy był jakimś Hendrykiem (Hendrykiem!)" – płynęły z lutni *oud*. Dziadek wygrywał na niej ludowe pieśni ormiańskie albo szarpał jej struny jak wariat, akompaniując mojej ciotce, podczas gdy ta wykonywała dla nas taniec brzucha. Dlaczego to robiła, do dziś pozostaje dla mnie tajemnicą. Ormianki wykonywały taniec brzucha jedynie wtedy, gdy trafiały do haremu szejka, kiedy stawały przed wyborem: umrzeć na pustyni albo pozwolić zrobić sobie tatuaże i nauczyć się kołysać biodrami. I możecie mi wierzyć, nigdy nie zobaczycie żadnej ormiańskiej dziewczyny trzęsącej brzuchem w programie *So You Think You Can Dance*.

Zarówno owe tańce mojej ciotki, jak i pełen czułości stosunek dziadka do wnuków mogłyby świadczyć o tym, że w jego domu panowała pogodna, radosna wręcz atmosfera. Rzeczywiście czasami tak było. Ale równie często w powietrzu unosiła się aura smutku,

---

* Show muzyczny emitowany w amerykańskiej telewizji w latach 1952–89 (wszystkie przypisy pochodzą od tłumacza).

tajemnicy i melancholii. Nawet będąc dzieckiem, podczas tych wizyt wyczuwałam jakieś podskórne brzemię straty.

Taniec brzucha mógłby też wskazywać na egzotyczny wymiar mojego dzieciństwa. Nic bardziej mylnego. Wiodłam typowy, podmiejski żywot, czy to w eleganckiej dzielnicy, której mieszkańcy dojeżdżali do pracy na Manhattan, czy też w Miami na Florydzie. Za to dom moich dziadków stanowił prawdziwą odmianę. Ciotka faktycznie uprawiała taniec brzucha, dopóki nie przekroczyła czterdziestki; do tego dochodziły prawdziwe fajki wodne (już nieużywane, o ile mi wiadomo), kunsztownie zdobione orientalne dywany i grube księgi w skórzanych oprawach, pisane alfabetem, którego nawet nie miałam szansy rozszyfrować. A wszystko to spowite było zapachem jagnięciny i mięty, ponieważ dziadek nie chciał jeść nic innego, tylko kotlety; nawet na śniadanie musiał być kotlet z jagnięciny, a do tego wielka miska płatków kukurydzianych i czekoladowych kulek z jogurtem zamiast mleka. Dziadek uwielbiał amerykańskie płatki kukurydziane. Można powiedzieć, że to było takie jego kulinarne dziwactwo, które zresztą babcia przyjęła z miłą chęcią, gdyż ów nawyk znacznie ułatwiał jej życie. Smażąc poranny kotlet, mawiała, że śniadanie dziadka to iście „królewski posiłek". Gdy byłam małą dziewczynką, każde danie zawierające jagnięcinę uważałam za „królewski posiłek".

A jednak, mimo iż dziadkowie rozpoczynali dzień od wielkiej miski czekoladowych kulek, w ich domu panowała niezmiernie oficjalna atmosfera. Dziadek, podobnie jak wielu imigrantów, którzy przybyli do Ameryki na początku dwudziestego wieku, nie zdołał nabrać swobody właściwej przedstawicielom białej anglosaskiej elity. Stanowił dokładne przeciwieństwo swoich prezbiteriańskich krewnych z Bostonu (to właśnie ich genom zawdzięczam blond włosy). Dopiero gdy był już umierającym, przykutym do łóżka staruszkiem, jego garderoba ograniczyła się do piżamy i szlafroka w szkocką kratę. Ale zanim to nastąpiło, nie pamiętam, żeby miał na sobie co innego niż koszulę, kamizelkę i krawat. I tylko w nielicznych sytuacjach, na przykład gdy grał na swojej ukochanej lutni, przycinał żywopłot albo czyścił piec w piwnicy, zdejmował marynarkę, ale nawet wtedy nie rezygnował z eleganckiej białej koszuli. Był typem mężczyzny, który nigdy nie założyłby tenisowego swetra z wycięciem w serek. Moje wspomnienia dotyczące jego ubioru potwierdzają liczne fotografie w starych rodzinnych albumach: prawie na każdej z nich dziadek ma na sobie garnitur. Jest nawet cała seria zdjęć z wakacji w domku nad jeziorem leżącym na północy stanu Nowy Jork. Fotografie przedstawiają dziadka, który siedzi w wysokiej trawie z wyciągniętymi przed siebie nogami. Plecami opiera się o stół piknikowy i oczywiście ubrany jest w szary prążkowany garnitur. Na jednym ze zdjęć przy stole obok niego siedzą także inni ormiańscy mężczyźni w szarych i czarnych garniturach, a przed nimi, na drewnianym blacie leży sterta zamkniętych futerałów na skrzypce i lutnie. Wyglądają jak zbiegli gangsterzy żywcem wyjęci z czasów prohibicji.

Co ciekawe, już w 1928 roku, kiedy dziadek budował elegancki ceglany dom na przedmieściach Nowego Jorku – a trzeba zaznaczyć, że ze wszystkich domów, w jakich mieszkali moi bliżsi i dalsi krewni, ten podobał mi się najbardziej – był niemal tak samo łysy jak staruszek, którego pamiętam z przełomu lat sześćdziesiątych i siedemdziesiątych. Aż do jego śmierci w 1976 roku żyłam w przeświadczeniu, iż dziadek od urodzenia był seniorem. Dopiero na jego pogrzebie ojciec wyprowadził mnie z błędu.

– Nie, Lauro. Twój dziadek nie urodził się stary.

Tamtego wieczora, gdy po stypie wróciliśmy do domu w Bronxville, ojciec po raz pierwszy opowiedział mi trochę o młodości dziadków. Wkrótce dowiedziałam się więcej od mojej babci. I tak, choć zaczęłam tę opowieść od wydarzeń, które miały miejsce w 1969 roku, równie dobrze mogłam wybrać rok 1976. Albo cofnąć się o ponad pół wieku i rozpocząć ją w punkcie, z którego biorą swój początek wszystkie ormiańskie opowieści, czyli w 1915 roku.

Rok 1915 był rokiem Nikomu Nieznanej Rzezi. Właśnie zbliża się jej rocznica, setna rocznica. Jeśli nie jesteś Ormianinem, zapewne niewiele ci wiadomo na temat deportacji i ludobójstwa Ormian. Na temat śmierci półtora miliona cywilów. *Metz Yeghern*. Wielkiej

Katastrofy. Raczej nie mówią o tym w szkołach i z pewnością nie piszą w książkach, które czytamy przed snem. Żeby jednak lepiej zrozumieć moich dziadków, jakaś podstawowa wiedza niewątpliwie by się przydała (wyobraźcie sobie grube tomiszcze w miękkiej, żółto-czarnej okładce pod tytułem *Ludobójstwo Ormian dla opornych* albo telewizyjny program edukacyjny). Wiele lat temu próbowałam o tym pisać, choć ani słowem nie wspomniałam o moich dziadkach. Jedyna kopia rękopisu leży w archiwum mojej uczelni, razem z innymi papierami ze studiów. W ogóle nie byłam zadowolona z tej książki i nawet jej nie pokazałam swojemu wydawcy. Przeczytał ją tylko mój mąż i ocenił identycznie jak ja: totalna katastrofa. Nic nie wyszło tak, jak chciałam. Nadałam jej zbyt chłodny, zbyt zdystansowany ton. Jego zdaniem zamiast pisać w ten sposób, powinnam była bez żadnych skrupułów wykorzystać historię moich dziadków. W końcu oboje byli naocznymi świadkami tamtych zdarzeń…

Ale wtedy jeszcze ani on, ani ja nie znaliśmy szczegółów ich historii. Kiedy po latach dowiedzieliśmy się prawdy, zmienił zdanie co do mojego moralnego prawa opisywania horroru, jaki przeżyli. Ja jednak zdążyłam popaść w obsesję na tym punkcie i nic już nie mogło mnie powstrzymać.

I tak oto rozpoczynam dziś opowieść o losach moich dziadków, po raz kolejny skupiając uwagę na zakątku świata, którego większość z nas nie potrafiłaby odnaleźć na mapie, oraz na wycinku historii, kiedyś tak dobrze znanym, a dziś niemal całkowicie pogrążonym w odmętach zapomnienia. Najpierw wyobrażam sobie pasma gór we wschodniej Turcji. Potem przychodzi kolej na wioskę leżącą w pobliżu malowniczego miasta Van i przepięknego jeziora o tej samej nazwie. Przed oczyma staje mi plaża nad Cieśniną Dardanelską. I dom w bostońskiej dzielnicy Back Bay. Ale najczęściej widzę Aleppo i surową Pustynię Syryjską, otaczającą miasto.

W takiej wersji historia moich dziadków przypomina prawdziwą sagę. Pewnie nie powinnam opowiadać jej w ten sposób. Ale wydaje mi się, że z dzisiejszej perspektywy losy każdej rodziny żyjącej w 1915 roku – w czasach, na które spoglądamy poprzez mgiełkę czarno-białych fotografii czy niemego kina, gdzie na porysowanej, gruboziarnistej taśmie filmowej ludzkie ruchy są nienaturalnie gwałtowne – będą miały epicki wymiar. Ja sama wcale nie postrzegam historii mojej rodziny jako wielkiej epopei. Gdybym musiała przyporządkować ją do jakiejś kategorii, prawdopodobnie wybrałabym romans. Albo raczej, patrząc na zdjęcia z dzieciństwa, na których razem z bratem pozujemy w salonie rodem z sekcji otomańskiej Metropolitan Museum of Art – ja w białej minispódniczce, a on w tych swoich czerwonych aksamitnych pumpach – może nawet zdecydowałabym się na komedię.

Ale czy taki wybór byłby stosowny w przypadku moich dziadków w 1915 czy 1916 roku? Ich saga wyglądała zupełnie inaczej. Gdy się spotkali, moja babcia była na misji, i to w dosłownym tego słowa znaczeniu. Można powiedzieć, że w owym czasie ta młoda dama, pochodząca z jednej z tych najbardziej wyniosłych i zadzierających nosa rodzin w Bostonie, nie bardzo potrafiła nadać kierunek swojemu życiu. Dzięki bostońskim dobroczyńcom zrzeszonym w organizacji Przyjaciele Armenii opanowała podstawy tureckiego i liznęła nieco ormiańskiego. Uzbrojona w świeżo uzyskany dyplom ukończenia Mount Holyoke College oraz umiejętności zdobyte na przyspieszonym kursie pielęgniarstwa, wybrała się wraz z ojcem w podróż do istnego piekła na ziemi, gdzie na własne oczy ujrzała rzeź, głód i chorobę.

Z kolei dziadek, któremu udało się przetrwać tę samą rzeź, głód i chorobę, lecz stracił niemal całą swoją rodzinę, postanowił wreszcie wziąć odwet. Zaciągnął się do armii i podjął walkę u boku ludzi, którzy mieli niewielkie pojęcie o Armenii i którym zależało na odniesieniu zwycięstwa nad konającym imperium z przyczyn niemających nic wspólnego z krwawymi porachunkami rodzinnymi.

Tak więc ani dziadek, ani babcia raczej nie dostrzegliby nic romantycznego, a już na pewno nie komicznego w tym wszystkim, czego doświadczyli latem 1915 roku. I jestem pewna, że gdyby musieli przyporządkować swoją historię do jakiejś kategorii, oboje wybraliby tragedię.

Część Pierwsza

Rozdział 1

Młoda, dwudziestojednoletnia kobieta ostrożnie stawia kroki, idąc ulicą u boku swojego ojca. Włosy i twarz zasłania szalem. Towarzyszy im energiczny jegomość mniej więcej w wieku jej ojca, niejaki Ryan Donald Martin, amerykański konsul rezydujący tu, w Aleppo. Mężczyźni wybierają okrężną drogę naokoło placu u podnóża cytadeli, ponieważ chcą jej oszczędzić widoku deportowanych, którzy dotarli tu zeszłej nocy – niebawem i tak będzie miała z nimi do czynienia. Mimo to kobieta czuje, że zaraz zrobi jej się niedobrze. Odór gnijącego ciała i smród ekskrementów w lipcowym upale są niczym spiskowcy w zmowie przeciwko jej żołądkowi, który ma się teraz nawet dużo gorzej niż podczas podróży przez Atlantyk przed kilkoma tygodniami. Jest jej duszno, nogi się pod nią uginają. Wyciąga dłoń, by wesprzeć się na ojcowskim ramieniu. W odpowiedzi ojciec delikatnie klepie ją po ręce, jakby tym niezdecydowanym, roztargnionym gestem chciał dodać jej otuchy.

– Panno Endicott, może chce pani odpocząć? – pyta konsul. – Nie wygląda pani najlepiej. – Kobieta podnosi na niego wzrok. Jego wielkie, brązowe oczy są nieco rozbiegane, a po obu stronach twarzy spływają mu cienkie strużki potu. Ma na sobie beżową, lnianą marynarkę, z pewnością o niebo wygodniejszą od szarego, wełnianego garnituru jej ojca. Kobieta wolną ręką dotyka własnej twarzy, która także jest wilgotna. Na pytanie konsula odpowiada skinieniem głowy. Tak, musi na chwilę usiąść, choć wstyd jej się do tego przyznać. A może jednak nie będzie to konieczne, zwłaszcza że nie bardzo widzi, gdzie mogłaby spocząć na tej brudnej, nędznej ulicy. Lecz Ryan, nie czekając ani chwili, bierze ją pod ramię, prowadzi w stronę schodów wiodących na taras przed jednym z domów po ocienionej stronie wąskiej ulicy, po czym gołymi rękami wyciera szeroki stopień, by mogła na nim usiąść. U szczytu schodów znajdują się rozklekotane drewniane drzwi, szczelnie zamknięte przed porannym skwarem. Ten, kto za nimi mieszka, chyba nie będzie miał nic przeciwko, jeśli chwilę odpocznie przed wejściem. Siada więc i bierze głęboki oddech. Powoli wciąga powietrze ustami, przyglądając się kobietom w chustach i długich, luźnych sukniach – niektórym widać tylko oczy spod burki – oraz mężczyznom w długich, ozdobnych marynarkach, obszernych, bezkształtnych spodniach i przypominających doniczki fezach. Niektórzy spoglądają na nią życzliwie, ze współczuciem, inni rzucają jej bezwstydne, pożądliwe spojrzenia. Została ostrzeżona.

– Mamy dziś przyjemny wietrzyk – stwierdza wesoło Ryan. Nieco chłodniejszy powiew powietrza rzeczywiście daje jej odrobinę wytchnienia, lecz wraz z nim niesie się smród znad miejskiego placu. – Zanim pani przyjechała, upał był po prostu nie do zniesienia.

Ona jednak nie potrafi sobie wyobrazić jeszcze większej spiekoty. W tej chwili wyższa temperatura wydaje jej się po prostu niemożliwa. Aczkolwiek, mimo upału wczorajszej nocy w mieszkaniu, które zajmują, poczuła się niespodziewanie komfortowo, zwłaszcza po wielu tygodniach spędzonych na pokładzie statku, po których nastąpiła przesiadka do zaprzężonego w konie powozu, który potem jeszcze zamienili na dwa kolejne pociągi z wagonami wyposażonymi jedynie w drewniane ławki. Mimo nagrzanego powietrza niemal pół godziny spędziła, stojąc przy oknie w środku nocy i spoglądając na rzędy posągowych cyprysów porastających wzgórze, widoczne poza granicami amerykańskiego konsulatu, a także na altany ocienione koronami drzew rosnących na terenie ośrodka. Na niebie świeciło więcej gwiazd niż kiedykolwiek nad Bostonem, a zawieszony pośród nich sierp księżyca sprawiał wrażenie, jakby znajdował się niesamowicie blisko ziemi, i był to doprawdy piękny widok.

Jej ojciec, z rękami skrzyżowanymi na piersiach i surowym wyrazem twarzy, uważnie przygląda się rzędom dwupiętrowych budynków w kolorze piasku, wiodących po łuku do wylotu jednej z uliczek. Nagle jego córka widzi, jak odchyla do tyłu ramiona i prostuje plecy. Ryan, dostrzegłszy to samo co on, mamrocze pod nosem, jednak na tyle głośno, że jest w stanie go usłyszeć:

– Jezu Chryste! Nie, już wystarczy.

Obaj spoglądają na nią w tym samym momencie, uświadamiając sobie, że nic nie mogą zrobić. Że nie ma absolutnie żadnego sposobu, by ochronić ją przed tym, co za chwilę nastąpi. Ale czyż nie przyjechała tu właśnie z tego powodu? Przecież sama zgłosiła się na ochotnika, by uczestniczyć w tej misji. Żeby prowadzić kronikę wydarzeń dla Przyjaciół Armenii i żeby zostać wolontariuszką w szpitalu – jednym słowem robić wszystko, żeby pomóc tym ludziom. Mimo to obaj mężczyźni czują narastającą falę zażenowania, które spływa po nich niczym pot. Co ciekawe, przynajmniej z jej punktu widzenia, są równie zakłopotani, co zniesmaczeni całą tą sytuacją. Gdyby znaleźli się tutaj sami – zostawiając ją w ośrodku – z pewnością doświadczyliby jedynie uczucia gniewu. Opiera więc dłoń o zaskakująco chłodną ścianę i wstaje.

Z drugiego końca ulicy wyłania się kolumna ledwo powłóczących nogami starych kobiet. Same Afrykanki, co niezmiernie ją dziwi. Ten widok wręcz ją paraliżuje, ale nie może oderwać wzroku. Przywodzi jej na myśl rysunki i obrazy przedstawiające amerykańskie targi niewolników z połowy dziewiętnastego wieku, ale o ile ją pamięć nie myli, ukazani na nich ludzie, zarówno mężczyźni, jak i kobiety, zawsze mieli na sobie ubrania, nawet jeśli były to tylko łachmany. W przeciwieństwie do nich te kobiety są całkiem nagie, od stóp do głów, z których zwisają długie kołtuny czarnych włosów. I to właśnie włosy, długie i proste, choć niemożliwie rozczochrane i aż lepiące się od brudu, uświadamiają jej, że te kobiety są białe – a przynajmniej kiedyś były – i w dodatku całkiem młode. Wiele z nich ma tyle lat co ona, niektóre być może jeszcze mniej. Ale żadna nie pamięta już, co to wstyd. Jest im wszystko jedno. Czerń swojej skóry zawdzięczają parzącym promieniom słońca albo ziemi, na której spały. Ich ciała pokryte są strupami i otwartymi, ropiejącymi ranami, które cuchną tak bardzo, że czuć je nawet z tej odległości. I kiedy tak się wleką chwiejnym krokiem, przypominają konające dzikie zwierzęta. Niektóre opierają się o ściany, żeby nie upaść. Pierwszy raz w życiu widzi tak wychudzonych ludzi i nie może pojąć, jakim cudem są w stanie utrzymać się na tych obleczonych skórą kościach. Ich zapadnięte klatki piersiowe giną między żebrami. Sterczące miednice przypominają kosze.

– Nie musisz na to patrzeć, Elizabeth – mówi ojciec, ale ona go nie słucha. Nie odwraca wzroku.

Kobiety pędzi przez miasto sześciu młodych mężczyzn. Dwóch, którzy wyglądają na równie wykończonych jak one, jedzie na koniach, pozostałych czterech maszeruje wzdłuż kolumny. Każdy z nich ma przewieszony przez ramię karabin. Oni też nie wydają się starsi od Elizabeth, a dwaj znajdujący się w pobliżu niej mogą mieć co najwyżej po szesnaście lat. Widać, że dopiero co puścił im się lekki wąsik, stanowiący w ich przekonaniu atrybut dojrzałego mężczyzny.

Kiedy cała ta grupa prawie już zrównuje się z Elizabeth, jej ojcem i konsulem, żandarmi kierują kobiety w stronę wąskiej uliczki prowadzącej na plac u stóp cytadeli, gdzie dołączą do reszty przebywających tam od wczoraj deportowanych. Mężczyźni są zmęczeni i łatwo wyprowadzić ich z równowagi. Biją kobiety, gdy któraś idzie zbyt wolno lub porusza się zbyt ociężale. Szarpnięciem za włosy stawiają na nogi te, które upadły na ziemię. Elizabeth próbuje je liczyć, zanim znikną za zakrętem, lecz odruchowo odwraca głowę, gdy jej wzrok krzyżuje się ze spojrzeniem jednego z tych chodzących szkieletów. Mimo to udaje jej się oszacować liczbę kobiet. Jest ich co najmniej sto dwadzieścia pięć. Zupełnie nieświadomie wypowiada tę liczbę na głos.

– Zapewniam panią, panno Endicott, że kiedy opuszczały Zejtun czy Adanę, było ich ponad tysiąc – mówi Ryan.

– Czemu Turcy zabrali im ubrania? – pyta go.

Konsul potrząsa głową.

– Zazwyczaj tego nie robią, no chyba że mają zamiar kogoś zabić. Czasami rozbierają mężczyznę tuż przed egzekucją, ponieważ uważają, że ubranie osoby umarłej jest odzieniem zbrukanym. Nie mam jednak pojęcia, co nimi kierowało w tym przypadku. Może chcieli poniżyć tych, którzy zdołali przetrwać. A może uznali, że dzięki temu szybciej powymierają od samego słońca. Ale nie ma co się w tym wszystkim doszukiwać jakiegokolwiek sensu.

– A gdzie są mężczyźni?

Konsul delikatnie przeciera czoło chusteczką.

– Można uznać, że po prostu nie żyją. Albo ich… – przerywa w pół zdania, milknąc pod piorunującym spojrzeniem ojca Elizabeth, który chce wprowadzać córkę w ten świat stopniowo. Krok po kroku. Opowiadał jej już trochę podczas podróży statkiem. Rozmawiali też w pociągu. Ale bardzo ogólnikowo, głównie o historii państwa osmańskiego.

Pod koniec miesiąca przybędą tu jeszcze dwaj lekarze i od razu rozpoczną pracę. Do ośrodka wróci też wraz z nimi doświadczona misjonarka Alicia Wells. Właśnie dostali od nich telegram, w którym zawiadamiają, że wypłyną z Bostonu z opóźnieniem. W dodatku być może będą musieli obrać okrężny kurs z powodu czających się na morzu U-Bootów. Niestety dla niektórych trafiających tu ocalałych kobiet takie dwu- lub trzytygodniowe opóźnienie może okazać się tragiczne w skutkach. Kiedy lekarze wreszcie dotrą na miejsce, ich dawno już tu nie będzie. Do tego czasu zostaną wyprowadzone z powrotem na pustynię do obozów przesiedleńczych na południowym wschodzie. To samo spotka grupę kobiet i dzieci, które na uginających się nogach odbyły podróż z pustyni do miasta i od wczoraj przebywają na placu.

Elizabeth nie potrafi sobie wyobrazić, w jaki sposób mogłaby im pomóc, ba, jak ktokolwiek na tym bożym świecie mógłby im pomóc. Jednak po chwili odpoczynku, gdy dochodzi do siebie, razem z ojcem i konsulem postanawiają, że zamiast dyskutować podczas lunchu na temat warunków panujących w Aleppo oraz omawiać plany związane z przyjazdem pozostałych członków misji, lepiej będzie, jeśli udadzą się na plac za tymi wynędzniałymi kobietami i sprawdzą na miejscu, co da się dla nich zrobić.

Ryan Martin wyrusza na poszukiwanie czegokolwiek, czym mogłyby się okryć nagie kobiety, ale gdy wraca z całym wózkiem postrzępionych sukienek i bluzek – będących pozostałością po trupach deportowanych Ormianek, które przed śmiercią trafiły tego lata do Aleppo – okazuje się, że zostały one już odziane przez współtowarzyszki. W tym czasie Elizabeth wraz z pielęgniarką ze szpitala wyskubują robaki pokrywające ich skórę i opatrują ziejące rany na udach, kostkach i stopach. Tym z niezbyt głębokimi poparzeniami słonecznymi aplikują niewielkie, ściśle wydzielone porcje galmanowej płukanki, a także oliwy z oliwek. Kobietom poparzonym zwłaszcza na ramionach i plecach, skąd zeszła im cała skóra, podobnie jak wężom, które zrzucają zrogowaciałą warstwę naskórka, delikatnie przemywają rany. W ciągu zaledwie kilku minut kończy im się wielka butla jodyny, przyniesionej przez pielęgniarkę. Elizabeth częstuje je wodą i zupą z kaszy bulgur, bo tylko to ma w tej chwili pod ręką. Może jutro pojawi się chleb. Czuje się całkowicie bezradna. Kiedy uczęszczała na kurs pielęgniarski w Bostonie, nikt nie przygotował jej na to, że będzie miała do czynienia z dyzenterią. Z gangreną. Ze stopami z kośćmi popękanymi od wielotygodniowej, bosej wędrówki; ze spuchniętymi, pokiereszowanymi, zdeformowanymi palcami i piętami.

Większość kobiet tłoczy się w prowizorycznych namiotach składających się z płacht płótna mocno naciągniętego na niezbyt stabilne drewniane pale. Jest ich jednak tyle, że nie dla wszystkich starcza miejsca, więc kiedy tylko słońce schodzi niżej, rzucając gdzieniegdzie długie smugi przyjemnego cienia, wylewają się na zewnątrz. Dzieci – w tej grupie deportowanych tylko wśród nich można spotkać przedstawicieli płci męskiej – przypominają jej martwe pławikoniki, które widziała kiedyś na jednej z plaż Cape Cod.

Zwinięte w kłębek leżą na boku, a ich drobne kości wydają się tak kruche i jednocześnie tak ostre jak pancerze wysuszonych koników morskich. Mniej więcej czterysta metrów dalej znajduje się szpital, co prawda dość prymitywny w odniesieniu do bostońskich standardów, ale to wciąż szpital. Elizabeth czuje, jak ogarnia ją wściekłość na myśl o tym, iż nie ma w nim miejsca dla tych kobiet i że do tej pory ani jeden lekarz nie wyszedł z budynku, żeby udzielić im pomocy. Ryan próbuje ją uspokoić. Większość łóżek, tłumaczy konsul, zajmują właśnie armeńskie kobiety i dzieci, lecz tak czy owak to, co widzi tu, na zewnątrz, sprawia, że w duchu aż gotuje się ze złości.

Ku zaskoczeniu Elizabeth całkiem spora grupa spośród deportowanych kobiet mówi po angielsku lub francusku. Większość jest w tej chwili zbyt wycieńczona i nie ma siły rozmawiać, lecz jedna z nich, która wygląda na pięćdziesiąt lat, choć Elizabeth podejrzewa, że w rzeczywistości ma połowę mniej, biorąc od niej miskę zupy i podnosząc ją do ust, niemal szeptem wypowiada po angielsku słowo „dziękuję".

– Nie ma za co – odpowiada Elizabeth. – Żałuję, że nie mamy nic bardziej pożywnego.

– Jest pani Amerykanką – zauważa kobieta, wzruszając ramionami.

– Tak. Mam na imię Elizabeth.

– A ja jestem Nevart – przedstawia się Ormianka. Elizabeth powoli powtarza w myślach to imię. Obok kobiety śpi mała dziewczynka. Z każdym oddechem jej obojczyk lekko faluje. Wygląda na siedem, może osiem lat.

– A skąd dokładnie pani pochodzi? – pyta kobieta.

– Z Bostonu. W stanie Massachusetts. – Elizabeth spogląda na paznokcie Nevart. Są brązowe, tak samo jak jej skóra. – Jedz zupę powoli, małymi łykami – dodaje.

Ormianka odpowiada skinieniem głowy i stawia sobie miskę na kolanach.

– Wiem, gdzie jest Boston. Przed chwilą słyszałam, jak mówiła pani po ormiańsku. Dobrze zna pani ten język?

– Odrobinę. W zasadzie tyle co nic. Znam głównie słownictwo. Pojedyncze słowa, nie gramatykę – wyjaśnia Elizabeth. – A gdzie ty nauczyłaś się angielskiego?

– Mój mąż studiował w Londynie. Był lekarzem.

Elizabeth zastanawia się nad tym, co właśnie usłyszała. Próbuje sobie wyobrazić ten wrak człowieka wiodący żywot w Anglii. Nevart, jak gdyby czytała w jej myślach, kontynuuje opowieść:

– Nie towarzyszyłam mężowi w czasie studiów. Owszem, byłam w Londynie, ale tylko z wizytą. – Nevart ciężko wzdycha i spogląda Elizabeth prosto w oczy. – Ja nie umrę – mruczy pod nosem, a w jej tonie słychać niemal nutę rozczarowania.

– Nie, oczywiście, że nie umrzesz. Jestem tego pewna. – Elizabeth ma nadzieję, że jej słowa brzmią pokrzepiająco, choć wcale nie jest o tym przekonana.

– Tylko tak pani mówi. Ale ja to wiem na pewno. W końcu byłam żoną lekarza. Przeżyłam czerwonkę, głód, odwodnienie. Oni mnie... nieważne, co mi zrobili. A ja wciąż żyję.

– To twoja córeczka? – pyta Elizabeth.

Kobieta przecząco kręci głową.

– Nie – odpowiada, delikatnie głaszcząc kark dziewczynki. – Ma na imię Hatoun. I tak samo jak ja jest niezniszczalna.

Elizabeth chciałaby jeszcze wypytać ją o męża, lecz nie ma odwagi. Ten człowiek z pewnością nie żyje. Zastanawia się też, czy Nevart straciła dzieci, ale wie, że z takiego przesłuchania nie wyniknie nic dobrego. Zresztą Ormianka chyba wspomniałaby o swoich dzieciach, gdyby były tu z nią teraz. I gdyby w ogóle żyły.

Ponad ramieniem swojej rozmówczyni dostrzega stojącego nieopodal ojca. Chochlą nalewa zupę z czarnego kotła i podaje kobietom, które są jeszcze w stanie utrzymać się na nogach i zanieść jedzenie do namiotu, gdzie leżą na ziemi ich skrajnie wycieńczone towarzyszki. W tym świetle jego broda i bokobrody, o wiele rzadsze i bardziej siwe niż porastające czubek głowy przerzedzone loki koloru cynamonu, wyglądają tak, jakby były całkiem białe.

Na dniach ma przyjechać dostawa mąki, cukru i herbaty. To

pierwszy z dwóch transportów żywności zaplanowany na ten miesiąc, choć Ryan ich ostrzegł, że najprawdopodobniej tylko niewielki odsetek tego, co zamówili, dotrze do Aleppo.

– Dokąd teraz nas zabiorą? – pyta Nevart. – Przyprowadzili nas tutaj, ale przecież nie pozwolą nam zostać.

– Jestem tu dopiero jeden dzień, więc niewiele wiem. Przykro mi.

– Mieszkańcy Aleppo nie chcą nas na swoim placu. A pani by chciała?

– O ile mi wiadomo, w mieście jest sierociniec – odpowiada wymijająco Elizabeth, usiłując jakoś dodać tej kobiecie otuchy. – Ale jeszcze go nie widziałam.

Na twarzy Nevart pojawia się cień gorzkiego uśmiechu.

– O tak, na pewno jest. – Jedną ręką przytrzymuje miskę zupy na kolanach, drugą gładzi Hatoun po głowie. – Wkrótce nie będzie tu nic prócz sierocińców. – Spogląda na dziewczynkę, po czym powoli bierze do ust kolejny łyk zupy.

Ryan Martin uprzedzał Elizabeth, że na pustyni są jeszcze tysiące ludzi. Czasami żandarmi przyprowadzają deportowanych tu, do Aleppo, ale na ogół pędzą ich jeszcze przez tydzień na wschód, wzdłuż Eufratu prosto do obozów, choć, jak podkreślił, słowo „obóz" to nie do końca właściwy termin.

– Z tego, co słyszałem, „rzeźnia" byłaby dużo bardziej trafnym określeniem.

Wszyscy troje siedzą w restauracji na leżących na podłodze poduszkach. Ryan zajmuje miejsce naprzeciwko Elizabeth i jej ojca. Pulchny, niedowidzący na lewe oko chłopak przynosi im w wysokich szklankach wodnisty jogurt z miętą. Z dala od wycieńczonych kobiet i dzieci Elizabeth czuje jednocześnie ulgę i wyrzuty sumienia. Postanowiła towarzyszyć ojcu w podróży do tego zakątka Imperium Osmańskiego, ponieważ uznała, iż będzie to idealne zwieńczenie jej studiów w Mount Holyoke, zwłaszcza że uczelnia posiada filię na terenie wschodniej Turcji. Przed wojną ten ośrodek akademicki prowadził szkołę, a także seminarium duchowne w ormiańskiej dzielnicy miasta Bitlis. Poza tym, gdyby nie fakt, że Europa stała się jednym wielkim polem bitwy, Elizabeth, wzorem swoich starszych kuzynów, pewnie wybrałaby się w wielką podróż do Londynu, Paryża, Rzymu i Berlina. Jeszcze kilka lat temu taka wyprawa byłaby możliwa. Dzisiaj już nie.

– Czy my też tam pojedziemy? – pyta Elizabeth, mając nadzieję, że choć przeszły ją ciarki, głos jej nie zadrżał.

– Do obozów na pustyni? Tak, jeśli w końcu nam pozwolą – odpowiada Ryan. – Ale to nic pewnego. Prowadzę w tej sprawie rozmowy zarówno z gubernatorem generalnym, ichnim *wali*, jak i z jego pomagierami. Jeśli uda mi się zdobyć wszystkie niezbędne pozwolenia, to będzie niemały wyczyn, może mi pani wierzyć. Turcy nie chcą, by Ormianie otrzymywali jakąkolwiek pomoc z zagranicy. Nie chcą też, żebyśmy na własne oczy zobaczyli, co tam z nimi robią. Do obozów nie wpuścili nawet przedstawicieli Czerwonego Krzyża.

Przy drzwiach wejściowych nagle robi się jakiś ruch. Elizabeth odwraca głowę i widzi dwóch młodych niemieckich żołnierzy, w nieskazitelnie czystych mundurach pomimo lejącego się z nieba żaru. Towarzyszy im Turek ubrany w wełniane spodnie i białą, lnianą koszulę. Żołnierze zdejmują czapki i z pełnym powagi szacunkiem trzymają je na wysokości serca. Zza zasłony oddzielającej salę jadalną od kuchni wyłania się przysadzista kobieta, która jest właścicielką lokalu. Podchodzi do mężczyzn i sadza ich przy niskim stoliku tuż obok amerykańskiego dyplomaty i Endicottów. Żołnierze są blondynami, zaś ich turecki kompan ma włosy koloru smoły i równie ciemne oczy. Ci młodzi Niemcy, podobnie jak wszyscy żołnierze zdaniem Elizabeth, zachowują się beztrosko i krzykliwie. Trochę przypominają jej wielkie, przyjaźnie nastawione psy, które bezmyślnie kładą ubłocone łapy na kanapie. Oczywiście zdaje sobie sprawę z faktu, że zabijają ludzi; przecież właśnie do tego zostali wyszkoleni. Jeden z nich ma nawet długą, wąską bliznę biegnącą przez policzek od ucha do samego nosa, niczym równoleżnik przecinający kulę ziemską. Ale Elizabeth nigdy nie będzie świadkiem aktów przemocy, których pokłosiem są trupy w okopach czy na zawsze oszpecona twarz. Jej jedyny kontakt z żołnierzami ograniczać się będzie do takich właśnie sytuacji: gdy z pełnym życzliwości nastawieniem, jak zwykli turyści, wpadną do baru na kawę, piwo czy – jak ci tutaj – na arak.

– Widzę, że jesteście Amerykanami – zagaduje żołnierz, którego twarz jeszcze nie zdążyła ucierpieć w bitwie. Ma silny niemiecki akcent, ale każde słowo wymawia bardzo starannie. W ciągu ostatniego tygodnia, od chwili, gdy przekroczyła granicę Imperium Osmańskiego, Elizabeth spotkała już kilku Niemców. Ten jest porucznikiem. Wyciąga rękę do jej ojca, który niechętnie podaje mu swoją.

– Mam na imię Erich. To jest Helmut, a to Armen – mówi, wskazując na swoich towarzyszy.

Pan Endicott i Ryan także się przedstawiają, na co żołnierze odpowiadają lekkim skinieniem głowy. Dyplomata okazuje odrobinę więcej entuzjazmu niż ojciec Elizabeth, ale zachowanie obu nie wykracza poza ramy elementarnej grzeczności.

– Moja siostra ma na imię Elli – ciągnie porucznik, najwyraźniej nie dostrzegłszy chłodu w tonie Endicotta. – To tak jak pani, prawda? Czy ktoś na panią mówi Elli? – dopytuje, zawadiacko unosząc brew. – Elli to wyjątkowo piękna kobieta, równie piękna jak pani.

– Owszem, można nazywać mnie Elli – odpowiada Elizabeth, choć wie, że ojciec prawdopodobnie będzie próbował uciąć ten flirt. Mimo to chce podjąć ryzyko. – Jednak do tej pory nikt nie zwracał się do mnie inaczej niż Elizabeth.

– Albo panno Endicott – wtrąca ojciec stanowczym tonem. Wygląda na to, iż zaraz powie coś jeszcze, by dać żołnierzom wyraźnie do zrozumienia, że ich krótka wymiana zdań właśnie dobiegła końca, po czym odwróci się do nich tyłem – nawet jeśli będzie musiał w tym celu wykonać niezgrabny ruch na grubej poduszce. Ale w tym momencie do rozmowy przyłącza się Turek, którego oczy są czarniejsze niż noc.

– Przyjechaliście tu, żeby pomagać Ormianom, tak? – pyta. Jego akcent brzmi inaczej niż pozostałej dwójki.

– Zgadza się – odpowiada ojciec Elizabeth. – Jesteśmy członkami niewielkiej filantropijnej misji.

– Dziękuję – mówi mężczyzna, a w kącikach jego ust pojawia się nieznaczny uśmiech. – Zawsze przyda nam się odrobina… filantropii. – Dopiero teraz do Elizabeth dociera, że to nie żaden Turek, tylko Ormianin. Również Ryan orientuje się, z kim ma do czynienia, i natychmiast odwraca się w jego stronę. Robi to tak gwałtownie, że omal nie strąca kolanem szklanki z jogurtem. Zanim Elizabeth ma szansę znów się odezwać, ubiega ją konsul.

– A więc jest pan Ormianinem! – mówi konsul. – Tak też mi się wydawało, ale nie chciałem być nietaktowny. Pomyślałem, że może źle usłyszałem pańskie imię, gdy nas sobie przedstawiano. Nazywa się pan Armen, prawda? – w głosie konsula pobrzmiewa nuta gorączkowego podniecenia, pojawiająca się zawsze, gdy jest podekscytowany. Elizabeth się zastanawia, czy jej ojciec, z tym swoim chłodnym i zasadniczym sposobem bycia, kiedykolwiek przekona się do Ryana Martina. Ma co do tego poważne wątpliwości.

– Skąd pan pochodzi? – pyta konsul.

– Z Van.

– Naprawdę? Jakim cudem udało się panu stamtąd wydostać?

Armen zwleka z odpowiedzią, jakby zastanawiał się nad tym, ile może wyjawić. Wreszcie wzrusza ramionami, lekko napinając mięśnie twarzy.

– Ja i moi bracia walczyliśmy – mówi bezbarwnym tonem. – Potem, gdy przyszła pora, opuściliśmy miasto. Było nas trzech.

– A pańscy bracia są teraz…?

– Jeden walczy gdzieś z Rosjanami, taki przynajmniej miał zamiar. Drugi nie żyje.

– Przykro mi – mówi Ryan.

– Mnie również jest przykro – odpowiada Armen. I dodaje: – Dziękuję panu.

– A mimo to spędza pan czas w towarzystwie tych dwóch…
– konsul przerywa w pół zdania, nie chcąc palnąć czegoś głęboko

niestosownego. Na szczęście Niemiec z blizną na policzku, Helmut, wybawia go z tej kłopotliwej sytuacji.

– Niemcy i Turcja są sojusznikami. A Armen jest tureckim obywatelem – wyjaśnia.

– Chociaż, przynajmniej formalnie rzecz biorąc – dodaje Armen – należę do grona niewiernych. A to oznacza, że w teraźniejszym życiu jestem obywatelem drugiej kategorii, nie mówiąc już o tym, co mnie czeka po śmierci. Z tego, co słyszałem, będzie to bardzo nieprzyjemne doświadczenie.

– Tak czy inaczej, Armen nigdy nie walczył przeciwko Niemcom – kontynuuje Helmut. – Poza tym my też jesteśmy wyznawcami islamu.

– A jak się poznaliście? – pyta Ryan.

Porucznik raczy Armena potężnym klepnięciem w plecy.

– Nasz towarzysz, tak samo jak my, jest inżynierem. Zajmuje się sporządzaniem map dla kolei i kładzeniem torów, a przynajmniej kiedyś się tym zajmował. Helmut i ja pracujemy na odcinku pomiędzy Aleppo i Nusaybin. Spotkaliśmy się z Armenem na stacji telegraficznej, tuż za rogiem.

Elizabeth uważnie przygląda się Niemcom.

– A więc nie pochwalacie tego, co wasi sojusznicy robią z Ormianami? – pyta po chwili.

– Ależ skąd! – odpowiada porucznik podniesionym głosem.

Jego przyjaciel, Helmut, składa ręce na piersiach. Elizabeth dopiero teraz dostrzega, jak bardzo szerokie ma ramiona.

– To barbarzyństwo – dodaje Helmut. W trakcie mówienia jego blizna na twarzy lekko się rozciąga. – Proszę zapytać naszego Armena. Niech pani powie, co widział.

– Tak, prosimy, niech pan nam powie! – wtrąca Ryan tak natarczywym tonem, że gdyby ktoś nie znał powodów jego żywego zainteresowania, mógłby pomyśleć, iż ma do czynienia z amatorem niezdrowej sensacji, lubującym się w makabrycznych historiach.

Armen zerka na Elizabeth i ich spojrzenia spotykają się na ułamek sekundy, po czym znów spuszcza głowę i wbija wzrok w blat stołu. Jego skóra ma kolor kawy z mlekiem, co wydaje jej się kuszące i egzotyczne zarazem. Wąskie usta podkreśla kruczoczarny wąs, a w podbródku, choć skrywa go kilkudniowy zarost, da się dostrzec zarys dołeczka. Podobnie jak ojciec ma wysokie czoło, ale najbardziej z całej twarzy przyciągają uwagę Elisabeth jego wilgotne, przygniecione jakimś ciężarem oczy, które ocieniają firanki długich, dziewczęcych wręcz rzęs.

– Zbyt długo by opowiadać. Nie wiedziałbym nawet, od czego zacząć – mówi wreszcie, kierując swe słowa do wszystkich, po czym zwraca się do Elizabeth:

– Proszę mi lepiej powiedzieć, dlaczego przyjechała pani do Aleppo. Albo niech pani opowie coś o swoim świecie, Elli.

– Elizabeth – poprawia go, czując na sobie badawcze spojrzenia ojca.

– Elizabeth – powtarza Armen przepraszającym tonem.

– Oczywiście zdajemy sobie sprawę z tego, jak wiele pan przeszedł, ale bylibyśmy wdzięczni, gdyby zechciał pan się z nami podzielić swoimi doświadczeniami – nalega konsul pełnym ekscytacji i zaangażowania głosem, żywo przy tym gestykulując rękoma z rozcapierzonymi palcami, jakby potrząsał jakimś kamieniem. – Przecież ludzie muszą się dowiedzieć, co wyprawiają Turcy! Turcy, którzy... – urywa nagle w pół zdania, przypomniawszy sobie, gdzie jest i z kim rozmawia. Jego milczenie przerywa jeden z Niemców.

– Za naszych dzielnych sojuszników! Za Talaata Paszę i za Komitet Jedności i Postępu! – wykrzykuje Erich, podobnie jak Ryan zbyt donośnym głosem jak na tak małą salę, wznosząc kieliszek w szyderczym toaście. – Ich zdrowie!

W tym momencie Elizabeth po raz kolejny odnosi wrażenie, jakby miała do czynienia z przesadnie rozentuzjazmowanymi, niczego nieświadomymi wielkimi psami. Albo gorzej – z małymi dziećmi. Choć z drugiej strony, czy to nie jedno i to samo?

– Gdyby była tu z nami twoja matka... – zaczyna Silas Endicott, nie bardzo wiedząc, w jaki sposób przekazać swoją myśl, gdyż dotyczy ona jego córki i kwestii mężczyzn, a chyba żaden inny temat na świecie nie wprawia go w tak wielkie zakłopotanie – … z pewnością potrafiłaby ci dobrze doradzić.

Przez całe życie wydawało mu się, że świetnie rozumie Elizabeth, ale w zeszłym roku zupełnie go zaskoczyła, odrzucając oświadczyny Jonathana Peckhama, kandydata z dobrej rodziny, który stanowił całkiem przyzwoitą partię. Gdyby poślubił Elizabeth, Silas chętnie przyjąłby go do swojego banku. Na dodatek jakiś czas później dotarły doń pogłoski o tym, że jego córka utrzymuje niestosowne kontakty z jednym ze swoich profesorów w South Hadley – z wdowcem, który ponoć miał słabość do swoich studentek, i to każdego roku do innej.

Elizabeth siedzi teraz naprzeciwko niego w salonie ich apartamentu na terenie amerykańskiego konsulatu, w fotelu z wysokim oparciem, zbyt krzykliwym i ozdobnym jak na jego gust. Siedzisko, obite fioletowym materiałem, wykończone jest złotymi frędzlami, a każdy podłokietnik wieńczy rzeźbiona głowa lwa. W jego przekonaniu to zupełnie nie pasuje do tego miejsca. Taki mebel nadaje się raczej do jakiegoś pałacu. Silas stoi na środku pokoju, z rękami w kieszeniach marynarki. Za wszelką cenę stara się roztaczać wokół siebie aurę spokoju i zdrowego rozsądku.

– I bez wątpienia przypomniałaby ci – kontynuuje swoją przemowę – że choć znaleźliśmy się w innym świecie, nadal obowiązują nas dobre maniery i przyzwoite zachowanie. Zwłaszcza gdy jesteś w towarzystwie żołnierzy. Żołnierze na przepustce…

– Oni nie byli na przepustce, ojcze – poprawia go.

– W każdym razie żołnierze często wychodzą z założenia, że mają prawo sobie pofolgować. Chcę, żebyś się pilnowała i nie traciła czujności.

Silas Endicott cieszy się z przyjazdu córki razem z nim do Aleppo. Będzie pomagać innym, ale też przekona się na własne oczy, jak hojnie została obdarowana przez los. Po powrocie do Bostonu wyjdzie za mąż i wreszcie się ustatkuje. Jej życie wróci na właściwe tory.

Elizabeth wstaje z fotela i podchodzi do ojca. Jego skronie płoną. Całuje go w policzek, dokładnie tam, gdzie kończą się bokobrody.

– Będę się pilnować – mówi z uśmiechem. – Dziękuję ci. A teraz pozwól, że cię opuszczę. Muszę zapisać wszystko, co dziś widzieliśmy i co robiliśmy. Dobranoc.

Wspinając się po ciemnych schodach wiodących do jej pokoju, zastanawia się nad tym, co powiedział ojciec. To ciekawe, że jego zdaniem podczas spotkania w restauracji odwzajemniła zainteresowanie niemieckich żołnierzy. Choć z drugiej strony może wcale nie powinno jej to dziwić, w końcu obaj są wysokimi blondynami. Prawda jest jednak taka, że niewiele uwagi poświęciła tej dwójce. Jej myśli prawie bez reszty pochłonął ich ormiański towarzysz.

Rozdział 2

M oja babcia była *odar* – czyli obca. Tak samo moja matka, przynajmniej technicznie rzecz biorąc, jako że w międzyczasie mój ormiański rodowód został znacznie rozcieńczony przez bostońską krew. W dodatku mój dziadek nie miał już żadnej rodziny, gdy emigrował do Stanów Zjednoczonych, w związku z czym, będąc Ormianinem, to prędzej on powinien być traktowany w Nowej Anglii, świecie swojej żony, jak *odar*. Ale tak się nie stało, gdyż to właśnie babci przypadła w udziale rola „obcej", kiedy wylądowała w enklawie Ormian w Westchester na przedmieściach Nowego Jorku. W dużej mierze przyczynił się do tego jej własny charakter – podobnie jak ojciec była najzwyczajniej w świecie uparta, a poza tym chciała się uwolnić od bostońskiej arystokracji, pośród której się wychowywała.

Jeśli o mnie chodzi, nie sądzę, by Ormianie stanowili bardziej zamkniętą społeczność niż przedstawiciele jakiejkolwiek innej narodowości, którzy masowo osiedlali się w Ameryce na przestrzeni ostatnich czterystu lat, czego najlepszym dowodem jest ślub moich rodziców. Co ciekawe, to wcale nie dziadek z Armenii, tylko ojciec mojej matki pochodzący z Filadelfii odmówił wzięcia udziału w tej uroczystości. Dziadek od strony ojca nie zgłaszał żadnych obiekcji. W końcu jego syn zrobił dokładnie to samo, co kiedyś on, biorąc sobie za żonę przedstawicielkę białej amerykańskiej elity. Natomiast dziadek z Filadelfii nie zamierzał patrzeć, jak jego córka wychodzi za

„syna dywaniarza". Co prawda Armen nigdy nie zajmował się wyrobem dywanów – zresztą do dziś pozostaje dla mnie niezgłębioną tajemnicą, dlaczego tkanie dywanów miałoby być czymś tak uwłaczającym – ale wiecie, o co mi chodzi. Tak więc rodzice wzięli ślub, na którym zabrakło ojca panny młodej, a ta w rezultacie przestała się do niego odzywać. Zresztą, odkąd kilka lat wcześniej rozwiódł się z jej matką, nie odgrywał już w życiu córki zbyt wielkiej roli.

Jedenaście miesięcy po ślubie dziadek przyjechał na Manhattan w interesach i zaprosił moją matkę na lunch. Po rozwodzie przeniósł się z Filadelfii do Chicago, gdzie zamieszkał z kobietą niewiele starszą od własnej córki. Matka przyjęła zaproszenie. Umówili się w restauracji mieszczącej się w budynku domu towarowego B. Altman, jednego z tych snobistycznych centrów handlowych w dawnej dzielnicy Ladie's Mile, który, podobnie jak Arnold Constable i Best & Co., dziś już nie istnieje. Nawiasem mówiąc, tego typu miejsca zawsze kojarzyły mi się z pudłami na kapelusze. W każdym razie, gdy tylko usiedli przy stoliku, dziadek powiedział do matki:

– Nie wierzę własnym oczom. Jak ty jesteś ubrana! Czyżby twojego szanownego małżonka nie było stać na porządną sukienkę dla żony? Zaraz po obiedzie idziemy na zakupy. Musimy ci przecież sprawić jakieś przyzwoite ubranie.

I to był koniec spotkania. Matka wstała od stołu, wyszła z restauracji i zniknęła gdzieś między sklepami. Nigdy więcej nie odezwała się do swojego ojca.

Z kolei mój drugi dziadek dostrzegał w synowej te same cechy, które posiadała jego żona – jak miło, kolejna „obca" kobieta w rodzinie – i kiedy się dowiedział, że urodzi bliźniaki, wpadł w prawdziwą euforię. Poza mną i bratem wprost świata nie widział, a nasze jasne włosy stanowiły dla niego niewyczerpane źródło zachwytu, ale i żartów (z czasem bratu ściemniały włosy i kiedy poszliśmy do trzeciej klasy podstawówki, ktoś, kto nie znał nas z czasów wczesnego dzieciństwa, w życiu by nie uwierzył, że byliśmy bliźniakami i że brat miał kiedyś taką samą blond czuprynę jak ja). Mieszkaliśmy zaledwie dziesięć minut drogi od naszej ormiańsko-amerykańskiej rodziny, za to od babci w Filadelfii dzieliły nas trzy godziny drogi, w związku z czym znacznie więcej czasu spędzaliśmy z Ormianami niż z „mafią Bryn Mawr", jak ojciec pieszczotliwie określał dom swoich teściów.

Oczywiście moi przodkowie z Pensylwanii i Massachusetts także byli emigrantami. Nawet pierwsi bostończycy przyjechali tu ze starego kontynentu, aby uniknąć prześladowań na tle religijnym. Zresztą kwestia religii w jakiejś mierze przyczyniła się również do konfliktu pomiędzy Turkami i Ormianami. Przedstawiciele nowego ustroju politycznego w państwie, w którym większość stanowili muzułmanie, postanowili podjąć próbę pozbycia się mniejszości chrześcijańskiej. Zbytnio to upraszczam? Pewnie tak. W końcu muzułmanie i chrześcijanie żyli obok siebie przez wiele stuleci. I dopiero takie idee jak „nacjonalizm" czy „modernizacja", z których zrodziła się wizja homogenicznej Turcji, doprowadziły do rzezi. Ale podobieństwa pomiędzy moimi purytańskimi i ormiańskimi przodkami nasuwają się same. Jeśli zaś chodzi o różnice, to największa polega na tym, że bostończycy przybyli tu po prostu trzysta lat wcześniej niż Ormianie.

Jest wczesny wieczór. Elizabeth stoi oparta o framugę drzwi i spogląda na swoją sypialnię, oczarowana widokiem moskitiery, która niczym delikatna mgiełka spowija łóżko. Pokój jest niemal tak samo przestronny jak jej bostońska sypialnia i swymi gabarytami zdecydowanie przyćmiewa pokoje, które przez ostatnie cztery lata dzieliła z innymi studentkami w akademiku Mount Holyoke. Sama już nie wie, czy jej się to podoba, czy nie. Szczerze mówiąc, spodziewała się czegoś bardziej prymitywnego i nawet cieszyła się na odrobinę ascezy, która, jak sądziła, przydałaby jej nieco heroizmu. Do tego ci wszyscy wysiedleńcy stłoczeni w obozie na placu, spośród których tylko nieliczni mają to szczęście, że śpią na prowizorycznych materacach zrobionych ze szmat czy postrzępionych koców, podczas gdy cała reszta leży na nagich kamieniach. I jeszcze Nevart, kobieta, której mąż studiował na akademii medycznej w Londynie. Elizabeth ciężko wzdycha. Wie, że nie zrobiła nic złego, a mimo to ogarnia ją dojmujące poczucie winy przy jednoczesnym zachwycie nad tym zakątkiem starego świata.

Z zamyślenia wyrywa ją jakieś poruszenie na dole. Wychyla się na korytarz.

– Tak, jest na górze – słyszy głos Davida Heberta, asystenta konsula, udzielającego komuś odpowiedzi. – Spodziewa się pana?

– Nie. Pomyślałem tylko, że…

– Tak? – ponagla go David.

Ale Elizabeth stoi już przed niewielkim lustrem na toaletce. Co prawda szklaną taflę pokrywają gdzieniegdzie powstałe z upływem lat brązowe plamy, lecz wciąż spełnia ono swoją funkcję. Jest wystarczająco przejrzyste, by mogła w nim sprawdzić stan swoich włosów, twarzy i kołnierzyka bluzki. Nie słucha już wymiany zdań odbywającej się na parterze. Od razu rozpoznała głos niespodziewanego gościa. To ormiański inżynier, którego spotkali wczoraj w restauracji. Bierze głęboki oddech, żeby się uspokoić, by opanować przyjemne drżenie, które powoli ogarnia całe jej ciało. W tej samej chwili z półpiętra dociera do niej głos Davida, informujący ją, że na dole czeka jakiś dżentelmen. Podobno się znają. Mówi, że chciałby się z nią zobaczyć. W tonie asystenta Elizabeth nie słyszy obecnego zazwyczaj ironicznego dystansu. Widać, iż jest pod wrażeniem tupetu Armena. Podobnie zresztą jak ona sama. Poprawia rękawy, gorset, obraca się na pięcie i powoli rusza korytarzem w kierunku schodów wiodących na parter, całym wysiłkiem woli próbując zdusić impuls, który każe jej biec.

Armen mówi po angielsku, ponieważ uczył się Euphrates College w Harput. Kiedy Turcy, opowiada jej, zamordowali większość wykładowców, a budynki należące do szkoły przekształcili w baraki wojskowe, jego dawno już tam nie było. Razem z braćmi zaszył się w górach otaczających Van. Elizabeth zdaje sobie sprawę, że historia Armena i całej jego rodziny z pewnością kryje przed nią jeszcze wiele tajemnic, ale nie ma odwagi, by wypytywać go o szczegóły. Przynajmniej jeszcze nie teraz.

– Byłem pewien, że pani ojciec jest duchownym – mówi Armen.

Na horyzoncie widać już tylko cienką smugę czerwonego światła rzucaną przez zachodzące słońce. Elizabeth i Armen siedzą obok siebie na fotelach z kutego żelaza na dziedzińcu przed konsulatem. Silas Endicott i Ryan Martin już wrócili. Są w gabinecie konsula i wysyłają list do amerykańskiego ambasadora w Konstantynopolu, a także jej pierwszy, nieco przydługi raport dla Przyjaciół Armenii, organizacji Endicotta z siedzibą w Bostonie. Dziedziniec otaczają wysokie kamienne mury z jednym okazałym, zwieńczonym łukiem wyjściem na ulicę. Nocą masywne, dwuskrzydłowe drewniane drzwi odcinają Amerykanów od reszty świata. Rygluje się je za pomocą trzech grubych żelaznych zasuw i drewnianej belki o szerokości jakichś piętnastu centymetrów. Z każdej strony drzwi, niczym pełniący straż wartownicy, znajdują się wąskie, zakratowane otwory, które trochę przypominają więzienne kraty. Można przez nie wyjrzeć na zewnątrz, ale nikt się tamtędy nie wśliźnie do środka.

– Niestety, mój ojciec nie pełni aż tak zaszczytnej funkcji. Jest zwykłym bankierem – wyjaśnia Elizabeth. – Oczywiście nie twierdzę, że wykonywanie tego zawodu przynosi jakąś ujmę. Mój dziadek i pradziadek też byli bankierami. I abolicjonistami.

– Nie znam tego słowa – przyznaje Armen. Wówczas Elizabeth serwuje mu krótki wykład. Jednak co jakiś czas traci wątek, rzucając w jego stronę ukradkowe spojrzenia. Armen zdaje się nie spuszczać z niej wzroku i kiedy ich spojrzenia się spotykają, powietrze staje się naelektryzowane jak przed nieuchronnie nadciągającą burzą.

– Pani kraj wydaje się taki rozsądny w porównaniu z Turcją – stwierdza, gdy Elizabeth kończy przemowę. – Taki normalny. Ale nie zawsze, prawda?

– Cóż, mamy też swoje dziwactwa.

– Wasz przyjazd do Aleppo doprawdy godny jest pochwały.

– Może i tak.

– Dlaczego tak pani mówi?

Na twarzy Elizabeth pojawia się uśmiech.

– Bo widzi pan, pochodzę z rodziny, w której od dziada pradziada każdy podchodził krytycznie do swoich własnych intencji. Uważam, że nawet w najlepszym zamiarze może kryć się coś podejrzanego. Poza tym tak naprawdę ani ja, ani mój ojciec niespecjalnie nadajemy się do tego przedsięwzięcia. Myślę, że inni członkowie naszej ekspedycji okażą się bardziej przydatni.

– W takim razie dlaczego tu przyjechaliście?

– Mój ojciec ceni sobie odpowiedzialność, zwłaszcza finansową. W tym wypadku dała o sobie znać natura prawdziwego bankiera. Zebrał całkiem sporą sumę pieniędzy, które potem oddał potrzebującym. Tymczasem do jego uszu dotarły informacje, że tylko niewielka ilość zgromadzonych środków trafia z Ameryki czy Egiptu tam, gdzie powinna.

– A pani?

Pytanie Armena nie wprawia jej w zakłopotanie, aczkolwiek odpowiedź na nie wymyka się prostemu wyjaśnieniu.

– Nie jestem nauczycielką, ale mogłabym uczyć. Nie jestem też pielęgniarką, ale mam w tym zakresie pewne przeszkolenie, choć muszę przyznać, że wczoraj niewielki był z niego pożytek. Nie przeraża mnie choroba. Co prawda podczas pierwszych godzin pobytu w Aleppo średnio sobie radziłam, ale już doszłam do siebie. Myślę, że moja pomoc najbardziej przyda się w szpitalu.

– Kiedy już opanuje pani język ormiański – rzuca Armen żartobliwym tonem.

– Jest aż tak źle?

– Mógłbym pani pomóc z czasownikami. Czasowniki to podstawa większości zdań.

– Są jednak rzeczy, które mogę robić, zanim zacznę biegle mówić w pańskim języku – uśmiecha się Elizabeth.

Armen przytakuje skinieniem głowy.

– A oprócz tego czym się pani będzie zajmować?

– Jestem odpowiedzialna za korespondencję z Przyjaciółmi Armenii. Będę informować ich na bieżąco o naszej pracy tu na miejscu. Amerykanie muszą się dowiedzieć, z jak dramatyczną sytuacją mamy do czynienia.

– Znałem kilku Amerykanów w Van i Harput. Misjonarzy i nauczycieli. Byli bardzo... – przerywa, nie mogąc znaleźć odpowiedniego słowa. Ale po chwili podejmuje wątek: – Uwielbiali Van. Podobały im się ogrody. I jezioro. Jest naprawdę piękne. Miasto zamieszkiwali głównie Ormianie. Stanowili ponad połowę z pięćdziesięciu tysięcy mieszkańców.

– Nigdy tam nie byłam. Zresztą jeszcze do niedawna w ogóle nigdzie nie byłam, nie licząc Massachusetts. Mogę panu co najwyżej opowiedzieć o Bostonie, South Hadley czy o Cape Cod. To moja pierwsza zagraniczna podróż. I być może to właśnie prawdziwy powód, dla którego tu przyjechałam – mówi Elizabeth, a przed oczyma stają jej twarze dwóch mężczyzn: tego, który poprosił ją o rękę, i tego, który najwyraźniej nie był już zdolny do takiego poświęcenia. Obaj, oczywiście każdy na swój sposób, wyglądali na głęboko zawiedzionych, gdy postanowiła zakończyć z nimi znajomość.

– Dziś prawie wszyscy nie żyją – mówi Armen z ciężkim westchnieniem. Jego słowa wyrywają ją z zamyślenia. – Ci, co przetrwali, opuścili miasto. W Van nie ma już żadnych Ormian.

– Pańska rodzina pochodzi z Van czy Harput? Wspominał pan o Euphrates College.

– Z Van.

Dwa ptaki przysiadają na gałęziach rachitycznej topoli. W pierwszej chwili Elizabeth się wydaje, że to jastrzębie. Jednak po bliższej inspekcji okazuje się, że to sępy.

Następnego dnia Elizabeth zakłada słomkowy kapelusz z szerokim rondem, by choć trochę ochronić się przed słońcem. Może nie prezentuje się tak imponująco jak kapelusze à la „Wesoła wdówka", co nie znaczy, że pozbawiony jest szyku – zdobiły go dwa ekstrawaganckie strusie pióra, zanim Elizabeth nie usunęła ich przed wyjściem z ośrodka. Na placu, gdzie koczują kobiety, spotyka Ryana Martina.

Konsul wygląda na podekscytowanego. Towarzyszy mu jedenasto-, może dwunastoletni turecki chłopiec, który pracuje w szpitalnej kuchni. Każdy z nich trzyma w ręku duży, jutowy worek z pieczywem.

– To nie jest prawdziwy chleb, ale można się nim najeść – oznajmia, stawiając worek na ziemi. Rękawem marynarki ociera pot z czoła. – Tak zwany szpitalny chleb.

– A co to znaczy?

– Że jest ciemny, niedopieczony, wypełniony plewami i słomą. Ale podsmażyliśmy go na maśle zarekwirowanym przez tego chłopaka – komu on to zabrał, nie pytałem – dzięki czemu jest prawie jadalny.

Zaczynają rozdawać chleb kobietom na placu. Niektóre są zbyt osłabione, by zdobyć się na choć odrobinę entuzjazmu. Jedna z nich, stara, z całkowicie zapadniętymi ustami z powodu braku wszystkich zębów, mówi coś po ormiańsku do Ryana, z czego Elizabeth rozumie tylko co drugie słowo. Jednak konsul kręci głową i na siłę wciska przysmażony kawałek chleba w jej sękate, spalone słońcem dłonie.

– Nie chciała chleba? – pyta Elizabeth, gdy kobieta odchodzi.

– Prosiła mnie, żebym zaniósł jej porcję do sierocińca. Ma tam dwójkę małych dzieci.

– Myślałam, że… – przerywa, zaciskając usta. Potrzebuje chwili, by przetrawić tę informację.

– Tak?

– Myślałam, że jest babcią.

– To skutek poważnego niedożywienia. I słońca – tłumaczy konsul, po czym wskazuje na jej kapelusz. – Bardzo mądrze. A do tego bardzo ładnie. Tu w Aleppo taki kapelusz to raczej niespotykany widok. – Milknie na chwilę, gdyż jego uwagę przyciąga grupa kobiet na drugim końcu placu. Jest ich dziewięć, może dziesięć. Stoją w rzędzie i wszystkie odwrócone są do niego plecami. – A co tam się, u licha, dzieje? – mruczy pod nosem. Ręką daje znak małemu Turkowi, żeby dalej rozdawał chleb, a sam rusza w kierunku kobiet. Elizabeth idzie tuż za nim.

Po chwili już wie, co się dzieje, i czuje, jak robi jej się słabo. Jednak sekundę później ogarnia ją gniew. Dwóch niemieckich żołnierzy, których poznała w restauracji, robi zdjęcie za pomocą aparatu skrzynkowego jednej z deportowanych kobiet. Helmut, ten z blizną, stoi za statywem, a Erich ustawia modelkę. Porucznik śmieje się z czegoś, ściągając z niej postrzępioną kraciastą bluzkę. Wygląda to tak, jakby chciał, żeby uniosła ramiona i wykonała jakiś absurdalny, a zarazem poniżający gest; być może chce, żeby udawała baletnicę. Elizabeth już się szykuje do przypuszczenia szturmu na żołnierzy. Jakim prawem urządzają sobie jarmarczny pokaz osobliwości, wystawiając te kobiety na pośmiewisko?! Ale Ryan kładzie jej rękę na ramieniu i mówi:

– Panno Elizabeth, pozwoli pani, że ja się tym zajmę.

On także jest poruszony, lecz w jego zachowaniu nie widać nawet cienia wściekłości. W tym momencie do Elizabeth dociera, że opacznie zrozumiała całą tę sytuację. Niemcy wcale nie naśmiewają się z Ormianek, tylko dokumentują to, co widzą, jak gdyby byli dziennikarzami, a nie żołnierzami. Fotografowana przez nich kobieta ma potworne, ropiejące rany, które niczym naszyjnik oplatają jej obojczyk i biegną dalej, wzdłuż lewego policzka.

– To pański aparat? – pyta Ryan.

– Nie. Należy do Helmuta – odpowiada porucznik i wyciąga dłoń do konsula. Następnie odwraca się do Elizabeth. – Dzień dobry – wita się z nią, lekko skłaniając głowę.

– To niemożliwe, żeby Turcy pozwolili wam fotografować – kontynuuje podekscytowany konsul. – Robienie zdjęć deportowanym jest nielegalne, przecież o tym wiecie. Możecie za to trafić do więzienia. Mogą postawić was przed sądem wojennym.

– Oczywiście nie rozpowiadamy na prawo i lewo o naszej działalności – odpowiada Helmut. – Nie rozwieszamy na mieście ogłoszeń informujących o tym, że poszukujemy modelek.

– Sam Dżemal Pasza wyraził się jasno na ten temat: fotografowanie Ormian traktowane jest tak samo jak robienie zdjęć w strefie wojennej. To szpiegostwo. Zdrada stanu.

– W takim razie proszę mu lepiej nic nie mówić – kwituje Erich niemal żartobliwym tonem. (Dżemal Pasza stoi na czele 4 Korpusu tureckiej armii na terenie Syrii i Palestyny.)

– Od jak dawna robicie te zdjęcia?

– Od dwóch tygodni.

– I nikt o tym nie wie?

– Nikt.

– Z wyjątkiem ofiar – zauważa Elizabeth, patrząc, jak kobieta z ranami na szyi z każdą chwilą coraz bardziej słabnie w upale. Opiera się o ścianę i zawstydzona z powrotem naciąga bluzkę na ramiona.

– Zgadza się – przytakuje Helmut. – Po drugiej stronie placu był jeden żandarm, który się zdrzemnął. Nadal śpi?

– Chyba tak – odpowiada Ryan.

– To dobrze. Ale na wszelki wypadek zasłaniają nas te kobiety – wyjaśnia Helmut. – Pewnego dnia przywieziemy nasze płytki fotograficzne do Europy, choć nie bardzo wiem, co dalej z nimi zrobimy. Niektórzy Niemcy są tak samo wstrząśnięci tym, co się tutaj dzieje, jak wy, Amerykanie. Ale nie zapominajmy, że Turcja to nasz sojusznik, a niemiecki rząd ma teraz inne problemy na głowie. I chyba ostatnią rzeczą, jakiej by sobie życzył, byłby kryzys w relacjach z sojusznikiem, który zmusza Rosję do walki na Kaukazie, a Brytyjczyków i Francuzów w Cieśninie Dardanelskiej.

– Ale w tej sytuacji czas jest na wagę złota – przypomina im wzburzony Ryan. W jego głosie słychać nutę desperacji, a jednocześnie natarczywości. – To od nas zależy, czy świat się o tym dowie. I tylko my możemy sprowadzić pomoc. Czy wobec tego nie dałoby się od razu wysłać tych płytek do Niemiec pocztą albo przez kuriera?

– Turcy w życiu by na to nie pozwolili – odpowiada porucznik. – Natychmiast by je skonfiskowali i zniszczyli. Przecież dobrze pan o tym wie. I doskonale zdaje pan sobie sprawę z tego, jak ścisłą cenzurą objęte jest wszystko, co dotyczy deportacji.

– W takim razie proszę je oddać nam – proponuje konsul. – Proszę je oddać mnie. Może uda mi się znaleźć sposób, by je wywołać.

Erich i Helmut patrzą po sobie.

– Muszę się nad tym zastanowić – mówi Helmut. – Nie planowałem wypuścić tego materiału z rąk, dopóki sam nie zrobię odbitek.

– Ale rozumie pan, że to kwestia niecierpiąca zwłoki, prawda?

Helmut w zamyśleniu pociera bliznę na swojej twarzy, ale nic więcej nie mówi. Elizabeth zwraca się do Ericha:

– Kiedy do was podeszliśmy, śmiał się pan z czegoś. Pomyślałam... Pomyślałam, że...

– Co pani pomyślała?

– Nieważne.

On jednak doskonale wie, co chciała powiedzieć. Kiwa głową, a na jego ustach pojawia się zawadiacki uśmiech. Po raz kolejny przywodzi jej na myśl wielkiego, rozbrykanego psa.

– Prawdopodobnie patrzyłem, jak nasz Helmut udaje, że jest artystą. Nie ma nic zabawniejszego niż inżynier używający takich słów jak „kompozycja".

Nagle jedna z zasłaniających ich kobiet klepie fotografa w ramię i daje mu znak, by spojrzał na plac za jej plecami. Żandarm, o którym wcześniej wspominali, obudził się i właśnie zmierza w ich kierunku z karabinem przewieszonym przez ramię. Helmut bierze w objęcia statyw i aparat, jakby to była panna młoda podczas nocy poślubnej. W tym czasie Erich chwyta pudło z płytkami. Obaj uśmiechają się do Ryana i Elizabeth – Helmut dorzuca jeszcze do uśmiechu łobuzersko uniesioną brew – po czym bez słowa znikają w pobliskiej alejce.

– Ormianki przyglądały się szyi tej kobiety – swobodnym tonem wyjaśnia konsul, zwracając się do żandarma, zaspanego młodego mężczyzny o osadzonych blisko siebie oczach i ustach pokrytych licznymi strupami, powstałymi w wyniku długotrwałego przebywania na słońcu. Żandarm obrzuca spojrzeniem kobietę, wzrusza ramionami i bez słowa wraca na swoje miejsce – plamę cienia pod klapą namiotu – gdzie jeszcze przed chwilą drzemał. Po drodze spostrzega chłopca z workiem. Sięga do środka i wyciąga pełną garść chleba.

Armen idzie na plac, tak jak czyni to niemal codziennie, i delikatnie przemywa twarz dziewczynce, która ma uszy kształtem przypominające muszelki. Robi to, ponieważ mała sama nie chce umyć buzi. Kiedy zabiorą ją z obozu do sierocińca, z pewnością każą jej się porządnie wykąpać. Woda w płytkiej misce jest ciepła; w tym upale wszystko szybko się nagrzewa. Od pielęgniarki dowiedział się, że temperatura w centrum miasta przekroczyła wczoraj 46 stopni.

– Ma na imię Hatoun – mówi Nevart. – Nie lubi dotykać swojej twarzy.

– Dlaczego? – pyta Armen.

Gdy na nią patrzy, wyobraża sobie, że kiedyś musiała być z niej niezła łobuziara, na pewno prześcigała wszystkich chłopaków i biła się równie dobrze jak oni, a może nawet i lepiej. Sam ma taką bratanicę. A raczej miał, bo nic nie wskazuje na to, by udało jej się przeżyć.

Ale Nevart milczy. Armen ma wrażenie, że już chciała coś powiedzieć, lecz Hatoun, która do tej pory nie odezwała się ani słowem, rzuca kobiecie znaczące spojrzenie. Jej oczy wyrażają sprzeciw, a jednocześnie zdradzają kłębiące się w niej emocje. Nevart nie odpowiada na pytanie, tylko wzrusza ramionami.

Tego samego dnia późnym popołudniem Ryan Martin wychodzi ze szpitala i przystaje na opromienionych słońcem schodach, gdzie spędza w ciszy dłuższą chwilę, próbując odegnać od siebie obraz ormiańskiej kobiety – ostrych jak brzytwa kości policzkowych – która właśnie zmarła w szpitalnym łóżku. Miała tak bardzo wystający obojczyk, że jej zwłoki przypominały mu nietoperza. Skóra zwisała z brzucha niemal perfekcyjnie symetrycznymi fałdami. Lekarz myślał, że da się ją ocalić. Niestety nie miał racji. Ryan zwrócił na nią szczególną uwagę, ponieważ była nauczycielką muzyki z dyplomem Oberlin College w Ohio, gdzie po ukończeniu studiów mieszkała jeszcze przez kilka lat, zanim wróciła do Zejtun. On sam dorastał w niewielkiej miejscowości Paulding, również w stanie Ohio.

Konsul przeciera czoło chusteczką. Zamyka oczy. Jego serce przeszywa ostre jak sztylet poczucie winy: wszyscy ci ludzie powinni być dla niego tak samo ważni. I oczywiście są ważni, powtarza sobie w duchu. Ale akurat ta Ormianka... Mieli wspólnego znajomego z Oberlin College, profesora filologii klasycznej.

Jakim cudem absolwentka konserwatorium w Ohio ląduje w tym upiornym szpitalu na skraju pustyni? Ryan myśli o swojej żonie, która została w Ameryce, by opiekować się swoimi niedomagającymi rodzicami. Chciałby, żeby razem z nim przyjechała tego lata do Aleppo.

Patrzenie na zwłoki tej kobiety jawi mu się jako jakieś nadużycie, może nawet swego rodzaju zbezczeszczenie, mimo iż napatrzył się na tyle innych martwych ciał, wobec których nie miał takich odczuć. Ale to były ciała zupełnie obcych kobiet.

Po powrocie do konsulatu jeden z jego współpracowników wręcza mu długi list od Henry'ego Morgenthau, amerykańskiego ambasadora rezydującego w Konstantynopolu. Jak donosi korespondencja, ormiański patriarcha spotkał się z wielkim wezyrem, lecz niczego nie wskórał. Turcy stanowczo obstają przy tym, że będą się bronić przed Ormianami, którzy są w zmowie z Rosją. Jest wojna i nie mają wyboru.

Elizabeth stoi obok Armena na balkonie, z rękoma wspartymi o kamienną balustradę. Są prawie na szczycie ruin pałacu, w którym nikt już dziś nie mieszka. Budynek stanowił niegdyś część cytadeli. Armen przyprowadził ją do tego zamku na wzgórzu, a gdy weszli do środka, czekało ich jeszcze ponad czterdzieści pięć metrów wspinaczki. Żeby dostać się na ten balkon, musieli pokonać fosę, ostrożnie przejść wąskim mostem łączącym wielkie sterty gruzu, minąć żelazną bramę i wdrapać się po krętych schodach na wieżę, która z pewnością przewyższała kiedyś większość budynków w Bostonie. Gdy po raz pierwszy wziął ją za rękę, żeby pomóc jej przejść przez zawalony gruzem dziedziniec, poczuła lekki dreszcz i przyspieszone bicie serca.

Forteca powstała tysiące lat wcześniej niż jakakolwiek budowla w Massachusetts i góruje nad miastem niczym wulkan.

Jest starsza nawet od ruin indiańskiego pałacu Anasazi na południowym zachodzie Ameryki. Elizabeth zapamiętuje sobie ten szczegół, gdyż zamierza o nim wspomnieć w liście do matki i do Przyjaciół Armenii. Kamienie i kafle, choć w większości wyblakłe i poobtłukiwane, wciąż noszą ślady dawnej świetności. Oczyma wyobraźni widzi bogate arrasy, lakierowany sufit usiany drogocennymi klejnotami i osmańskiego sułtana na tronie z baldachimem. Wyobraża sobie eunuchów i dziewczęta z haremu. Ozdobne poduszki z frędzlami i kunsztownie tkane dywany. Kafle w kolorze turkusowego, tytanowego i kobaltowego błękitu. Po raz kolejny okazuje się, że nie była przygotowana na takie piękno pośród takiego bólu i cierpienia.

Armen się uśmiecha, gdy Elizabeth zwierza mu się ze swoich wizji, i stwierdza, że dla niego Massachusetts prawdopodobnie byłoby równie egzotyczne. Ale ona kręci głową z powątpiewaniem i opowiada mu o Bostonie i South Hadley. O swojej matce i jej obsesji na punkcie dwóch ukochanych cocker-spanieli. O koleżance, z którą dzieliła pokój w Mount Holyoke, i o jej niezwykłym sopranie. Mówi mu o podróży przez Atlantyk: w jej opowieści pojawia się starszy pan, który studiował razem z Woodrowem Wilsonem, i Francuz, który nie rozumie, dlaczego Stany Zjednoczone nie przystąpiły do wojny. Opisuje miękki piasek na wydmach Cape Cod, dużo delikatniejszy w porównaniu z syryjskim żwirem. Wspomina o zamku z piasku, który zbudowała kiedyś na plaży w Truro. Przyznaje się, że cierpi na chorobę morską. I że lubi Dickensa. Mówi jak nakręcona, bo za każdym razem, gdy milknie, łapie się na tym, że jej wzrok mimowolnie wędruje w stronę Armena, a oddech lekko przyspiesza.

Helmut Krause klęka na podłodze i wsuwa pod łóżko karton z ostatnią partią niewykorzystanych jeszcze płytek fotograficznych. Obok stoi pudło z tymi, na których są już zarejestrowane obrazy, aparat skrzynkowy marki Ernemann Minor oraz chwilowo złożony drewniany statyw. Nieźle trzeba się nagimnastykować, żeby to wszystko poupychać w jednym miejscu.

– Czasami się zastanawiam, czy nie prościej byłoby je namalować – mówi do niego Armen, wypuszczając z ust smugę błękitnego dymu. Ma na myśli deportowane Ormianki. Gdy tytoniowa mgła opada, rozsiada się wygodniej na krześle i zaczyna uważnie się przyglądać metalowemu ustnikowi swojej fajki wodnej.

– Farby i sztalugi też zajmują sporo miejsca. Poza tym… – Helmut przerywa, podnosząc się z podłogi.

– Poza tym co?

Helmut wstaje i otrzepuje kurz z kolan.

– Nie byłeś nigdy we Włoszech, prawda?

– Nie byłem – potwierdza Armen.

– Widzisz, obraz byłby jak freski we florenckiej katedrze. – Podczas studiów inżynierskich Helmut analizował konstrukcję kopuły Duomo zaprojektowanej przez Brunelleschiego. Miał wówczas okazję obejrzeć makabryczne malowidła autorstwa Vasariego i Zuccariego przedstawiające potępieńców w piekle. Owa scena stanowi fragment Sądu Ostatecznego. – Ukazani na nich ludzie wyglądają przerażająco, ale zupełnie nierealnie. Są zbyt upiorni, żeby kogokolwiek poruszyć.

– A są tam jacyś ukarani za obżarstwo? – pyta Armen.

– Wśród potępionych? Pewnie tak.

– No to mamy kolejną różnicę – stwierdza Armen, wzruszając ramionami. – Założę się, że kości umarłych uwiecznionych w Duomo są obleczone większą ilością ciała.

Helmut kwituje to złośliwym parsknięciem, lecz już po chwili z powrotem poważnieje.

– Czy w ostatnim konwoju – pyta Armena – były jakieś kobiety z Harput?

– Nie.

– Pytałeś?

– Zawsze pytam. Pytam każdego, kogo spotkam.

– Tylko dlatego, że…

– Posłuchaj, ja wiem, że nie żyją. Naprawdę. Zrozumiałem, co powiedziały mi kobiety z pierwszego transportu z Harput. Ale może któregoś dnia przynajmniej się dowiem gdzie. Jak.

– I co, poczujesz się lepiej z tą wiedzą?

– Zawsze lepiej jest wiedzieć niż nie wiedzieć.

– Może i tak – mówi Helmut, biorąc od Armena sziszę. Jedną dłonią chwyta dzban, drugą wąż i głęboko się zaciąga. – Ciebie też chciałbym sfotografować.

– Ale ja ani nie jestem chory, ani nie przymieram głodem. Nie bardzo wiem, co miałbym wnieść do twojego portretu konającego narodu.

Helmut przygląda się jego twarzy. Z korytarza dobiegają jakieś odgłosy. To porucznik biegnie po schodach, przeskakując po dwa stopnie naraz. Po chwili wpada do pokoju i rzuca swój plecak na wiklinowy fotel.

– Wy, Ormianie, macie bardzo duże oczy – stwierdza Helmut, zupełnie jakby nie zauważył powrotu swojego współlokatora. – Zwłaszcza niektóre dziewczynki. Wielkie okrągłe oczy. Na pewno to wiesz. I te wasze oczy pochłaniają wszystko: i to, co dobre, i to, co złe. Twoje oczy nie są wyjątkiem.

– Zgódź się – Erich przekonuje Armena. – Pozwól mu zrobić sobie zdjęcie. Wiesz przecież, że zna się na tym fachu – dodaje, po czym bierze brzytwę i pędzel do golenia z wąskiej półki wiszącej na ścianie, a na jego ustach pojawia się niepoważny, filuterny uśmieszek. – Właśnie poznałem jedną Niemkę. Jest misjonarką, ale co tam. W końcu to niemiecka dziewczyna! Może i pociągają cię, Helmut, ormiańskie oczy, ja jednak wolę panny z Kolonii – stwierdza Erich i wychodzi, żeby się ogolić.

Armen popada w zadumę. Ciekawe, ile czasu spędzi jeszcze w Aleppo, przetrząsając konwoje umierających kobiet w poszukiwaniu kogokolwiek, kto mógłby mu powiedzieć coś więcej na temat tego, gdzie i w jakich okolicznościach najprawdopodobniej zginęły jego żona i córeczka.

Rozdział 3

Myślicie pewnie, że zamierzam demonizować Turków. Nie, nie zamierzam. Nie żywię do nich żadnej urazy.

Pierwszy chłopak, z którym się całowałam – i to tak na poważnie, nie żadne tam przelotne, niezdarne cmoknięcie w policzek czy muśnięcie warg – był Turkiem. Wiedział, że jestem Amerykanką, a ja zdawałam sobie sprawę z jego tureckiego pochodzenia. Ale hormony miały wtedy o wiele większe znaczenie niż historia.

Tuż przed rozpoczęciem dziewiątej klasy, trzy lata po śmierci mojego ormiańskiego dziadka, przeprowadziliśmy się z przedmieść Nowego Jorku do Miami na Florydzie. Nastąpiło to dokładnie w piątek przed Świętem Pracy*. We wtorek po raz pierwszy poszłam do mojego nowego ortodonty, który okazał się prawdziwym sadystą. (Pragnę tylko dodać, że mój brat miał zawsze idealne zęby, co wydawało mi się głęboko niesprawiedliwe. Nigdy nie mogłam zrozumieć, dlaczego to na jego nastoletnią siostrę bliźniaczkę musiała paść klątwa w postaci uzębienia przypominającego rozpadający się płot sztachetowy.) Lekarz zapisał mi uprząż ortodontyczną, która wyglądała trochę jak czerpak koparki. Musiałam nosić to ustrojstwo przez cztery godziny dziennie, co oznaczało, że nie mogłam w tym spać. A ponieważ tytuł najbardziej pokracznej uczennicy w Hialeah-Miami Lakes Senior High School – dziewczyna z łychą koparki zaciśniętą na górnych dziąsłach – nie plasował się zbyt wysoko na

---

* Święto Pracy obchodzone jest w Ameryce w pierwszy poniedziałek września.

liście moich aspiracji, to po powrocie ze szkoły zakładałam uprząż, szłam do ogrodu za domem i w samotności odrabiałam lekcje na pomoście wychodzącym na sztuczne jezioro.

Nie miałam tam zbyt wiele prywatności, gdyż domy w sąsiedztwie pobudowano jeden obok drugiego, zupełnie tak, jak stawia się domki w Monopolu, a poza tym było to stosunkowo nowe osiedle, w związku z czym każdy miał w swoim ogrodzie co najwyżej jedną palmę. Jednak do grona nastolatków na mojej ulicy zaliczało się jedynie dwóch starszych chłopaków, którzy grali w szkolnej drużynie futbolu amerykańskiego i akurat o tej porze dnia mieli trening, oraz uczennica ostatniej klasy, królowa nastolatek, która nigdy w życiu nawet by nie spojrzała w stronę nieatrakcyjnej dziewięcioklasistki.

Natomiast po drugiej stronie jeziora mieszkał chłopak posiadający niewielką żaglówkę. Zaledwie po trzech dniach, odkąd zaczęłam przesiadywać na pomoście, wsiadł na łódkę o nazwie „Mola" i halsując pod wiatr, ruszył w moim kierunku. Kiedy znalazł się na tyle blisko, bym mogła dojrzeć jego twarz, rozpoznałam w nim chłopca, którego widywałam na szkolnym korytarzu. Tak samo jak ja chodził do dziewiątej klasy. Był ubrany w koszulkę z logo Miami Dolphins i białe szorty. Natychmiast zdjęłam uprząż i czekałam na dalszy rozwój wypadków. Gdy od pomostu dzieliło go jakieś dziesięć metrów, przedstawił się. Miał na imię Berk. Był 1979 rok, więc założyłam, że pewnie jest synem jakiegoś kubańskiego emigranta – na naszym osiedlu mieszkali głównie ludzie z Nowego Jorku, Michigan i z Kuby – a Berk to po prostu jego ksywka. Okazało się, że nie. Był Turkiem. Miał skórę koloru miedzi i niejedna rockowa gwiazda oddałaby wszystko za jego czarne jak węgiel włosy, które szaleńczo wijąc się po karku, opadały na ramiona niczym rozpędzona lawina. Następnego dnia, u mnie w domu, na zadaszonej werandzie nad basenem, po raz pierwszy się całowaliśmy.

Kiedy po kilku tygodniach moi rodzice się zorientowali, że jesteśmy parą, ojciec wydawał się nieco speszony całą tą sytuacją. Czasami jednak odnosiłam wrażenie, iż jego odczucia w tej kwestii są znacznie głębsze i o wiele bardziej skomplikowane. Pewnego wieczora po powrocie ze studia nagrań filmowych, którym zarządzał, zwrócił się do mnie podczas kolacji:

– Ten twój nowy przyjaciel, Berk… Zastanawiałaś się nad tym, czy jego dziadkowie polubiliby się z twoimi?

Mój brat, posiadający zdecydowanie szerszą wiedzę historyczną niż ja, odpowiedział na to pytanie.

– Dzisiaj? Pewnie graliby ze sobą w jakieś gry towarzyskie i świetnie by się dogadywali. Ale podczas pierwszej wojny światowej? Rodzina Berka albo by dziadka zamordowała, albo pomagałaby mu się ukrywać. Ale pewnie by go jednak zabili.

Wiem, że starał się nas rozbawić, lecz ja wolałam użalać się nad sobą. W przeciwieństwie do brata, który był członkiem szkolnej drużyny futbolu amerykańskiego i bardzo szybko się zaaklimatyzował w nowym miejscu, wcale nie cieszyłam się z tej przeprowadzki. Nie zdążyłam się jeszcze z nikim zaprzyjaźnić i naprawdę ostatnią rzeczą, na którą miałam ochotę, było wysłuchiwanie krytyki pod adresem mojego nowego chłopaka. W końcu nie zrobił nic złego, a to, co Turcy mieli na sumieniu, wydarzyło się sześćdziesiąt pięć lat wcześniej. Do ludobójstwa – tak, to jest właśnie to słowo! – równie dobrze mogło dojść podczas wojen peloponeskich.

Matka swoim lekko manierycznym zwyczajem wzięła do ust niewielki kęs piersi kurczaka, powoli go przeżuła, po czym odezwała się do ojca:

– Kochanie, czy to naprawdę ma jakiekolwiek znaczenie?

– No właśnie, tato – wtrącił mój brat, a ja na ułamek sekundy uwierzyłam, że tym razem zostanie mi oszczędzona dawka jadu sączonego zazwyczaj przez rodzeństwo podczas rodzinnych obiadów. Nic z tego. Po krótkiej pauzie brat podjął wątek: – Jeśli Laura i Berk po powrocie ze szkoły chcą spędzać całe popołudnia nad basenem, wkładając sobie języki do gardeł… cóż, kogo to obchodzi. Lepsze to niż odrabianie zadania domowego.

Natychmiast zaczęłam zaprzeczać, że nic takiego nie robiliśmy, ale ojciec delikatnie uniósł w górę dłoń, jakby za pomocą tego gestu chciał powiedzieć „stop".

– Nie o to chodzi. Tu chodzi przede wszystkim o historię, o to, co przeszedł twój dziadek, i o to, co stracił. Nie masz o tym pojęcia, a ja chcę tylko mieć pewność, że…

Jego przemowa była zupełnie nieuzasadniona. Dobrze pamiętałam różne historie z przeszłości moich dziadków, które latami docierały do moich uszu. Jednak akurat w tym momencie mojego życia jedyną dobrą rzeczą, przynajmniej w moim własnym mniemaniu, był związek z Berkiem, dlatego ostentacyjnie zerwałam się z krzesła i ogarnięta melodramatyczną furią nawrzeszczałam na ojca, robiąc mu awanturę za to, że przeprowadziliśmy się do Miami, po czym pobiegłam do swojego pokoju, gdzie płakałam tak długo, aż mi się znudziło.

Kiedy skończyłam, poszłam prosto do Berka.

Armen opowiada Elizabeth o pikniku na klifie górującym nad jeziorem Van, który urządzili sobie z Karine zaledwie kilka dni po ślubie. Następnego dnia wracał do Harput, a ona miała do niego dołączyć już jako żona. Ale to dopiero jutro. Teraz, w przywołanym z przeszłości wspomnieniu, siedzą na kocu na skale porośniętej mchem, a on od czasu do czasu wygrywa dla niej jakąś melodię na pożyczonej od brata lutni *oud*.

Spacerując z Elizabeth po Aleppo, Armen myślami jest w dwóch różnych miejscach jednocześnie. Niby oprowadza ją po mieście: tu jest poczta, tu urząd telegraficzny, tu mamy kolejną kawiarenkę, gdzie razem z ojcem mogą wypić po filiżance mocnej tureckiej kawy, z kolei ta uliczka prowadzi do dzielnicy, gdzie turecka armia ma swoje baraki wojskowe – jednak w rzeczywistości ten spacer to tylko pretekst, by spędzić z nią trochę czasu. Być może dzięki temu, że oboje równocześnie patrzą przed siebie lub przyglądają się mijanym budynkom, łatwiej mu wrócić pamięcią do pikniku sprzed trzech lat. Armen opowiada Elizabeth o ciepłych promieniach słońca, które ogrzewały mu czoło, i o odgłosie łagodnych fal nieustannie rozbijających się o brzeg u stóp klifu. I choć nie wyjawia, co czuł, gdy palce Karine dotykały jego dłoni, tamto doznanie powraca teraz z siłą wodospadu. Dotyk jej opuszków – a czasem samych tylko paznokci – biegnący wzdłuż jego linii papilarnych przyprawiał go o drżenie. Teraz znów czuje to samo. Dlatego właśnie ma wrażenie, jakby krążył w tej chwili pomiędzy dwoma równoległymi światami.

– Przyniosłem wtedy ze sobą butelkę wina z granatu – kontynuuje swą opowieść. W tym momencie powraca do niego aromat, jaki wydobył się z butelki, gdy wreszcie udało mu się ją odkorkować. – Na pewno nigdy nie piła pani wina z granatu.

– To prawda. Zresztą nie wydaje mi się, żebym kiedykolwiek jadła sam owoc granatu.

Podczas pikniku Armen mówił Karine o tym, że będzie zachwycona światłem w ich sypialni, kiedy przyjedzie do niego do Harput, i widokiem na miasto, jaki rozciąga się z dachu. Jego mieszkanie znajdowało się na szczycie jednego z zachodnich wzgórz i był pewien, iż spodoba jej się widok z okien. Teraz jednak do swojej amerykańskiej towarzyszki mówi tylko:

– Pokażę pani, jakie są pyszne. Wzdłuż tej uliczki ciągnie się zadaszony bazar. Jest wojna, więc czasami mają bardzo mało towaru, ale może dzisiaj uda nam się dostać granat.

Ku jego zaskoczeniu Elizabeth bierze go pod rękę. Armena aż po kark przeszywa ten sam dreszcz, który kiedyś przebiegł po jego dłoni.

– Co się panu najbardziej podobało w Harput? – pyta go, gdy docierają na targ. Tak jak podejrzewał, w większości beczek i koszy nie ma towaru, a wiele miejsc, gdzie sprzedawcy zazwyczaj rozstawiają swoje namioty i stragany, zieje pustką. Nie znaczy to jednak, że handel zupełnie zamarł. Jest ktoś ze skrzynką pełną bobu, jeden chłopiec sprzedaje daktyle, drugi ma w koszu kilka bochenków białego chleba. Starszy mężczyzna bez oka handluje rzodkiewkami i czerwoną papryką. Lecz Armen doskonale zdaje sobie sprawę, że jedyne osoby, które stać na większość z tych towarów, to najbogatsi kupcy, cudzoziemcy, no i może jeszcze sam *wali*. Na całym bazarze nie ma dziś nawet śladu granatów, ale jeden ze sprzedawców mówi, że może mieć jutro melasę z granatu.

– Miałem tam wielu przyjaciół. Ormian, Turków, Niemców i Amerykanów – odpowiada, choć myślami jest daleko stąd. Wspina się właśnie po schodach wiodących z kawiarni, gdzie spotykał się ze swoimi licznymi przyjaciółmi, do mieszkania, gdzie stoi łoże, które dzielił z Karine – łoże z pokrytym szelakiem, inkrustowanym macicą perłową wezgłowiem. Podczas pikniku na klifie przez dobry kwadrans rozwodził się nad walorami tego mieszkania, desperacko usiłując przedstawić je w jak najlepszym świetle, by było jej łatwiej oswoić się z faktem, iż została przez niego wyrwana z domu rodzinnego w Van. Zamilkł dopiero w chwili, gdy (wreszcie) położyła swój smukły palec na jego ustach. Zapewniła go, że sobie poradzi. Że oboje sobie poradzą. Po tych słowach podniosła jego dłoń do swoich ust i złożyła na niej pocałunek.

– A Karine? – drąży Elizabeth. – Była z panem w Harput.

Stoją obok kadzi wypełnionej mętną wodą, w której pływa kilka niewielkich kostek białego sera.

– Owszem – potwierdza Armen. Ku jego rozczarowaniu Elizabeth wyswobadza swe szczupłe ramię z jego uścisku. Czuje, że w tym momencie utracił coś ważnego. Tymczasem ona, jak się okazuje, chce tylko kupić resztkę sera. W tym celu sięga do torebki, a żeby odpiąć sprzączkę, potrzebuje obydwu rąk.

Nocami Armen śpi na materacu zrobionym własnoręcznie ze słomy owiniętej szorstkim kocem. Wdycha zapach wielbłądów i owiec, które, dzięki Bogu, wreszcie przestały beczeć. Jego wzrok przyzwyczaił się do ciemności i teraz wpatruje się w belki na suficie swojej zatęchłej klitki w obskurnym domu z pokojami na wynajem, sąsiadującym z oborą. Jedynym meblem, jaki posiada, jest komoda z trzema szufladami, ale gdyby nie Niemcy, w ogóle nie miałby co do tych szuflad włożyć. Dostał od nich kilka ubrań, grzebień i trochę pieniędzy, choć nie na tyle dużo, żeby mógł dołożyć się do sera kupionego przez Amerykankę – zanieśli go potem do obozu na rynku, choć tak naprawdę te kilka kostek okazało się ledwie wyczuwalną kroplą w morzu potrzeb.

Teraz, nie mogąc zasnąć, przywołuje w pamięci obraz Elizabeth. Widzi ją, jak stoi naprzeciwko sprzedawcy sera i z lekko rozchylonymi ustami czeka na towar, który ten zawija w papier. Przed oczyma stają mu misy pełne fig. Próbuje sobie przypomnieć jedwabistą, połyskującą granatem czerń włosów swojej żony i zapach oddechu swojej maleńkiej córeczki, gdy zasypiała na jego ramieniu. Młodszy brat, Garo, zachęcał go, by pielęgnował takie wspomnienia, bo dzięki temu będzie w nim rosło pragnienie zemsty. Z kolei starszy brat, Hratch, radził dokładnie odwrotnie: wszystkie te wspomnienia należy amputować niczym opanowaną gangreną kończynę, w przeciwnym razie przysporzą mu jeszcze więcej bólu i cierpienia.

Żadna z tych rad nie ma dla niego większego znaczenia, ponieważ tak naprawdę nie ma wyboru. Nigdy nie wybaczy i nigdy nie zapomni, nawet po krótkiej wizycie w Harput w zeszłym miesiącu. To właśnie z tego powodu jest teraz tu, w Aleppo, a nie na Kaukazie, walcząc ramię w ramię ze swoim młodszym bratem. Zamiast zaszyć się w górach, wyruszył z Van do Harput, a stamtąd do Aleppo. A wspomnienia? To, co teraz z nimi zrobi, to już zupełnie inna sprawa. Garo, jeśli jeszcze nie zginął, jest w tej chwili z Rosjanami, a Hratch nie żyje.

Tu, w Aleppo, Armen czeka na kolejne transporty kobiet w nadziei, że natknie się na grupę z Harput, w której znajdzie się ktoś, kto będzie mógł udzielić mu jakichkolwiek informacji na temat tego, w jaki sposób jego żona i córka trafiły do konwoju. Wie, że nie żyją. Dowiedział się o tym podczas pobytu w Harput. Jednak wciąż wierzy, iż trafi na osoby, które towarzyszyły im podczas ostatnich tygodni, ostatnich dni życia. Chce spotkać kogoś – kogokolwiek – kto poznał jego żonę i jeszcze zdążył doświadczyć jej uśmiechu, zanim świat całkowicie rozpadł się na kawałki.

Do jego uszu dociera szczekanie ujadającego na zewnątrz psa i od razu przypominają mu się kobiety stłoczone w prowizorycz-

nych namiotach u podnóża cytadeli. Niektóre są tam dlatego, że
w szpitalu zabrakło miejsc, inne to po prostu przypadki beznadziej-
ne, a skoro i tak umrą, wszelkie próby zdobycia dla nich szpitalne-
go łóżka są całkiem pozbawione sensu. Od momentu, gdy pojawiły
się na rynku, Armen i Elizabeth spędzili z nimi kilka godzin, choć
prawdę powiedziawszy, mogą im pomóc tyle co nic. Zresztą nikt
nie jest w stanie zbyt wiele dla nich zrobić.

Większość z tych kobiet z góry zakłada, że albo jest tchórzem,
albo kolaborantem, bo jak inaczej wytłumaczyć to, że mężczyzna,
który nie ma jeszcze trzydziestki, wciąż żyje? Pewnie myślą, że to
dzięki łapówkom przedostał się przez pustynię. A może po prostu
zdradził innych Ormian, żeby dać dowód lojalności wobec Turków.
W rzeczywistości sytuacja była o wiele bardziej skomplikowana.
Owszem, zaufał jednemu Turkowi – człowiekowi, który był kiedyś
jego przyjacielem. Kilka miesięcy później zabił swojego przyjaciela
jego własnym ceremonialnym bułatem. Dwa dni temu był o krok
od przyznania się do swojej zbrodni kobiecie z Zejtun, ponieważ
ktoś, kto pochodzi z Zejtun, na pewno by go zrozumiał. Z kolei dziś
wieczorem już chciał opowiedzieć o tym Elizabeth, bo była Amerykanką i zdradę Turka potraktowałaby jak historię żywcem wyjętą
z mrocznej baśni braci Grimm. Tylko jak potraktowałaby jego bez-
względność? Co pomyślałaby o bezduszności Turka? Do tej pory
nigdy nie podejrzewał, że mógłby być zdolny do takiego okrucień-
stwa, że mógłby zabić. Ale czy faktycznie popełnił to morderstwo
z zimną krwią? Gdy było już po wszystkim, uświadomił sobie, iż
nigdy nie będzie do końca pewien, z jakim zamiarem wchodził do
gabinetu Nezimiego.

Kiedyś on i Karine przyjaźnili się z Nezimim – młodym, lecz
już wysokim rangą urzędnikiem. Armen przypomina sobie spotkanie
ich trojga w jednej z kawiarni na terenie college'u, podczas którego
Nezimi, w sposób jak zwykle niezbyt taktowny, a nawet obcesowy,
roztacza przed nimi wizję nowoczesnej Turcji, mówiąc o tym, jak
to jeszcze za ich życia Konstantynopol stanie się prawdziwą kon-
kurencją dla Paryża. Dokonają tego Młodzi Turcy. Uśmiecha się do

Karine i zapewnia, że jej dzieci będą przedmiotem zazdrości Europejczyków, że będą miały wszystko – nawet wspaniały wygląd odziedziczony po swojej pięknej matce. Po czym zaczyna droczyć się z Armenem.

– Jej uroda odciąga wzrok nawet od twojej brzydoty – uśmiecha się i unosi do góry kieliszek.

Wznieśli toast, ale Armen nie pamięta już, za co pili. Przypomina sobie natomiast, że zarówno Nezimi, jak i Karine przedstawili swoje wersje dotyczące źródła tradycji trącania się kieliszkami. Według Nezimiego zwyczaj ten wziął się stąd, że za każdym razem, gdy sułtani i królowie stukali się swoimi kielichami, ich zawartość mieszała się ze sobą, co miało zapewniać ochronę przed otruciem jednej strony przez drugą. Zdaniem Karine natomiast owa tradycja wcale nie miała tak makiawelicznego podłoża. Sam kieliszek wina działał na cztery zmysły: smaku, wzroku, dotyku i węchu. Kiedy zaś szkło z brzękiem stukało o szkło, włączał się piąty i ostatni zmysł – słuch.

Myśli Armena – jak każdej nocy, odkąd poznał Elizabeth – znów dryfują w jej stronę. Jest bledsza niż Karine, jej włosy są koloru wypalonej gliny, lecz ma dokładnie takie same wydatne kości policzkowe jak jego żona i jedwabistą skórę na karku, której trudno się oprzeć. Oczy Karine były szare, oczy Elizabeth są chabrowe, lecz ich kształt jest identyczny – idealny owal migdała. Rudowłosa Ormianka, myśli Armen o Elizabeth, nieznacznie się przy tym uśmiechając. Jak biały tygrys: okaz rzadki, ale występujący w naturze. Oczywiście Elizabeth nie jest Ormianką. I być może właśnie dlatego przez moment był gotów powiedzieć jej o tym, co zaszło w Harput. Kiedy stali obok siebie na wieży zniszczonego pałacu albo gdy w drodze na bazar wzięła go pod ramię, znalazł się tak blisko niej, że poczuł różaną woń pudru, którym natarła skórę pod ubraniem. Jednak gdy się do niego uśmiechnęła, zabrakło mu słów.

Była taka naiwna. Niewiele jeszcze w życiu widziała i pewnie nie zrozumiałaby jego historii. Poza tym, od czego miałby zacząć? Nie, nie od czego. To akurat wie. Pytanie raczej: jak? To tu tkwi problem – tama, która nie pozwala tej opowieści wypłynąć na zewnątrz. Dlatego nie podzielił się z Elizabeth swoją historią, tak samo jak nie podzielił się nią z kobietą z Zejtun.

Przypomina sobie zdumienie deportowanych Ormianek, kiedy roznosił im zupę czy częstował je wodą, i to w towarzystwie dwóch Niemców. W rzeczywistości ich podejście jest jednak o wiele bardziej złożone. W końcu pozwoliły robić sobie zdjęcia, gdy żandarmi nie patrzyli. Ba, zgodziły się na obfotografowanie zwłok swoich martwych dzieci.

Armen modli się za kobiety i dzieci na placu: oby tej nocy głód i ból nie pozbawiły ich snu. I żeby lekarze, na których czekają Amerykanie z Bostonu, przybyli – wraz ze skrzyniami jedzenia i leków – jak najszybciej do Aleppo.

Nevart budzi ze snu skrzypienie kół furmanki zaprzęgniętej w osła. Otwiera oczy i sprawdza ręką, czy Hatoun leży obok. Natychmiast uświadamia sobie paradoksalność całej tej sytuacji: mimo iż nie jest jej matką, właśnie odezwał się w niej matczyny instynkt. Dziewczynka pogrążona w głębokim śnie oddycha wolno i bezgłośnie i tylko miarowe falowanie jej wychudzonego ramienia świadczy o tym, że jeszcze nie wstąpiła do krainy umarłych.

Sądząc po bladym paśmie światła na wschodzie, musi dochodzić piąta, może wpół do szóstej. Nevart jest cała obolała po nocy spędzonej na kamieniach, od których oddzielał ją jedynie cienki koc. Jednak wie doskonale, że pozostając w tej samej, embrionalnej pozycji, oszczędzi sobie bólu, jaki przysporzy jej ruch. Zamyka oczy, a zbliżający się wóz ledwie majaczy gdzieś na dnie jej świadomości. Nagle czuje czyjąś dłoń na ramieniu. Odwraca się do leżącej obok kobiety. Ani, bo tak ma na imię jej współtowarzyszka niedoli, jest mniej więcej w tym samym wieku co ona.

– Szybko – szepce Ani – kładź się na dziecku.

– Słucham?

Zamiast tracić cenne sekundy na wyjaśnienia, kobieta przeczołguje się przez Nevart i własnym ciałem przykrywa Hatoun, owijając się kocem niczym peleryną.

– Spokojnie, nic się nie dzieje, tylko się nie ruszaj. I nie wydawaj żadnych dźwięków – szepce do ucha dziewczynce.

Zaniepokojona Nevart siada wyprostowana, mimo bólu, który przeszywa prawą stronę szyi i pleców. Dokładnie w tym samym momencie ciągnięta przez osła furmanka zatrzymuje się na skraju placu, tuż obok nich. Eskortuje ją dwóch żandarmów i jeden turecki żołnierz w brudnym mundurze. Mężczyźni przeczesują wzrokiem rzędy śpiących na ziemi kobiet. Na wozie siedzi już pięcioro dzieci – dwoje nerwowo rozgląda się dookoła, trzęsąc się ze strachu, pozostała trójka to pogrążone w katatonii szkielety w łachmanach. Żołnierz podnosi prawą rękę i Nevart dostrzega w niej latarkę. Mężczyzna włącza ją i snop światła pada na leżące wokół niej Ormianki. Po chwili wyławia wzrokiem małego chłopca, który także nie śpi; pewnie obudził go turkot kół albo strumień światła padający z latarki. Gdy Turek wskazuje na niego palcem, jeden z żandarmów przechodzi obok Nevart i Ani, depcząc koc, pod którym ukrywa się Hatoun, podnosi chłopca z ziemi i nonszalancko wrzuca go na wóz, jakby to był worek mąki. Nie zadaje sobie nawet tyle trudu, żeby zrobić mu trochę miejsca wśród pozostałych półżywych pasażerów.

Chwilę później żandarm zabiera dwoje kolejnych dzieci: najpierw chłopca, potem dziewczynkę, która jako jedyna cichutko protestuje, ale trwa to na tyle krótko, że nikogo nie budzi, nawet własnej matki, babci, ciotki i starszej siostry. Światło latarki pada na twarz Nevart. Mrużąc oczy, usiłuje podnieść wzrok na żołnierza. Chce go zapytać, co się właściwie dzieje, lecz on już daje znak drugiemu żandarmowi, który uderza batem w ośli zad i wóz powoli rusza, turkocząc kołami po bruku.

Kiedy znika w jednej z uliczek odchodzących od placu, Ani siada na ziemi i razem z Nevart spoglądają na Hatoun. Dziewczynka ma szeroko otwarte oczy, a w jej spojrzeniu czai się nieufność.

– Ćśśś – szepcze Nevart. – Już sobie poszli. – Hatoun przez chwilę zastanawia się nad tym, co usłyszała, po czym jeszcze głębiej wtula się w nią i zamyka oczy. Nevart ma nadzieję, że uda jej się z powrotem zasnąć.

– Gdzie oni je zabierają? Wiesz? – półgłosem pyta Ani.

– Do jaskini za miastem. Zaganiają je do środka i przy wejściu rozpalają ognisko. Uwięzione wewnątrz dzieci duszą się na śmierć.

– Ale… dlaczego?

– W sierocińcu brakuje miejsca. Poza tym może Turcy w ogóle będą chcieli go zamknąć.

– Zamknąć sierociniec?

– Tak. W końcu po co zawracać sobie głowę zabijaniem dorosłych, kiedy pozwala się przeżyć przedstawicielom kolejnego pokolenia? Przecież to bez sensu.

Hatoun strzepuje z ramienia insekta i gwałtownie odrzuca do tyłu głowę, jakby jej się coś śniło. Cały czas ma zamknięte oczy, ale na pewno nie zdążyła jeszcze zasnąć. Nevart pochyla się nad nią i delikatnie całuje ją w czoło, ledwie muskając skórę dziewczynki popękanymi ustami.

Rozdział 4

W jakimś sensie to absurdalne, że dzielę moich przodków na bostończyków i Ormian. W Watertown w stanie Massachusetts jest co najmniej siedem tysięcy Ormian, którzy mieliby pełne prawo przewrócić oczami ze zdziwienia w zetknięciu z moim nieco zaściankowym podejściem rodem z Westchester, Bryn Mawr czy Miami. Oni sami uważają siebie za bostończyków. Nawiasem mówiąc, wcale nie przesadzam, szacując ich liczbę w granicach siedmiu tysięcy. Watertown, które leży niecałe dziesięć kilometrów na północny zachód od Bostonu, ma trzydzieści cztery tysiące mieszkańców, z czego mniej więcej jedną piątą stanowią Ormianie. W mieście znajduje się ormiańska biblioteka i muzeum (gdzie mają 180 dywanów!), ormiańskie centrum kulturalno-edukacyjne (w tamtejszej kawiarni Cafe Anoush serwują danie o nazwie *kheyma*, znane również jako tatar po ormiańsku albo kanapka kanibala) oraz ormiańska szkoła podstawowa St. Stephen's. Jest tu też sporo ormiańskich piekarni, w których można dostać desery warte każdej kalorii. (Po czterdziestce stałam się szalenie wybredna jeśli chodzi o desery. I możecie mi wierzyć, warto się wybrać do Watertown dla samych tylko słodkości sprzedawanych w cukierniach znajdujących się we wschodniej części dzielnicy Coolidge Square.)

A jednak w czasach dzieciństwa i wczesnej młodości byłam zupełnie nieświadoma faktu, że zaledwie dziesięć czy piętnaście minut drogi od dawnej rezydencji na wskroś amerykańskiej rodziny Endicottów znajdowała się enklawa ormiańskiej historii i kultury. Mój ojciec – syn naocznego świadka koszmarnych wydarzeń, jakie miały miejsce w 1915 roku – nigdy nie poruszał tego tematu. Zresztą już w 1915 roku, gdy moja babcia razem z pradziadkiem planowali swoją podróż do Aleppo, wielu, naprawdę bardzo wielu Ormian zamieszkiwało Watertown. Do Ameryki zaczęli przyjeżdżać w osiemdziesiątych i dziewięćdziesiątych latach dziewiętnastego wieku – do emigracji w dużej mierze skłoniła ich, podobnie jak Irlandczyków, Szwedów czy Niemców, możliwość lepszych zarobków. Ale nie tylko to. Niektórzy uciekali przed masakrami dokonywanymi w latach 1895–1896, które, jak się wkrótce okazało, stanowiły swoistą zapowiedź zakrojonej na dużo szerszą skalę rzezi, jakiej doświadczyło następne pokolenie. Oczywiście dopiero po pierwszej wojnie światowej utworzyła się liczna ormiańska diaspora, lecz jestem pewna, iż wśród znajomych Silasa i Elizabeth Endicott było wielu Ormian. Z tego, co udało mi się ustalić, wiem na pewno, że jedną czwartą wszystkich członków organizacji Przyjaciele Armenii stanowili Amerykanie pochodzenia ormiańskiego.

A jednak dopiero na pierwszym roku studiów w Massachusetts odkryłam fotografię, która doprowadziła do powstania tej opowieści.

Od czasu do czasu pisywałam do gazetki uniwersyteckiej, ponieważ znalazłam się w gronie tych kilku studentów pierwszego roku, którym sporadycznie zlecano napisanie jakiegoś artykułu. Moje teksty dotyczyły zazwyczaj zmian w wegetariańskim jadłospisie lub innych, równie ważnych wydarzeń, które wstrząsały życiem campusu. Tamtej wiosny Izba Reprezentantów głosowała nad uznaniem rzezi Ormian z 1915 roku za ludobójstwo. (Ostatecznie Kongres nie uchwalił rezolucji, a Amerykanie ormiańskiego pochodzenia do dziś czekają na semantyczne potwierdzenie ze strony amerykańskiego rządu – choć ci, co mają trochę oleju w głowie, wiedzą, że raczej szybko to nie nastąpi.) Naczelna redaktorka naszej gazety, która sama pochodziła z Watertown, na podstawie mojego nazwiska wydedukowała, że skoro kończy się na „ian", to prawdopodobnie mam ormiańskie korzenie. W związku z powyższym kazała mi pojechać do jej rodzinnego miasta, pójść do muzeum i powęszyć trochę na ulicach, pytając mieszkańców, co sądzą o rezolucji. Kiedy patrzę na to z dzisiejszej perspektywy, sądzę, że wysyłając mnie w tę podróż, działała w interesie całego społeczeństwa. Zszokował ją bowiem fakt, iż nigdy nie byłam ani w muzeum w Watertown, ani w ogóle w samym mieście.

Tak więc pożyczyłam od opiekuna naszego akademika forda maverica, rocznik 1979, i ruszyłam na wschód do Watertown. Podróż w jedną stronę zajęła mi półtorej godziny. Kiedy dotarłam na miejsce, zjadłam w cukierni ciastko z morelowym dżemem i kawałek bakławy, dorównującej smakiem deserowi przyrządzanemu przez moją babcię. Przepytując starszych mieszkańców miasta, zdobyłam odpowiednią liczbę wypowiedzi – jak się okazało, tylko jeden mężczyzna wychowywał się w okresie schyłku Imperium Osmańskiego (a ja nie wypytywałam o szczegóły, bo już i tak spędziłam w Watertown sporo czasu, głównie w tej cudownej cukierni). Wszyscy Ormianie, co nie stanowiło żadnego zaskoczenia, byli zadowoleni z faktu, iż Izba Reprezentantów przegłosowała rezolucję, a jednocześnie wyrażali rozczarowanie, wiedzieli bowiem, że ustawa i tak przepadnie w Senacie. Z kolei obywatele, którzy nie mieli żadnych ormiańskich korzeni, twierdzili zgodnie, że wydarzenia sprzed tylu lat nie mają dziś żadnego znaczenia – po co więc drażnić Turcję, jedynego demokratycznego sprzymierzeńca w zakątku świata, gdzie panuje totalny chaos?

Przed samym wyjazdem udałam się jeszcze do muzeum i to właśnie tam, niecałe dziesięć minut po tym, jak przekroczyłam próg budynku, po raz pierwszy zobaczyłam zdjęcie, które po latach miało stać się moją obsesją. Fotografia znalazła się tutaj w ramach objazdowej wystawy zatytułowanej „Niemieckie obrazy ludobójstwa". (Trzeba przyznać, że tytuł mógł wprowadzić w błąd, choć z pewnością nie było to zamierzone. Wątpię jednak, bym jako jedyna wśród oglądających w tamtym miesiącu tę wystawę wyszła z założenia, iż będzie ona dotyczyć Holokaustu.) Byłam jednak zbyt młoda, zbyt skupiona na sobie i zbyt zakochana w swoim życiu dziewiętnastolatki, żeby w pełni pojąć znaczenie tego zdjęcia. Za bardzo przejmowałam się rolą studentki pierwszego roku. Poza tym mój pochodzący z Armenii dziadek i jego żona z Bostonu dawno już nie żyli. Ale nawet wtedy gdzieś podskórnie przeczuwałam, jak bardzo ta fotografia zmieni w przyszłości moje życie.

Elizabeth po raz kolejny bierze Armena pod rękę, gdy mijają bazar i budynek poczty.

– Skąd Helmut ma tę bliznę? – pyta go. – Mówił panu?

– Pewnie myśli pani, że to od pchnięcia bagnetem albo od odłamka pocisku artyleryjskiego, mam rację?

– Czyli to nie pamiątka z pola bitwy?

– Nie. – Armenowi stają przed oczyma odłamki pocisku z tureckiego moździerza, który podziurawił ciało jego brata Hratcha niczym strzały wymierzone w świętego Sebastiana. Hratch konał w męczarniach przez pół godziny, ani na chwilę nie tracąc przytomności. Przyglądanie się jego agonii było potwornym doświadczeniem. – Helmut i Erich mają dużo szczęścia. Są zbyt cenni, by zginąć na froncie. Turcy chcą rozbudowywać linie kolejowe, a do tego potrzebni są im inżynierowie, tacy właśnie jak ci dwaj.

– I pan.

– Cóż, przez chwilę faktycznie byłem przydatny. Ale, jak widać, już nie jestem.

– A więc blizna Helmuta to nie ślad po ranie odniesionej na wojnie?

– Ani w pojedynku.

Elizabeth wybucha śmiechem.

– To Niemcy wciąż się pojedynkują? – pyta, nachylając się w stronę Armena.

– Wątpię.

– W takim razie skąd ją ma?

– Od jazdy na łyżwach.

– Mówi pan poważnie?

– Kiedyś, będąc jeszcze nastolatkiem, poszedł z siostrą na łyżwy. W pewnym momencie oboje się przewrócili i niewiele brakowało, a płoza jej łyżwy pozbawiłaby go oka. Na szczęście skończyło się tylko na bliźnie.

– Straszna historia – mówi do siebie Elizabeth, lecz po chwili zadziera głowę do góry, patrzy w słońce i stwierdza już zupełnie innym tonem: – Ja uwielbiam jeździć na łyżwach. A pan?

– Nigdy tego nie robiłem, więc nie wiem.

– Jezioro Van nigdy nie zamarza?

– Oczywiście, że zamarza. Tylko że ja nigdy nie miałem okazji spróbować.

– W takim razie będę musiała pana nauczyć.

– Jakoś sobie nie wyobrażam, żeby w Aleppo kiedykolwiek na skutek mrozu pojawił się lód.

– No to będzie pan musiał przyjechać do Bostonu.

Armen odruchowo odwraca głowę w stronę Elizabeth, nie bardzo wiedząc, co myśleć o jej amerykańskiej bezpośredniości.

– Albo, jak skończy się wojna, zabierze mnie pan do Van – ciągnie Elizabeth. – Ale może mi pan wierzyć na słowo, w Bostonie mieszka mnóstwo Ormian.

Nieoczekiwany dreszcz radości przebiega mu po grzbiecie. Elizabeth, jak gdyby to wyczuła, podnosi dłoń i gładzi go po policzku.

– Musi mi pan coś obiecać. Jeśli kiedykolwiek w tym miejscu pojawi się blizna, to tylko od łyżwy.

Konsul Martin wpatruje się w płomień lampy naftowej przez szkło kieliszka z koniakiem, podczas gdy Silas Endicott, wyraźnie strapiony, przechadza się w tę i z powrotem wzdłuż okna wychodzącego na dziedziniec. Tego wieczora jego głównym zmartwieniem jest zachowanie córki.

– Za bardzo się spoufała z tym Ormianinem – oznajmia Ryanowi rozdrażnionym tonem.

– Z Armenem Petrosianem.

– Tak, z tym inżynierem.

– Więc nie napijesz się ze mną koniaku?

Silas zatrzymuje się na chwilę i spogląda w okno. Odwrócony plecami do konsula, kontynuuje swoją myśl, jakby w ogóle nie usłyszał pytania.

– Już wcześniej zauważyłem, że ma do tego skłonność. Razem z żoną to zauważyliśmy.

– Skłonność do czego?

– Do zapominania się. Szczególnie w obecności mężczyzn. Ma już na swoim koncie kilka takich... historii.

– A ja lubię tego Armena – stwierdza Ryan, delektując się ciepłem alkoholu rozchodzącym się po gardle i klatce piersiowej. – Nie wygląda mi na kogoś takiego, kto podstępnie wykorzystałby sytuację.

– Nie o to chodzi.

– Nie?

Amerykański bankier głośno wzdycha i potrząsa głową. Wreszcie odwraca się od okna i spogląda w twarz Ryanowi.

– Przyjechaliśmy tu po to, by ratować tych tubylców – oznajmia, wolno i wyraźnie artykułując każdą sylabę – a nie wdawać się z nimi w romanse.

Nevart przygląda się uważnie tureckiemu oficerowi w nieskazitelnym mundurze, który pojawił się znikąd na wielkim białym ogierze i teraz góruje nad stłoczonymi na placu kobietami i dziećmi. Ramiona jego kurtki mundurowej zdobią frędzle i złota plecionka. Tuż za oficerem, na mniejszym kasztanowym koniu siedzi jego adiutant. Obok niego stoi katolicka zakonnica, która – jak pobieżnie ocenia Nevart – jest grubo po pięćdziesiątce i pochodzi albo z Niemiec, albo ze Szwajcarii. Kobieta ma ręce założone za plecami, a na jej twarz pada cień stojącego w pobliżu konia. Mimo to Nevart jest w stanie dostrzec surowe, choć niepozbawione życzliwości spojrzenie zakonnicy. Trzech niechlujnie ubranych żandarmów z karabinami spogląda w górę na wojskowych siedzących na koniach, jakby to byli jacyś bogowie. Cała trójka zachowuje się w sposób niespodziewanie uprzejmy, a nawet usłużny, jakby chcieliby uchodzić za prawdziwych żołnierzy, a nie zwykłych zbirów.

– Jutro kobiety zostaną zabrane do obozu przesiedleńczego, gdzie będą przebywać do końca wojny – oznajmia oficer donośnym głosem, który odbija się echem po bruku, jakby mówił przez megafon. – Starsze dzieci mogą towarzyszyć swoim matkom. Młodsze trafią do sierocińca. Jak dowiedziałem się od siostry Irmingardy, w sierocińcu zwolniło się kilka łóżek. Zapewniam was, że dzieci zostaną otoczone należytą opieką.

Nevart się domyśla, co oznaczają świeżo zwolnione łóżka. Dzieci, które jeszcze jakiś czas temu je zajmowały, wcale nie wróciły do swoich rodziców ani też nie znalazły nowych domów. Większość z nich po prostu nie żyje. Być może były tak schorowane, że trafiły na ten koszmarny wóz pogrzebowy, który przetoczył się po placu tamtej potwornej nocy.

Tłumaczy sobie jednak, że to mało prawdopodobne. Że przecież ta zakonnica nigdy by do tego nie dopuściła. Łóżka są puste, bo dzieci zmarły albo zostały odesłane do szpitala. Ale na pewno nie dlatego, że półżywe trafiły na tamtą furmankę.

Czuje, jak Hatoun przysuwa się do niej coraz bliżej, lecz w głębi duszy wie, iż niezależnie od tego, jak ciężkie warunki panują w sierocińcu, dziewczynka będzie tam miała większe szanse na przeżycie niż w obozie przesiedleńczym. Nevart słyszała o tych obozach. Każdy o nich słyszał. Tam się umiera. Powstają na nagiej, jałowej pustyni, gdzie nie ma co jeść, nie ma się gdzie schronić, a czasami nie ma nawet wody. Dla tych wszystkich kobiet na placu już chyba lepiej by było, żeby Turcy po prostu przynieśli ze sobą karabiny maszynowe, ustawili je na trójnogach i od razu, tu w Aleppo położyli kres ich cierpieniom.

Nevart się martwi, że dla Hatoun ich rozłąka będzie potężnym ciosem. Zresztą jej samej to rozstanie też złamie serce. Ale nie ma wyboru. Kiedy nadejdzie czas, odda ją pod opiekę zakonnicy.

***

Pracujący w szpitalu lekarz jest niskim, przysadzistym Turkiem. Nosi okulary w czarnych drucianych oprawkach, których zauszniki kształtem przypominają literę C. Ma siwe wąsy, jego głowę oplata wianuszek szorstkich, równie siwych włosów, zaś sam czubek świeci łysiną. Za to z nosa i uszu wystają mu o wiele bardziej imponujące kępki poskręcanych włosów. Nazywa się Sayied Akcam. Ma jakieś sześćdziesiąt lat, tak przynajmniej szacuje Elizabeth. Im więcej czasu z nim spędza, tym bardziej go docenia. W ramach wolontariatu pracuje w szpitalu kilka godzin rano i kilka po południu, w międzyczasie odwiedzając kobiety na placu. I zawsze, kiedy przychodzi do szpitala, Akcam jest na dyżurze, z taką samą swobodą krążąc pomiędzy łóżkami tych, którzy będą żyć, i tych, którzy umrą. Jest muzułmaninem, podczas gdy większość jego pacjentów to chrześcijanie, gdyż niemal wszystkie łóżka w szpitalu zajmują ormiańskie kobiety albo dzieci, które padły z wycieńczenia zaraz po przybyciu do Aleppo.

Elizabeth sumiennie wykonuje jego polecenia: opróżnia baseny, oczyszcza rany, karmi zupą każdego, kto nie jest w stanie usiąść ani utrzymać miski czy sztućców. Przyspieszony kurs pielęgniarstwa, jaki odbyła w Bostonie, okazał się znacznie bardziej przydatny tu w szpitalu niż na placu: potrafi zmieniać opatrunki i dezynfekować nici chirurgiczne. Butelkuje wodę, najpierw zagotowując ją, a potem trzykrotnie filtrując.

Akcam mówi po angielsku podobnie jak Elizabeth po turecku, toteż czasami zwracają się o pomoc w przetłumaczeniu czegoś do niemieckiej pielęgniarki, która włada obydwoma językami. Jednak dzięki niemu Elizabeth coraz lepiej radzi sobie zarówno z tureckim, jak i ormiańskim, co nierzadko ją samą wprawia w zdumienie. Pierwsze zdanie, którego ją nauczył, to fraza z Koranu: „Allach o każdej rzeczy jest Wszechwiedzący". Wierzy, że sprawiedliwy Bóg każe zapłacić Turkom za ich czyny.

– Allach jest w każdym człowieku, nawet niewierzącym – tłumaczy jej. – Żołnierze i żandarmi nie wiedzą, kogo mordują na pustyni. I poniosą za to konsekwencje.

Elizabeth ma co do tego pewne wątpliwości. Ale niezależnie od wszystkiego stara się mu pomóc, jak tylko może.

Teren amerykańskiego konsulatu wygląda na zupełnie opustoszały, gdy Armen zjawia się pod jego murami. Panuje tu dziś wyjątkowo spokojna, senna atmosfera. Główna brama jest otwarta, więc Ormianin mimo lekkiego zakłopotania wchodzi na dziedziniec. Przystaje na chwilę przed wejściem do budynku i nasłuchuje. Drzwi są uchylone, jakby zapraszały go do środka. Dookoła nie słychać nic prócz śpiewu ptaków siedzących na gałęziach drzew. Armen jednym palcem popycha drzwi, które z łatwością otwierają się na oścież, przekracza próg, staje w korytarzu i czeka w bezruchu. Czuje przyspieszone bicie serca, choć przecież nie ma żadnego powodu do niepokoju. Po co Turcy mieliby zabijać konsula albo jego asystenta czy gości z Massachusetts? Mimo to z każdą chwilą rośnie w nim obawa, że wydarzyło się coś złego, ponieważ odczuwanie lęku, podobnie jak chodzenie po schodach czy używanie sztućców, stało się jednym z odruchów zakodowanych w pamięci jego ciała. W milczeniu rusza do kuchni. Kucharka posprzątała już po śniadaniu, ale jeszcze nie zaczęła przygotowań do lunchu. Na pewno poszła zrobić zakupy na bazarze, powtarza sobie w myślach, próbując w ten sposób dodać sobie otuchy. Następnie zagląda na korytarz, gdzie mieszczą się gabinety konsula i jego asystenta, ale i tu jest całkiem pusto.

Nagle słyszy czyjeś kroki na piętrze. Zastyga w bezruchu z dłonią opartą o boazerię z ciemnego drewna. Jego palce niemal dotykają ciężkich zasłon, szczelnie zaciągniętych, by zatrzymać wewnątrz chłodniejsze powietrze, które minimalnie ostygło w ciągu nocy. Po chwili dobiega go miarowe dudnienie stóp. Ktoś bardzo szybko i beztrosko zbiega po schodach.

W korytarzu pojawia się ona. Przez kilka sekund Armen nie wydaje z siebie żadnego dźwięku, ponieważ nie chce jej wystraszyć. Ale to nie jedyny powód. Promień słońca wpadający przez uchylone drzwi rozświetla jej rude włosy i opromienia blade piękno twarzy.

Ten widok po prostu odbiera mu mowę. Kiedy podchodzi do stojącego w rogu wieszaka na płaszcze i staje na palcach, żeby sięgnąć po kapelusz, Armen wypowiada jej imię. Elizabeth traci równowagę i wpada na ścianę.

– Wystraszył mnie pan – mówi, lekko się rumieniąc. W dłoniach trzyma przed sobą kapelusz, jakby to był bukiet kwiatów.

– Ja sam się wystraszyłem – odpowiada Armen, próbując się przy tym uśmiechnąć. – Myślałem, że coś się pani stało. Że wam wszystkim coś cię stało.

– Zapomniałam kapelusza. Byłam już przy bramie, kiedy zauważyłam, że… nie mam kapelusza. I jeszcze… chusteczki – wyjaśnia Elizabeth, z trudem wypowiadając kolejne słowa. – Mój ojciec i pan Martin poszli sprawdzić, kiedy przyjadą pierwsze wagony z żywnością i lekami. Umówiliśmy się, że później do nich dołączę w szpitalu.

– Nie powinna pani sama chodzić po Aleppo.

Elizabeth posyła mu uśmiech.

– Mówi pan dokładnie jak mój ojciec.

– Ludzie…

– Tak?

– Ludzie tutaj znikają – kończy zdanie i wreszcie rusza się z miejsca. Podchodząc do Elizabeth, czuje się tak, jakby przemierzał dzielący ich ocean tęsknoty i pragnienia.

– Ja nie zniknę.

Armen wyciąga kapelusz z rąk Elizabeth i choć wciąż nie jest pewien swoich ruchów, powoli wkłada jej go na głowę. W tej samej chwili czuje, jak przeszywa ją lekki dreszcz, co niezmiernie go dziwi, gdyż nie spodziewał się, że tę amerykańską lwicę czymkolwiek można przyprawić o drżenie. Cofa się więc o krok, lecz ona ponownie go zaskakuje: ruchem głowy daje mu do zrozumienia, że wcale nie chce, by się odsuwał. A potem nachyla się w jego stronę, opierając dłonie o jego pierś. Zamyka oczy, lekko unosi się na palcach i składa na jego ustach pocałunek.

Kapelusz spada na podłogę. Armen zamyka nogą drzwi. Nagle wszystko pogrąża się w ciemności. Elizabeth obejmuje go ramionami. Gdy wodzi palcami po jego kręgosłupie, ciałem Armena wstrząsa dreszcz.

– Masz łaskotki – szepce mu do ucha, tracąc dech. Armen wtula się twarzą w jej szyję. Na ustach czuje delikatny smak pudru, którym natarła skórę. Podbródkiem dotyka koronki zdobiącej brzeg halki pod jej suknią. Po chwili on także ją obejmuje, błądząc palcami wśród oczek, długich tasiemek i szwów gorsetu. Elizabeth chwyta w dłonie jego głowę i spogląda mu w oczy, jakby chciała coś jeszcze powiedzieć, lecz zamiast tego znów go całuje, łapczywie wpijając mu się w usta.

Oboje osuwają się na schody. Trwa to jednak tylko chwilę, tyle, ile potrzeba, by rozpiąć przód sukni. Kiedy to mają już za sobą, Elizabeth odwraca się do niego plecami, opierając kolana o stopnie, żeby ułatwić mu rozwiązanie tasiemek gorsetu. Armen zabiera się za rozsznurowywanie, gdy nagle Elizabeth spogląda na niego przez ramię. Jego wzrok zdążył się na tyle przyzwyczaić do ciemności, że w jej spojrzeniu, poza pragnieniem, dostrzega cień nieufności.

– Twoja żona… – mówi Elizabeth. – Czy robiłeś to z kimś od czasu, kiedy…

– Nie.

– Czy ty… Czy myślałeś o niej?

– Nie. Myślałem tylko o tobie.

Elizabeth odwraca głowę i wbija wzrok w schody wiodące na pierwsze piętro. Armen zanurza twarz w jej włosach.

– Nie powinniśmy tego robić. I nie zrobimy – mówi miękkim, czułym głosem.

– Ale ja chcę.

Armen siada na stopniu obok niej i delikatnie chwytając ją za biodra, obraca jej ciało w swoją stronę. Uderza go przy tym, jaka jest lekka. Jaka smukła. I jaka piękna – co widać nawet w panującym wokół półmroku, przy szczelnie zaciągniętych storach.

– Przecież mamy jeszcze jutro. I kolejne dni.

– W Aleppo? Przed chwilą powiedziałeś mi, że ludzie tutaj znikają – słychać, że trochę się na niego dąsa, lecz mimo to opiera głowę o jego ramię i kładzie dłoń na jego kolanie.

– Wiem – odpowiada Armen. I to wszystko. Jedno krótkie słowo. W tym momencie dociera do niego, jak szybko się w niej zako-
chuje, lecz dobrze wie, że wkrótce – dosłownie w ciągu najbliższych
kilku dni – on także zniknie.

Na placu pod cytadelą Nevart obserwuje dzieci. Jedne wrzeszczą
jak zarzynane zwierzęta, inne odsuwają się od swoich matek, jakby były pogrążone w lunatycznym transie. Niektóre matki i ciotki
okłamały swoje dzieci, mówiąc, że spędzą w sierocińcu tylko jedną
noc, najwyżej tydzień. Inne zakomunikowały maluchom, że zostaną
tam do końca wojny – w ten sposób same rzuciły sobie kłodę pod
nogi, ponieważ nie potrafiły powiedzieć, czy potrwa to kilka miesięcy, czy kilka lat. Najdzielniejsze matki nie płaczą, podobnie najdzielniejsze dzieci. Wiele kobiet jest zbyt wycieńczonych, by po raz
ostatni uścisnąć córeczkę albo synka. Niektóre są tak bliskie śmierci, że odczuwają wdzięczność wobec zakonnic i żołnierzy, którzy
przyszli zabrać ich dzieci. Wszystko to w oczach Nevart jest kolejną poniżającą stacją w ich drodze krzyżowej.

Ale sierociniec, powtarza sobie w duchu, to dla Hatoun jedyna
szansa na przetrwanie. I tak, pośród histerycznego płaczu maleńkich dzieci i ostrych, ponaglających okrzyków, które padają z ust
zakonnic, żandarmów i żołnierzy – kakofonicznej mieszanki niemieckiego, tureckiego i ormiańskiego – Nevart klęka przed Hatoun
i kładzie ręce na jej wychudzonych ramionach.

– Będziesz bezpieczna u tych zakonnic – tłumaczy dziewczynce.
– Dostaniesz łóżko i jedzenie – słowa grzęzną jej w gardle. Wbija
wzrok w nagie stopy Hatoun. Nieopodal kilkunastoletni żandarm
szarpie chudego jak patyk chłopczyka. Dziecko ma najwyżej pięć
lat i z całych sił kurczowo, jak wystraszony kociak uczepiony gałęzi, trzyma się swojej mamy, zupełnie nieświadom faktu, że kobieta
zmarła poprzedniej nocy. Ciągnąc chłopca przez plac, żandarm, choć
robi to nieumyślnie, wlecze za sobą także zwłoki jego matki. O świcie Nevart poprzysięgła sobie, że nie okłamie Hatoun i nie będzie jej

dawać fałszywej nadziei, iż kiedyś po nią wróci. Teraz jednak sobie nie wyobraża, jak inaczej mogłaby sobie poradzić z wyprawieniem dziecka do sierocińca. Chciałaby, żeby Hatoun się odezwała, żeby powiedziała cokolwiek, co mogłoby wyjawić jej uczucia.

– To dla twojego dobra, kochanie – tłumaczy. – Rozumiesz?

Dziewczynka lekko rozchyla usta, jakby już chciała coś powiedzieć, lecz nagle obok nich jak spod ziemi wyrasta niemiecka zakonnica.

– Jesteś jej matką? – pyta Ormiankę.

– Nie. Jestem... – zaczyna Nevart, ale nie może znaleźć słów, by dokończyć zdanie. Mogłaby odpowiedzieć: „Jestem tylko kobietą z tego samego miasta" albo „Jestem wszystkim, co ma". Obie te odpowiedzi byłyby równie prawdziwe.

– Ciotką? Przyjaciółką rodziny? – drąży zakonnica.

– Przyjaciółką rodziny.

Zakonnica zapisuje jej imię i nazwisko oraz dane Hatoun, nie pyta jednak ani o rodzinę dziewczynki, ani o jej historię, ani o to, co lubi, a czego nie.

– Masz jakieś rzeczy osobiste? – pyta tylko.

Hatoun, która odrobinę szerzej otwiera oczy, zdając sobie sprawę z nadchodzącej rozłąki, przecząco kręci głową. Pomimo przedpołudniowego skwaru jej ciałem wstrząsa lekki dreszcz.

– Dobrze. W takim razie możemy iść?

Nagle Nevart czuje, że dłużej tego nie zniesie. Przyciąga Hatoun do siebie i mocno przyciska ją do piersi. Zamyka oczy, by powstrzymać łzy. Dziewczynka cała się trzęsie, ale nie mówi ani słowa.

Jest noc. Armen leży na swoim słomianym posłaniu przykrytym kocem. Przepełnia go wdzięczność wobec Ericha i Helmuta, którzy tyle dla niego zrobili w ciągu ostatniego miesiąca. Docenia także świeżo przybyłych gości z Ameryki, którzy wybrali się w tę podróż pełni dobrych chęci. Czuje, jak jego serce wyrywa się do Elizabeth, czuje, że ożyło, choć dotychczas nie sądził, by jeszcze kiedykolwiek mogło zabić mocniej.

Mimo to podejmuje decyzję o wyjeździe. Jutro opuści Aleppo i ruszy na południe. Spróbuje przedostać się do Egiptu. Słyszał, że Ormianie zaciągają się do brytyjskiej armii, by walczyć przeciwko Turkom. Wyruszy o świcie. Wystarczająco długo patrzył na twarze kobiet smaganych batem przez żandarmów, którzy pędzili je przez pustynię. I jest pewien, że już nigdy się nie dowie, jak zginęły jego żona i córka – prawdę o ich śmierci na zawsze pochłonął piasek. Umrze, wiedząc tylko, kiedy mniej więcej kolumna deportowanych opuściła Harput i kiedy przybyła do Aleppo. Nigdy jednak nie będzie mu dane poznać szczegółów dotyczących śmierci Karine – w którym dokładnie miejscu na trasie przemarszu straciła życie.

Oczywiście, zaciągając się na ochotnika do brytyjskiej armii, prędzej czy później będzie musiał walczyć nie tylko z Turkami, ale i z Niemcami – ludźmi równie kulturalnymi i wykształconymi jak jego zaprzyjaźnieni inżynierowie. Ma świadomość, że niemieccy oficerowie wspierają Turków w Cieśninie Dardanelskiej i że włączą się do każdej akcji defensywnej na południowych i północno-zachodnich krańcach Imperium Osmańskiego.

Przypomina sobie widok, jaki roztaczał się ze szczytu ruin cytadeli. Za chwilę stanie się jedną z tysięcy osób, które na moment pojawiają się w tym pustynnym mieście, po czym znikają bez śladu. Erich, Helmut i Elizabeth z pewnością będą zachodzić w głowę, co się z nim stało. Elizabeth będzie za nim tęsknić, ale on nie może dać jej szczęścia, na jakie ona zasługuje. Zbyt wiele przeszedł. Cały jego naród zbyt wiele przeszedł. Bez niego czeka ją lepsze życie.

Przewraca się na bok. Nim zapada w sen, myśli jeszcze o Elizabeth i Karine – tej, która żyje, i tej, która jest martwa. Widzi twarze obu kobiet, ich wyraźnie zarysowane kości policzkowe, odznaczające się pod łagodnymi oczami.

***

Elizabeth odpala zapałkę i przykłada ją do knota osadzonego w korku pięknej glinianej lampy naftowej w kształcie kuli. Pomalowany na granatowo korpus lampy przedstawia nocne niebo usiane gwiazdami, pomiędzy którymi błyszczy sierp księżyca. Odgarnia zasłonę wiszącą w wejściu do jej pokoju, wychodzi na korytarz i rusza przed siebie. U szczytu schodów zatrzymuje się na moment, widząc na ścianie cień swojej koszuli nocnej przypominający skrzydła. Pod nagimi stopami czuje chłód kamiennej posadzki. Schodzi po schodach, mija korytarz na parterze, gdzie mieszczą się sypialnie mężczyzn – jej ojca, konsula Martina i jego asystenta Davida Heberta – i idzie prosto do kuchni. Bierze puszkę, do której kucharka wrzuciła resztki kolacji, i wychodzi na dziedziniec. Stawia lampę na blacie czarnego stolika z kutego żelaza i siada na ziemi z puszką pełną kości i chrząstek. Nasłuchuje odgłosów nocy, próbując wyłowić spośród nich jeden dźwięk – miauczenie, które ją obudziło.

Czeka dziesięć, może piętnaście minut. Wie, że kot siedzi gdzieś na podwórku. Czuje na sobie wzrok zwierzęcia. Kilka dni wcześniej zauważyła, jak przyglądał się jej i Armenowi zza palmy rosnącej w donicy w rogu dziedzińca. Wreszcie to rude straszydło o pozlepianej sierści i pysku równie okrągłym jak lampa naftowa wydaje z siebie dźwięk. „Kot z Cheshire" spogląda na nią ze szczytu zachodniego muru. W każdej chwili, gdyby zaszła taka potrzeba, jest gotów przeskoczyć na gałąź przypominającą wielki sękaty palec i zniknąć z pola widzenia. Elizabeth cmoka na niego i ostrożnie, żeby go nie przepłoszyć nagłym ruchem, prezentuje zawartość puszki, układając na ziemi resztki jedzenia. I czeka.

W którymś momencie kot pytająco przekrzywia łepek, jakby próbował zrozumieć, dlaczego to robi. Jeśli nie składa się jedynie z futra – a wygląda na to, że nie – to znaczy, że jakimś cudem udaje mu się znaleźć dostatecznie dużo pożywienia. Elizabeth ma dwa koty w Bostonie. Już od najmłodszych lat miała z nimi do czynienia, ponieważ w jej domu zawsze były te zwierzęta. Dlatego dobrze je zna.

W końcu, kiedy jest już gotowa się poddać, kot zeskakuje z muru i przysiada na ziemi jakieś trzy i pół metra od niej. Elizabeth bierze do ręki jedno cienkie pasmo tłuszczu i delikatnie rzuca je w stronę zwierzęcia. Kot najpierw obwąchuje rzucony przez nią kawałek, po czym chwyta go w zęby i czmycha przez dziurę w murze. Elizabeth spogląda na nietkniętą przez rudzielca potencjalną ucztę: kości, z których dałoby się jeszcze obgryźć resztki mięsa. Głośno wzdychając, zbiera porozkładane dookoła resztki i z powrotem wrzuca je do puszki.

Na wschodzie niebo powoli zaczyna się rozjaśniać. Słychać śpiew pierwszych ptaków. Wkrótce odezwie się muezin nawołujący wiernych do modlitwy. Elizabeth siada na ziemi, opierając się plecami o nogi krzesła. Myśli o Armenie i o tym, że za każdym razem, kiedy się spotykają, powietrze staje się wręcz naelektryzowane. Myśli o tych, co umierają z głodu na placu i o chorych w szpitalu. Nagle zza murów dobiega ją jeszcze inny dźwięk. Słychać czyjeś kroki. Elizabeth zdmuchuje płomień lampy, zastyga w bezruchu i czeka.

Armen odskakuje w ostatniej chwili, robiąc miejsce pędzącemu kotu. Ruda plama przemyka mu pod nogami, przecina ulicę i znika w alejce. Kiedy dochodzi do amerykańskiego konsulatu, zatrzymuje się. Obiema rękami, niczym przestępca zamknięty w więziennej celi, chwyta się żelaznych prętów płotu tuż obok okazałych dwuskrzydłowych drzwi i zagląda na dziedziniec. Co prawda w ogóle nie planował tędy przechodzić podczas ostatniej wędrówki przez Aleppo, od której zaczynał swą podróż na południe, ale nie mógł się powstrzymać, zwłaszcza że wystarczyło pokonać zaledwie kilka dodatkowych przecznic, by tutaj dotrzeć. I oto stoi teraz za płotem, ze wzrokiem utkwionym w stół, krzesła i palmę w donicy. Ten obraz Aleppo stanowi dokładne przeciwieństwo rozpaczy królującej na placu, w szpitalu czy w sierocińcu.

I właśnie w tym momencie dostrzega ją. Siedzi sama na wyłożonej kaflami posadzce, oparta o krzesło. Ma na sobie nocną koszulę w kolorze pochmurnego nieba, którą owinęła sobie wokół stóp. Wygląda jak duch. Armen się zastanawia, czy już go zauważyła w świetle nadchodzącego brzasku, czy jeszcze ma szansę niepostrzeżenie się wycofać i zniknąć, nim wstanie świt. Jednak jej obecność jest jak niespodziewany dar: widząc ją, czuje się jak chłopiec na przyjęciu urodzinowym, który znalazł miskę z figami. Prawda jest taka, że chciał ją zobaczyć. Przelotne spojrzenie na jej dom – i próba odgadnięcia, gdzie mieści się jej sypialnia – byłoby jedynie nagrodą pocieszenia, chwilowym ukojeniem dla kogoś, kto stracił wszystko i niczego już nie oczekuje od losu.

Elizabeth podnosi głowę i dostrzega stojącego na zewnątrz mężczyznę. Ogarnia ją niepokój. W pierwszej chwili nie rozpoznaje Armena, gdy tak stoi przysłonięty przez pręty żelaznej bramy. Jednak już w następnej sekundzie wyraz lęku na jej twarzy zastępuje głębokie zaskoczenie. Wstaje i posuwistym krokiem przemierza dziedziniec. Otwiera zasuwy, podnosi drewnianą belkę, przez moment mocując się z jej ciężarem, po czym otwiera bramę i zaprasza go do środka. W jednym zdaniu, na jednym wydechu informuje go, że ojciec i pan Martin śpią, i pyta, co tu robi o tej porze.

– Wyjeżdżam z Aleppo – odpowiada Armen, wskazując wzrokiem na przerzucony przez ramię tobołek. I nagle sobie uświadamia, iż po raz pierwszy wypowiada te słowa na głos. Jest zaskoczony, jak bardzo definitywnie i nieodwołalnie brzmią w jego ustach. W kilku zdaniach przedstawia jej plan podróży do Egiptu, gdzie zamierza wstąpić do brytyjskiej armii.

Elizabeth bierze go za rękę, prowadzi do stołu, przy którym już nieraz siadali, i zaczyna opowiadać o bezpańskim kocie. Armen czuje, że dzieli się z nim tą historią tylko po to, by jak najdłużej odwlekać moment, gdy będzie musiała się zmierzyć z faktem jego wyjazdu. Gdyby mógł, dotknąłby teraz dłonią jej twarzy i przesunął palcami po wyrazistych kościach policzkowych, tak bardzo przypominających mu rysy Karine. Pragnie objąć ją w talii. Wesprzeć czoło na jej czole. Ale po tym, co zaszło między nimi w mroku korytarza, nie ma odwagi.

– Nie sądziłem, że cię tu spotkam – mówi niemal szeptem w chwili, gdy Elizabeth kończy opowieść. Jest zaskoczony niespodziewanym drżeniem własnego głosu.

– Ja też nie sądziłam, że tak wcześnie wstanę – odpowiada z uśmiechem – ale nawet w Bostonie jestem zdana na łaskę i niełaskę kotów. Budzą mnie, kiedy są głodne. Kiedy chcą więcej miejsca na poduszce. Kiedy psy mojej matki zaczynają je gonić. – Elizabeth odgarnia z twarzy rude kosmyki i zakłada je za uszy. – Szkoda, że nie mam wstążki albo chociaż szczotki.

– Wyglądasz bardzo ładnie – mówi Armen.

– Wyglądam strasznie. Dopiero wstałam – wzdycha, lecz już po chwili rzuca w jego stronę: – Dlaczego to robisz? – Bezceremonialność tego pytania uderza go niczym grom z jasnego nieba. – Bo wiesz, że nie żyje? Że już nigdy się nie dowiesz, co się z nią stało?

– Tak, to jeden z powodów.

– To znaczy, że ja… – jej głos zamiera, a Armen w myślach kończy za nią to zdanie: *nie jestem wystarczającym powodem, dla którego chciałbyś zostać?* Prawda jest taka, że mogła być tym powodem. I w każdych innych okolicznościach byłaby nim.

– Muszę wreszcie zacząć działać – tłumaczy jej. – Nie mogę biernie się temu przyglądać. Nie mogę jak owca pokornie iść na rzeź.

– Chcesz się mścić? Uwierz mi, w dzisiejszych czasach bandaże i miska pożywnej zupy mogą przynieść więcej pożytku niż męska duma. – W jej tonie pojawia się ostra nuta, jakiej nigdy dotąd nie słyszał. Składa ręce na piersi i odwraca wzrok.

Armen próbuje sobie wyobrazić uczelnię, którą Elizabeth ukończyła zaledwie kilka miesięcy wcześniej. Pamięta, jak podczas jednej z rozmów opisywała mu życie campusu. Pewnie takie właśnie nastroje panują wśród tamtejszych agitatorek podczas dyskusji na temat europejskich chłopców ginących na północnym wschodzie Francji, na zachodzie Rosji czy w Cieśninie Dardanelskiej. Amerykanie nie chcieli mieć nic wspólnego z rzezią dokonywaną w Europie. A mimo to niektórym najwyraźniej bardzo zależało na tym, by jakoś zapobiec dalszym masakrom ludności ormiańskiej. Armen połączył oba te fakty i doszedł do wniosku, że Amerykanie nade wszystko pragną uchodzić za naród cywilizowany. I to jest dla nich ważniejsze niż mieszanie się w cały ten konflikt.

– Nie, nie chodzi tylko o zemstę – odpowiada, choć w dużej mierze faktycznie jest to główny powód. Oprócz pragnienia odwetu kieruje nim jeszcze gniew, który odczuwa jako przedstawiciel narodu sprowadzonego do roli ofiary. A jako ofiara czuje się coraz bardziej pozbawiony męskości. Nie był w stanie obronić swoich najbliższych, swojej własnej rodziny. Teraz już wie na pewno, iż podjął słuszną decyzję, nie mówiąc Elizabeth o tureckim urzędniku, o Nemezim.

– A jednak zemsta nadal odgrywa tu jakąś rolę. Wy, mężczyźni, jesteście gotowi oddać za nią życie – stwierdza Elizabeth z wyraźnym obrzydzeniem, lecz już po chwili wypowiada słowa, które zdradzają kolejny powód jej frustracji. – To znaczy, że widzę cię po raz ostatni, tak?

– Tego nie wiemy.

– My? W liczbie mnogiej? – mówi z nieukrywaną odrazą. – My tego nie wiemy?

– W końcu czeka mnie jeszcze wizyta w Bostonie. Musisz nauczyć mnie jeździć na łyżwach – przypomina jej.

Elizabeth milczy. Cisza spowija ich niczym mgła. W pewnym momencie Armen nie może już tego dłużej znieść. Pochyla się nad nią, dotyka dłońmi jej twarzy i całuje ją w usta. Kiedy się od siebie odklejają, Elizabeth bierze głęboki oddech. W powietrzu unosi się czysty, niczym niezmącony zapach poranka. Wkrótce, gdy wzejdzie słońce, a na ulice wylęgną tłumy, zmiesza się z całą gamą innych, cuchnących woni. Ale to dopiero za chwilę.

– Jadłeś coś? – pyta go.

– Nie.

– W takim razie zostań na śniadanie. Pozwól, że coś ci przygotuję. A jak nie ja, to kucharka – proponuje Elizabeth, po czym dodaje: – Nikt z was nie powinien głodować.

***

Jest południe. Nevart opiera się o drewniany pal, który podtrzymuje konstrukcję namiotu, i spogląda na minaret stojącego nieopodal meczetu. Zastanawia się, o której dziś po południu opuszczą miasto. Zaledwie kilka godzin temu do Aleppo przybyła kolejna grupa deportowanych. Wczoraj zabrali Hatoun do sierocińca. Na placu nie ma już prawie żadnych dzieci: część z nich umarła, niektóre wylądowały w szpitalu albo w przytułku, jeszcze inne – tym przypadł w udziale chyba najtragiczniejszy los – trafiły na furmankę, z którą tuż przed świtem zjawiły się na placu te nikczemne, pustynne upiory.

Nevart przypomina sobie, jak pewnego ranka na pustyni Hatoun razem z inną dziewczynką budowała zamek z piasku, podczas gdy reszta grupy szykowała się do wznowienia marszu. Pamięta chichot dziewczynek w chwili, gdy podeszły do nich ich matki i kazały im się zbierać. Następnego dnia matka Hatoun i jej kilkunastoletnia siostra znalazły się w sześcioosobowej grupie kobiet losowo wybranych z kolumny. Żandarmi rozebrali je do naga i przywiązali do słupów, które wbili w ziemię na pustyni gdzieś pomiędzy Adaną i Aleppo. Kazali im przyjąć pozycję siedzącą – plecy proste, oparte o pal, nogi wyciągnięte przed siebie, ręce związane z tyłu. Sześciu żandarmów wyciągnęło szable, wsiadło na konie, następnie każdy po kolei puszczał się cwałem w kierunku pojmanych kobiet i, jakby to było zwykłe ćwiczenie kawaleryjskie, ścinał głowę jednej z nich. Matka Hatoun zginęła ostatnia, tak więc przed śmiercią zdążyła jeszcze zobaczyć pięć głów – w tym także głowę własnej córki – które niczym strącone z palmy kokosy upadały na gorący piasek.

Ale przynajmniej żadna z tych kobiet nie została ukrzyżowana. Nevart słyszała opowieści o Ormiankach umierających na krzyżach – żandarmi przybijali gwoździami ich dłonie i stopy do wszelkich możliwych kawałków drewna, jakie udało im się znaleźć na pustyni. Słyszała również opowieści o kobietach wbijanych na ostre pale lub miecze wbite rękojeścią w ziemię, z ostrzem wznoszącym się ku niebu niczym egzotyczna, śmiercionośna roślina.

Nieobecność Hatoun jest dla Nevart nie do zniesienia. Podejrzewała, że będzie za nią bardzo tęsknić, i niestety jej obawy potwierdziły się co do joty. Dziewczynka nie zanosiła się płaczem tak jak inne dzieci, gdy zabierano je do sierocińca, co wbrew pozorom sprawiło, że ich rozłąka okazała się dla Nevart jeszcze bardziej bolesna. Kiedy były razem na pustyni, już po śmierci matki i siostry Hatoun, mała nocami wtulała się w nią, a jej zwinięte w kłębek, wychudzone ciałko całe drżało z zimna. Każdego ranka, zanim kolumna wyruszyła w dalszą drogę, Nevart brała ją na kolana, tuliła i kołysała. Ciągle chciało jej się pić. Wszystkim chciało się pić. Ale Hatoun, która miała zaledwie osiem lat, dzielnie maszerowała do przodu. Nigdy się nie skarżyła, lecz może to dlatego, że w ogóle przestała się odzywać. Teraz straciła także swoją zastępczą matkę, ale najwyraźniej pogodziła się z faktem, iż strata – i to ta najbardziej dotkliwa, jaką można sobie wyobrazić – stanowi nieodzowny element jej egzystencji.

– Nevart?

Odwraca się na dźwięk swojego imienia i widzi znajomą twarz Amerykanki. Elizabeth uśmiecha się do niej, a w jej spojrzeniu czai się jakaś niezdrowa ekscytacja. We włosach ma wstążkę koloru irysów, takich samych jak te, które Nevart hodowała w swoim ogrodzie w Adanie. Pewnie już nigdy go nie zobaczy. Teraz w jej domu mieszkają Turcy.

– Dzień dobry – mówi Elizabeth. – Jak się czujesz?

– Z każdym dniem coraz lepiej – odpowiada Nevart. – Dobrze jest móc wreszcie schronić się przed słońcem, napić się wody i coś zjeść.

– Już niedługo dostaniecie więcej jedzenia, obiecuję.

– Ale my tu nie zostajemy.

Elizabeth szeroko otwiera oczy ze zdumienia. Nie miała o tym pojęcia.

– To znaczy? – pyta wreszcie.

– Tak nam powiedzieli. Jeszcze dziś nas stąd zabiorą, ale nie wiem dokładnie kiedy. Może jak słońce zejdzie trochę niżej. Przenoszą nas do obozu przesiedleńczego niedaleko Dajr az-Zaur.

– Ale przecież pomoc już jedzie! Przecież mamy... środki! Mój ojciec nigdy się na to nie zgodzi.

– Pojawią się inni, którym będziecie mogli pomóc – stwierdza Nevart świadoma sarkazmu, z jakim wypowiada te słowa. – Nie dalej jak dziś rano do Aleppo przybył kolejny transport – dodaje, wskazując na nową grupę deportowanych.

– A gdzie jest Hatoun? Czy ona... czy...

– Żyje. Została zabrana do sierocińca. – Nevart wyobraża ją sobie, jak siedzi w wielkiej sali z innymi dziewczynkami, które na własne oczy widziały śmierć rodziców albo straciły ich w chaosie deportacji i wojennej zawierusze.

– Słyszałam o Dajr az-Zaur. Pan Martin mi opowiadał. Nie możesz tam trafić.

– Obawiam się, że nie mam wyboru. Jak pani sądzi? Myślę, że tamci mężczyźni z karabinami dostali rozkaz – mówi, wskazując palcem na dwóch żandarmów.

– Tak, dostali rozkaz, żeby przyprowadzić was do Aleppo.

– A teraz dostali rozkaz, żeby nas zabrać do Dajr az-Zaur.

Elizabeth zdaje sobie sprawę, że to, co zaraz powie, zabrzmi irracjonalnie, ale jest już za późno, by powstrzymać te słowa. Być może dlatego, że znalazła się w tym dzikim, całkowicie obcym świecie, konwenanse, które zazwyczaj trzymały ją w ryzach, zupełnie wyparowały w tym otępiającym upale. Być może ma to związek z utratą Armena. Być może z faktem, że w ogóle go poznała. Ale to bez znaczenia.

– W takim razie zostań z nami – proponuje Elizabeth. – Mówiłaś, że twój mąż był lekarzem. Przyda nam się każda pomoc.

– To niemożliwe.

– Ależ oczywiście, że możliwe!

– A gdzie miałabym spać?

– To żaden problem. Mamy miejsce. W naszych apartamentach jest sporo wolnej przestrzeni. – Oczywiście Elizabeth wie doskonale, że puste pokoje zostaną zajęte przez misjonarkę i dwóch lekarzy, którzy wkrótce do nich dołączą. Ale niezależnie od wszystkiego, jeśli będzie trzeba, Elizabeth może dzielić z nią swoją sypialnię.

Nevart spogląda na wycieńczone Ormianki w namiocie. Ma poczucie, że na propozycję Elizabeth zareagowała tak, jak należało. Przecież nie może zostawić tych kobiet. Nie może od nich uciec. Jakim prawem ona ma żyć, podczas gdy cała reszta wedle wszelkiego prawdopodobieństwa umrze w trakcie wędrówki przez to okrutne, jałowe pustkowie? Tylko dlatego, że to ją pierwszą wypatrzyła Amerykanka?

– Mówię poważnie, Nevart. Nie możesz opuścić Aleppo. Musisz z nami zostać.

– A co będzie, kiedy odjedziecie?

– Nie wiem. Najważniejsze, że będziesz żyła. Że odzyskasz zdrowie.

Nagle w głowie Nevart świta pewna myśl. Rzuca okiem na nienaganną postawę Amerykanki. Na jej elegancką bluzkę i spódnicę. Na tryskającą zdrowiem cerę. Na twarz, która świadczy o tym, iż nigdy niczego jej w życiu nie brakowało.

– Jakie naprawdę warunki panują w sierocińcu? – pyta po chwili namysłu. – Wie pani?

– Nie. Ale zamierzamy udać się tam z wizytą dziś po południu.

– Mogłabym pójść z wami?

– Oczywiście.

– Chciałabym zobaczyć się z Hatoun. Jeśli zechce do mnie wrócić, zostanę w Aleppo, ale będziecie musieli wziąć nas obie.

Elizabeth kiwa głową, uśmiechając się przy tym.

– Jakżeby inaczej. To świetny pomysł – zapewnia ją, choć wie, że ojciec nie będzie zadowolony. Z pewnością potraktuje to jako wysoce niestosowne zatarcie granicy pomiędzy dobroczyńcą a potrzebującym. Ale Elizabeth już sobie wyobraża, jak to będzie mieć nową przyjaciółkę – i siostrzenicę. Albo po prostu młodszą siostrę. Tak: Nevart będzie dla niej jak starsza siostra, a Hatoun jak młodsza. Oczywiście natychmiast dociera do niej, że ten uproszczony obraz, jaki właśnie powstał w jej głowie, to zwykłe mrzonki. Mimo to, ponieważ sama nie ma żadnego rodzeństwa, pociąga ją wizja domu pełnego ludzi.

Co prawda Nevart jest od niej wyższa i dużo chudsza, ale przy odrobinie pomysłowości jej kufer pełen ubrań można dostosować do potrzeb ormiańskiej wdowy. A Hatoun? Elizabeth dochodzi do wniosku, że modna garderoba to raczej najmniejsze ze zmartwień dziewczynki. Jakoś sobie poradzi.

Wszyscy jakoś sobie poradzą, powtarza w duchu. Na pewno. I będą dobrze się czuć w swoim towarzystwie.

Zza pleców dobiega ją jakiś hałas. Niemieccy inżynierowie znów pojawili się na placu. Przynieśli ze sobą statyw i aparat wyglądający jak niewielka czarna walizka. Elizabeth się odwraca, żeby zobaczyć, kogo fotografują, i natychmiast ogarnia ją fala mdłości. Niemcy ułożyli na ziemi ciała trzech kobiet, które zmarły tej nocy. Wcześniej zdarli z nich łachmany, by w pełni ukazać, jak bardzo są wychudzone. Zwłoki zaczęły już tężeć i Elizabeth się obawia, że jeśli Erich nadal będzie usiłował wyprostować kościste nogi jednej z kobiet, połamią się z trzaskiem jak precle. Nagle, zupełnie nie wiadomo skąd, na placu pojawia się dwóch żandarmów. Jeden z nich trzyma karabin, który zdjął z ramienia. Drugi chwyta statyw i podnosi go do góry. Trudno stwierdzić, czy zamierza go skonfiskować, czy zniszczyć. Helmut usiłuje go przekonać, by tego nie robił. Przez moment się wydaje, że jest bliski osiągnięcia porozumienia, dzięki czemu Erich będzie mógł odzyskać sprzęt. Jednak w tej samej chwili drugi, bardziej postawny żandarm rzuca karabin i wyrywa statyw swojemu koledze, po czym – jak gdyby to był strach na wróble z głową zrobioną z dyni, którą ma zamiar bezceremonialnie roztrzaskać o bruk – unosi wysoko aparat wraz z trójnogiem i z całych sił tłucze nim o ziemię. Aparat się rozpada, wydając przy tym dźwięk przypominający raczej kruszenie kryształu niż łamanie drewna.

Rozdział 5

„Turcy potraktowali nas jak psy" – powiedział kiedyś mój ormiański dziadek. W jego głosie słychać było obrzydzenie. Za to moja babcia z Filadelfii miała zgoła odmienne zdanie na temat psów. Pewnego razu, widząc, jak ja i mój brat obsypujemy całusami naszego golden retrievera, Macka, stwierdziła, że po śmierci chciałaby wrócić na ziemię właśnie jako golden retriever. Byłam wtedy małą dziewczynką, ale doskonale pamiętam błysk w jej oczach, gdy to mówiła…

Dziadek, używając takiego, a nie innego porównania, chciał po prostu powiedzieć, że Turcy potraktowali przedstawicieli jego narodu niczym zwierzęta.

Jednakże, jak na ironię, tkwiło w tym ziarno prawdy: wypędzając Ormian na pustynię, by tam dokonali żywota, Turcy rzeczywiście działali wedle pewnego schematu, który wcześniej został przetestowany właśnie na psach. Otóż w 1910 roku w Konstantynopolu rozpleniły się dzikie psy, co dla tureckich władz było o tyle niewygodne, że podkopywało to wizerunek Turcji jako nowoczesnego państwa w oczach rzekomo bardziej cywilizowanych Europejczyków z północnego zachodu, a w dodatku stanowiło faktyczne zagrożenie sanitarne. Po mieście szwendały się tysiące bezpańskich kundli. Wałęsały się po ulicach, jadły co popadnie i załatwiały się gdzie popadnie. Niestety Turcy nie mieli serca, by się ich pozbyć. Jakoś nikt nie kwapił się do tego, żeby na nie zapolować czy podać im truciznę. W końcu, jakkolwiek by na to patrzeć, to przecież psy.

Jakie więc było rozwiązanie? Wyłapać wszystkie i wywieźć na bezludną wyspę Oksia na Morzu Marmara. Mniej więcej czterdzieści tysięcy psów załadowano na statki i bez zbędnych ceregieli wyrzucono na tym pustkowiu. Psy konały powoli pośród skał i krzewów kolcolistu, ponieważ nie było tam żadnego pożywienia, żadnej zwierzyny, na którą mogłyby zapolować. Od czasu do czasu na Oksii zjawiali się jacyś ludzie – przypływali łódkami, żeby dać im choć trochę jedzenia, ale przy tak ogromnej liczbie psów było to tyle co nic. Na nagich klifach zwierzęta niemal piekły się żywcem i powoli zdychały z głodu. Przez wiele miesięcy mieszkańcy Anatolii, oddzieleni od wyspy niewielkim pasem wody, musieli znosić bezustannie dobiegające stamtąd wycie. Desperacja zwierząt przybrała tak przerażające rozmiary, że nawet rybacy zaczęli unikać wód otaczających skały Oksii w obawie przed atakami dzikich psów, które znalazły w sobie jeszcze na tyle siły, by do nich dopłynąć i wskoczyć na ich łodzie. Minęło sporo czasu, zanim wszystkie pozdychały, głównie dlatego, że te silniejsze zaczęły pożerać słabsze od siebie. Jednak w którymś momencie źródło pożywienia się wyczerpało. Od tej chwili psie zawodzenia stały się jeszcze bardziej żałosne i ponure. Aż wreszcie wszystko umilkło i na wyspie zapanowała absolutna cisza.

Do czego zmierzam? Kiedy Turcy pędzili Ormian na jałowe równiny Mezopotamii, mieli w tym już pewne doświadczenie. Jedyna różnica pomiędzy psami a Ormianami polegała na tym, że ci drudzy prawie nigdy nie posuwali się do aktów kanibalizmu.

Wróćmy jednak do Berka. Mojego pierwszego chłopaka. Nastolatka, który wyglądał jak gwiazda rocka – tej burzy loków pozazdrościłby mu sam Steven Tyler – i który, jak się okazało, był Turkiem. Jeszcze z nim nie skończyłam. Zresztą on też wcale tak szybko ze mną nie skończył.

Pierwszy raz całowałam się z nim w 1979 roku. Dwa lata później po raz pierwszy się z nim pieprzyłam.

Moje dzieci na pewno się zarumienią, kiedy będą to czytać. Właściwie to nie do końca prawda: Matthew, który jest w dziewiątej klasie, w ogóle nie przyjmie do wiadomości faktu istnienia tego zdania, będzie udawał, że go po prostu nie ma. Z kolei dwa lata młodsza od niego Ann zapyta mnie, dlaczego wybrałam akurat takie słowo. Oboje będą zbulwersowani, choć się do tego głośno nie przyznają.

Możliwe, że mój mąż, Bob, zareaguje podobnie. Lecz ja z pełną świadomością zdecydowałam się na ten, a nie inny czasownik. Prawda jest taka, że byliśmy wtedy ogarniętymi burzą hormonów, napalonymi nastolatkami. Później owszem, „kochaliśmy się" – czy jak tam sobie chcecie to nazywać. Ale ten pierwszy raz na szezlongu nad basenem, kiedy mój brat i rodzice wyszli na dwie różne imprezy, a my mieliśmy cały dom dla siebie? Wtedy naprawdę się pieprzyliśmy. I muszę przyznać, że zrobiło to na mnie wrażenie. Do dziś pamiętam, jak przeszły mnie ciarki, gdy zsunęłam z bioder dół od bikini. Na początku Berk nie bardzo radził sobie z prezerwatywą, ale potem jego ruchy stały się płynne i nabrał pewności siebie.

Na przestrzeni dwóch lat pomiędzy naszym pierwszym pocałunkiem a pierwszym cielesnym zbliżeniem – czyli pomiędzy dziewiąta a dwunastą klasą – kilka razy ze sobą zrywaliśmy, a potem znów do siebie wracaliśmy. Powody naszych rozstań bywały różne, ale nigdy nie wynikało to z faktu, że on był Turkiem, a w moich żyłach płynęła ormiańska krew. Najczęstszą przyczynę stanowiła małostkowa zazdrość czy inne mocno przesadzone „dramaty", będące nieodzownym elementem większości młodzieńczych związków. Raz poszło o to, że kolega z liceum, który siedział w ławce naprzeciwko, zadurzył się we mnie. Innym razem to ja byłam zazdrosna o skrzypaczkę, z którą Berk się zaprzyjaźnił na letnim obozie muzycznym.

Co ciekawe, kiedy chodziliśmy do dziesiątej klasy, zdarzył się pewien incydent z naszymi rodzinami w roli głównej, który jednak w żaden sposób nie wpłynął na nasz związek. Dopiero po latach zapytałam ojca o tamto zdarzenie, próbując wyciągnąć od niego więcej szczegółów. Otóż któregoś sobotniego wieczora rodzice Berka urządzali przyjęcie nad jeziorem, na które zaprosili wielu sąsiadów z okolicy, w tym także moją rodzinę. Na imprezie pojawili się również przyjaciele rodziny Berka, w większości Turcy, mieszkający co prawda nieco dalej, w Fort Lauderdale czy Miami Beach, lecz samochodem mieli stamtąd dwa kroki. To było jakoś koło Nowego Roku, ale nie w samego Sylwestra. Przyjęcie koktajlowe, na które zostałam zaproszona z bratem i rodzicami, odbyło się późnym popołudniem. Kiedy wychodziliśmy, na zewnątrz, jak to na początku stycznia, zdążyło się już zrobić ciemno. Wokół basenu rozbłysły światła odświętnych lampionów, a w salonach okolicznych domów pozapalano lampy.

Gdy się żegnaliśmy, ze względu na rodziców Berk nawet nie cmoknął mnie w policzek. I właśnie wtedy między naszymi ojcami doszło do krótkiej, zaskakująco ostrej wymiany zdań w obcym języku – gdyby ktoś mnie wówczas zapytał, obstawiałabym, że to turecki.

I dobrze bym obstawiała. Mój ojciec mówił po turecku, a ja nie miałam o tym bladego pojęcia.

– Opanowałem podstawy, ale nic więcej – wyjaśnił mi po latach. – Umiałem powiedzieć dwa zdania na krzyż, bo mój ojciec biegle władał tym językiem, a matka nauczyła się tureckiego, kiedy mieszkała za oceanem.

– Co takiego powiedziałeś ojcu Berka tamtego wieczora? – zapytałam. W czasach, gdy Berk i ja chodziliśmy do dziesiątej klasy, ojciec nie chciał mi powiedzieć. Rzucił jakąś wymijającą odpowiedź, po czym zmienił temat.

Kiedy wiele lat później znów zaczęłam się o to dopytywać, wzruszył ramionami, a na jego twarzy pojawił się blady uśmiech. Był grubo po sześćdziesiątce, a nasza rozmowa miała miejsce rok po śmierci mojej matki, która zmarła na raka płuc. W związku z rocznicą jej śmierci postanowiliśmy go odwiedzić. Wiedzieliśmy, że to będzie dla niego ciężki tydzień.

– To było tyle lat temu. Zachowałem się głupio. Obaj zachowaliśmy się głupio.

– Ale co dokładnie mu powiedziałeś? – nie dawałam za wygraną.

– „Dziękuję" i „dobranoc". Powiedziałem to po turecku, bo chciałem, żeby pomyślał, że dobrze znam turecki. Zrobiłem to z czystej… złośliwości.

– A co w tym złośliwego?

– Kochanie, czy naprawdę chcesz dalej ciągnąć ten temat?

– Po prostu jestem ciekawa.

Ojciec stał obok jednego z zegarów kominkowych skonstruowanych przez mojego dziadka, inżyniera, który budowanie ozdobnych zegarów traktował jako hobby. Ten akurat egzemplarz miał u podstawy trzy cherubiny bawiące się pośród złotych liści, motyw typowy dla francuskich zegarów figuralnych. Na cyferblacie widniały rzymskie cyfry. Wybijał każdą pełną godzinę. Moja babcia tolerowała to dzieło, natomiast jej dzieci miały do niego stosunek raczej ambiwalentny.

– Cóż – zaczął ojciec, po czym wyjął spod spodu kluczyk i zabrał się za nakręcanie zegara, najprawdopodobniej po to, by nie patrzeć mi w oczy. – Chciałem, żeby poczuł się niezręcznie. Chciałem, żeby widział, że zrozumiałem każde słowo wypowiedziane tamtego wieczora po turecku przez niego i jego przyjaciół.

– Rozmawiali po turecku?

– Tak, w kuchni. Ojciec Berka i dwóch innych mężczyzn.

– I co mówili?

– To głupie. Gadali głupoty, a ja jak idiota się tym przejąłem.

– Teraz to już musisz mi powiedzieć. Skoro twierdzisz, że to jakaś głupota, tym bardziej ci nie odpuszczę.

– Jestem pewien, że gdyby tyle nie wypili, nie wygadywaliby takich bzdur. Byli lekko podchmieleni. Twierdzili, że wszyscy Ormianie to zdrajcy, że podczas pierwszej wojny światowej dopuścili się zdrady. I jeszcze, że…

– Że?

– No cóż, ja sam zawsze się z tego śmiałem. Żartowali, że ożeniłem się z twoją matką, bo nie była Ormianką. Mówili, że każdy Ormianin to zdrajca, a każda Ormianka ma wąsy.

– Co za dziecinada! To absurdalne!

– Sama widzisz. Mówiłem ci, że to było głupie. Niedojrzałe. Po prostu chciałem pokazać ojcu Berka, że wiem, o czym rozmawiali.

– Dlaczego wtedy mi tego nie powiedziałeś?

– Przyjaźniliście się z Berkiem. Nie chciałem psuć tej przyjaźni.

– Ale miałeś pewne zastrzeżenia co do naszej znajomości. Ze względu na jego tureckie pochodzenie.

– Owszem, lecz starałem się przejść nad tym do porządku dziennego. Tak samo zresztą jak rodzina Berka.

Aldous Huxley powiedział kiedyś, że „pamięć każdego człowieka jest jego prywatną literaturą". Mój ojciec przyszedł na świat jako syn mężczyzny, który ocalał, i kobiety, która była świadkiem. Jego wspomnienia układały się w dużo jaśniejszą i szczęśliwszą opowieść niż historia utkana ze wspomnień ojca czy matki. Nigdy nie widział tego, co oni, nie doświadczył na swej skórze piekła, które pochłonęło miliony ludzkich istnień. Oczywiście czysto teoretycznie zdawał sobie sprawę z tego, co przeszli. Poza tym, idąc w ślady ojca, poślubił kobietę o zadziwiająco podobnej posturze, rodowodzie i o równie dzikim temperamencie, jak jego własna matka.

A dziadkowie Berka? Gdzie byli i co robili – a może właśnie czego nie zrobili – w 1915 roku? Nigdy nie zapytałam i nigdy się już nie dowiem. Zarówno ci, którzy biorą czynny udział w ludobójstwie, jak i ci, którzy odwracają od niego wzrok, raczej rzadko dzielą się z resztą świata jakimiś spostrzeżeniami czy historiami z tego okresu. Podobnie rzecz się ma z tymi, co dokonywali bohaterskich czynów, a także tymi, co stali na straży uczciwości i sprawiedliwości. Natomiast głos zabierają najczęściej osoby, które ocalały, choć w większości przypadków one też wcale nie chcą o tym rozmawiać. Być może babcia Berka udzieliła schronienia ormiańskim dzieciom w swoim domu w Ankarze. Z drugiej wszakże strony, kto wie, może jego dziadek był jednym z żandarmów, którzy wyprowadzali ormiańskie kobiety na pustynię, gdzie czekała je pewna śmierć. A może, co najbardziej prawdopodobne, w ogóle nie mieszali się w ten konflikt. W 1915 pewnie chodzili do pracy i zajmowali się wychowywaniem dzieci, każdego dnia stawiając czoła biedzie, jaką przyniosła wojna.

Być może Berk zapytał o to swoich rodziców i teraz już wie. A może nie zapytał? Tak czy owak, to co mówili wtedy tamci mężczyźni po turecku, choć były to tylko głupie, dziecinne przytyki, poruszyło czułą strunę w sercu mego ojca i dlatego postanowił utrzeć im nosa.

Hatoun stoi przy prostokątnym otworze, który służy jako okno, i obserwuje kilkoro dzieci bawiących się na dziecińcu. Mają kredę. Na kamiennym chodniku i betonowych ścianach sierocińca rysują kwiaty i drzewa. Jeden dziesięcio-, może jedenastoletni chłopiec rysuje latawiec. Wszystkie przebywają tu już od kilku tygodni i w tym czasie zdążyły nabrać trochę sił – niektóre z nich całkiem wróciły do formy. Tego ranka syryjska nauczycielka powiedziała Hatoun, że ona także odzyska pełnię zdrowia. Mówiła, że dzieci są bardzo wytrzymałe. Ale Hatoun ma co do tego wątpliwości. Chłopcy z sierocińca ciągle urządzają awantury, są zaciekli i stosują przemoc. To okrucieństwo zupełnie nie przypomina zwykłych szkolnych przepychanek, jakie pamięta z Adany. Już nie mają rodziców, starsze rodzeństwo też nie żyje i można odnieść wrażenie, że traktują żandarmów jako wzór do naśladowania.

Ale w sierocińcu spotkała też inne, bardziej podobne do siebie dzieci – dziewczynki i chłopców dużo słabszych od tamtych łobuzów. Ich oczy są albo zaczerwienione od płaczu, albo szeroko otwarte z przerażenia za każdym razem, gdy na sali, pod której ścianami ciągną się długie rzędy piętrowych łóżek, pojawia się jakaś dorosła osoba. Mówią niewiele lub w ogóle się nie odzywają. Dziewczynka, która śpi pod nią, ma jakieś dwanaście lat, ale wstaje tylko wtedy, kiedy musi iść do łazienki. Kuśtykając, wlecze się do sąsiedniego pomieszczenia, gdzie w wyłożonej kaflami podłodze są dziury, do których dzieci mają się załatwiać. Zeszłej nocy Hatoun słyszała, jak jedna kobieta mówiła szeptem o tym, co zrobili tej dziewczynce. Podobno została zhańbiona. Zgwałcona. Hatoun chyba rozumie znaczenie tych słów. To samo spotkało jej matkę i siostrę na dzień przed śmiercią. A Nevart następnego dnia.

Choć minęła dopiero jedna doba, Hatoun bardzo za nią tęskni. I za swoją mamą. Przez całą noc próbowała osuszyć łzy rąbkiem szorstkiego wełnianego koca.

Chyba nie bardzo jej się podoba spanie na górze piętrowego łóżka. Boi się, że kiedy usiądzie w ciemności, uderzy głową w sufit. Albo że kiedy będzie schodzić na dół, szukając stopą oparcia na materacu, niechcący nadepnie na śpiącą pod nią dwunastolatkę. To pewnie dlatego nie ruszyła się z łóżka od momentu, gdy zakonnica wieczorem wyszła z sali, aż do jej powrotu parę minut po świcie.

– Ty też powinnaś wyjść na dwór – słyszy nagle czyjś głos.

Zaskoczona odwraca się i spogląda za siebie. Pośrodku sali stoi bosa dziewczynka i wlepia w nią wzrok. Jest mniej więcej w tym samym wieku co ona i ma strasznie potargane włosy, jakby nigdy w życiu nie używała szczotki. Hatoun się zastanawia, dlaczego nauczycielki albo zakonnice nie spróbowały rozczesać jej tych kołtunów.

– Chodź się pobawić – dodaje po chwili, drapiąc się po strupach na lewym ramieniu. Brzeg białej, niemiłosiernie poplamionej koszuli odcina się od musztardowego brązu jej skóry.

Hatoun wie, że starsza dziewczynka wciąż leży w łóżku, najprawdopodobniej zwinięta w kłębek. A może właśnie wyciąga szyję, by przez ramię rzucić okiem na tę wyjątkowo potarganą sierotę?

– Narysowali labirynt – kontynuuje, mając na myśli dzieci bawiące się na dziedzińcu. Wreszcie Hatoun zbiera się na odwagę i przerywa milczenie.

– Zostanę tutaj – mówi niemal szeptem, choć szczerze powiedziawszy, wcale nie jest pewna, czy się w ogóle odezwała. A może tylko bezgłośnie poruszyła ustami?

– Bawią się w labirynt – powtarza dziewczynka. – Musisz skakać pomiędzy liniami, które narysowali na płytach chodnika. Ja skakałam. Świetna zabawa. – Przerywa na chwilę, po czym pyta: – Jak masz na imię?

– Hatoun – odpowiada, znów nie do końca wiedząc, czy faktycznie wydała z siebie jakikolwiek dźwięk.

– A ja jestem Ramela – przedstawia się tamta i w kilku skokach przemierza salę. Gdy staje obok łóżka, jej uwagę przykuwa leżąca na dole dwunastolatka.

– A ty jak się nazywasz? – pyta, lecz kiedy odpowiada jej tylko milczenie, zwraca się do Hatoun: – Jest taka sama jak ty. W ogóle się nie odzywa. Ciekawe czemu?

No właśnie, czemu? Hatoun wie, że musi być jakiś związek pomiędzy milczeniem dziewczynki a tym, co jej zrobili, ale nie do końca go rozumie. Czy wobec tego każda dziewczynka automatycznie traci głos, gdy jakiś mężczyzna jej to zrobi? A może to tylko zbieg okoliczności? Przecież ona sama też prawie w ogóle się nie odzywa. Lecz z drugiej strony, co niby miałaby powiedzieć? Przez większość czasu jest głodna, spragniona albo przerażona, a jaki sens ma mówienie czegokolwiek czy płakanie, jeśli wszyscy dookoła są głusi na twoje prośby? Hatoun miała matkę i siostrę. Potem przez kilka tygodni miała Nevart. Ale, jak widać, dorośli zawsze albo giną, albo ktoś ich gdzieś zabiera. Teraz jest zupełnie inaczej niż wiosną. Wszystko się zmieniło.

Na dziedzińcu słychać piski jakiejś dziewczynki. Hatoun wygląda przez okno. Chłopiec, który rysował latawiec, łaskocze dziewczynkę, przebiegając palcami od pach wzdłuż żeber. Ramela podbiega do Hatoun i, ku jej zaskoczeniu, wdrapuje się na parapet, przeciska przez wąski otwór i zeskakuje na dziedziniec. Z hukiem ląduje na ziemi, wstaje i nie otrzepując nóg ani ubrania, puszcza się pędem w kierunku kotłującej się dwójki dzieci, po czym zaczyna łaskotać ich oboje.

Hatoun odwraca głowę i wbija wzrok w dwunastoletnią dziewczynkę. Ich oczy spotykają się na ułamek sekundy i nagle Hatoun znów jest na pustyni. Widzi siostrę, przywiązaną do słupa. Żandarmi wspinają się na swoje konie. Siostra spogląda na matkę, potem na nią. Ich oczy także się spotykają. Siostra płacze. A ona odwraca wzrok. Do dziś nie może sobie tego wybaczyć. Pamięta, jak nagle jakaś kobieta chwyciła ją w ramiona, odwróciła plecami do siedzących na ziemi ofiar i z całej siły przycisnęła jej twarz do swojej piersi, żeby nie patrzyła, nawet gdyby chciała. Nadal jednak do jej uszu docierały dźwięki. Słyszała stukot kopyt pędzących koni, które po raz pierwszy podczas tego pustynnego marszu miały możliwość puścić się galopem. Słyszała świst szabel tnących powietrze. Słyszała pełne podniecenia, nieprzyzwoite okrzyki żandarmów naśmiewających się ze swojego towarzysza, który potrzebował aż trzech podejść, żeby dobić jedną z kobiet. Pewnie usłyszałaby więcej, ale trzymająca ją kobieta jakoś zdołała zasłonić jej uszy rękoma.

W tym momencie Hatoun osuwa się bezwładnie po ścianie sierocińca. Będąc już na podłodze, wlepia wzrok w przejście pomiędzy rzędami łóżek. Wyciąga przed siebie nogi i prostuje je dokładnie tak samo jak jej matka i siostra przed egzekucją. Przywiera plecami do chłodnego muru, jak gdyby to był wbity w piasek drewniany pal. I czeka, choć sama nie bardzo wie na co.

Nie ma pojęcia, ile czasu upłynęło, odkąd przyjęła tę pozycję. Nagle na drugim końcu sali otwierają się drzwi. W progu staje nauczycielka, Syryjka z czarnymi włosami przyprószonymi siwizną. Towarzyszy jej młoda Amerykanka. I Nevart. Dostrzegłszy Hatoun, patrzą na nią pytająco, lecz już po chwili stanowczym krokiem ruszają w jej kierunku.

Można jechać pociągiem albo na wielbłądzie. Armen wydaje część pieniędzy, które pożyczyli mu Erich i Helmut – dając mu jasno do zrozumienia, że, po pierwsze, nie chcą, by bezmyślnie pchał się na pustynię, gdzie w każdej chwili może stracić życie na tej ziemi niczyjej, i, po drugie, że kiedyś w przyszłości liczą na zwrot tych pieniędzy – i kupuje bilet na pociąg do Damaszku. Stamtąd, jeśli uda mu się złapać następny, ruszy do Jerycha, z każdym dniem coraz bardziej zbliżając się do Brytyjczyków. Jednak nie bardzo potrafi sobie wyobrazić, jak dalej będzie wyglądała jego podróż. Nie dopuszcza do siebie myśli, że mógłby wkraść się w łaski jakichś jadących w karawanie tureckich cywilów albo maszerujących w kolumnie żołnierzy, którzy zmierzają na front. Ale przecież, powtarza sobie w duchu, pustynia to ogromne połacie przestrzeni. I choć ludzie często znikają wśród piaszczystych wydm, to przecież się odnajdują – przynajmniej taką ma nadzieję.

W wagonie nie ma nikogo oprócz dwóch mężczyzn, którzy wyglądają na kupców. Obaj ubrani są w zachodnie garnitury, a ich głowy zdobią fezy. Czekając na odjazd, palą i grają w karty na drewnianych, lekko zaokrąglonych ławkach. W następnym wagonie siedzi kilku tureckich żołnierzy. Armen czuje, jak napinają mu się wszystkie mięśnie, gdy tylko wyobrazi sobie wymianę zdań, do jakiej potencjalnie mogłoby dojść, gdyby z jakiegoś powodu postanowili zajrzeć do jego wagonu. W Aleppo to było zupełnie co innego, zwłaszcza że miał obstawę w postaci dwóch niemieckich żołnierzy, którzy zawsze mogli go obronić, jeśli oczywiście zaszłaby taka potrzeba. Turcy patrzyli na Niemców z podziwem, tak jak młodszy brat patrzy na starszego. Lecz z drugiej strony jakoś nie wyobraża sobie powodu, dla którego ci tureccy biznesmeni mieliby tracić na niego czas. A gdyby jednak znalazł się powód? Zawsze może powiedzieć, że jedzie do Damaszku w interesach. Że ma tam rodzinę. Siostrę. Brata. Żonę. Każde z tych kłamstw byłoby wiarygodne. Erich chciał dać mu pistolet, ale Armen nie odważył się go przyjąć. Ormianom nie wolno mieć broni. Poza tym podróż następnym pociągiem i tak będzie ryzykowna ze względu na sam kierunek – będzie zmierzać ku Brytyjczykom, co może wydać się podejrzane. Turcy już z góry zakładają, że każdy trzymający się jeszcze na nogach ormiański mężczyzna zamierza wstąpić w szeregi wrogiej armii, zazwyczaj rosyjskiej, tak jak planował to uczynić jego brat Garo. Ale oczywiście zdarzają się wśród nich i tacy, którzy wstępują do brytyjskich oddziałów.

Kołysząc się i podskakując, pociąg mknie na południe. Jeden z kupców podnosi wzrok i posyła Armenowi życzliwy uśmiech. Przez godzinę Armen siedzi bezczynnie, całkowicie pogrążony w myślach, zupełnie nie czując na sobie wzroku współpasażerów. W końcu sięga do torby, wyciąga z niej ołówek i kartkę, kładzie ją na drewnianej ławce i zaczyna pisać list do Elizabeth. Wyśle go z Damaszku albo z Al Quatrany. Być może tą samą trasą, tylko w przeciwnym kierunku, jadą właśnie dwaj lekarze i misjonarka, na których ona czeka w Aleppo.

Rozpoczyna od słów: „Droga Elizabeth", po czym dodaje: „moja rudowłosa Ormianko". Mimo że koła pociągu nie mogą złapać miarowego rytmu, pewna ręka Armena powoli, w równym tempie kreśli kolejne zdania. Wdaje się w szczegóły, których nigdy nie zdradziłby Erichowi czy Helmutowi. Opisuje sceny z życia rodzinnego w Harput, zanim w Van nastąpił koniec świata. Pisze o tym, że miał kiedyś córeczkę. Kilkakrotnie już chciał jej to powiedzieć, ale za każdym razem słowa więzły mu w gardle i zamiast o dziecku mówił o wszystkim innym. O owocach granatu. O swoich braciach. O Karine. Dziecko nie zdążyło przeżyć nawet dwunastu miesięcy. Dopiero dziś rano opowiedział Elizabeth o swoich obawach dotyczących okoliczności, w jakich prawdopodobnie zginęła jego żona – o tym, czego się dowiedział o deportacji i masakrze, choć część tych informacji to zwykłe plotki bądź tylko przypuszczenia, niepoparte żadnymi dowodami. I dopiero teraz mówi jej, że był ojcem i że jego jedyne dziecko nie dożyło swoich pierwszych urodzin. Za to ani słowem nie wspomina o bitwie w Van czy o rzezi w Bitlis. Nie pisze też, co zrobił po powrocie do Harput, gdy stanął twarzą w twarz z Nezimim. Woli nie ryzykować, wiedząc, że list zostanie otwarty, zanim dotrze do Elizabeth. Gdyby opisał wszystko, co widział, słyszał i co zrobił, nigdy by go nie dostała.

– Jak może pan pisać, kiedy tak trzęsie? – pyta po turecku jeden z kupców. Ma zniszczoną, ogorzałą od słońca skórę, a czerń jego wąsów jest mocno przyprószona siwizną.

– To tylko notatki – odpowiada Armen wymijająco, również po turecku. Nie ma pewności, czy to zwykła pogawędka o wszystkim i o niczym, czy też wstęp do czegoś poważniejszego.

Drugi mężczyzna wzrusza ramionami, po czym odzywa się dziwnie złowieszczym tonem:

– No nie wiem, nie wiem, młody człowieku. Ja bym nie ryzykował.

– A co ryzykuję, jeśli można spytać?

– To zależy od tego, co pan tam pisze – odpowiada kupiec, który zainicjował całą tę konwersację. Gasi papierosa na podłodze i taksuje wzrokiem przelatującą obok muchę. Następnie wstaje i aby złapać równowagę, chwyta się oparcia. Poły jego marynarki rozchylają się i Armen dostrzega pistolet z wysadzaną perłami rękojeścią.

– Niektórzy chcą, żeby Arabowie podnieśli bunt.

– Niektórzy Arabowie wykazują równie antypatriotyczną postawę jak Ormianie – zauważa jego towarzysz.

W liście do Elizabeth nie ma żadnych obciążających go informacji. Mimo to Armen ostrożnie składa kartkę na pół i chowa ją do torby. W dłoni mocno ściska ołówek. Co prawda niewiele da się nim zdziałać, ale to jedyna broń, jaką dysponuje.

– Nie zamierzam nikogo podżegać do rebelii – mówi, podnosząc brew.

– Ale jest pan Ormianinem – stwierdza Turek z rewolwerem.

– Zgadza się.

– Dokąd pan jedzie?

– Do Damaszku.

– Po co?

– Mam tam siostrę.

– Czym się pan zajmuje?

– Jestem inżynierem. Pracuję przy budowie Kolei Bagdadzkiej, na odcinku pomiędzy Aleppo i Nusaybin.

– Brytyjczycy zajęli An-Nasirijję.

– Nie wiedziałem.

Turek kiwa głową.

– A słyszał pan, że jakiś Ormianin zamordował tureckiego oficera w Aleppo?

– Nie.

– Młody mężczyzna, mniej więcej w pańskim wieku, jak twierdzą naoczni świadkowie. Przestępca.

– Złapali go?

– Jeszcze nie – odpowiada, parskając lekceważąco. – Mogę zobaczyć pańskie dokumenty? Jesteśmy urzędnikami gubernatora generalnego wilajetu Aleppo. Znamy tam również kilku Niemców. Herr Lange to nasz dobry przyjaciel – mówiąc to, ma na myśli niemieckiego konsula rezydującego w Aleppo.

Każdy z nich jest dwa razy starszy od niego – wyglądają na osoby po pięćdziesiątce – ale mają przewagę liczebną, a ponadto jeden posiada broń. Armen rzuca okiem na drzwi wagonu i pobieżnie rozważa wszelkie dostępne w tej sytuacji opcje. Nie ma żadnych dokumentów: ani międzynarodowego paszportu, ani nawet *teskere*, czyli dokumentu pozwalającego podróżować na terenie Imperium Osmańskiego. Kilka miesięcy wcześniej Turcy skonfiskowali oba paszporty – był to pierwszy krok na drodze do całkowitego unicestwienia narodu ormiańskiego. Mimo to, by zyskać na czasie, udaje, że szuka dokumentów w swojej płóciennej torbie. Wstaje i odwraca się do okna, jak gdyby się spodziewał, że światło słoneczne pomoże mu w tych poszukiwaniach. W tym momencie słyszy, jak jeden mówi do drugiego: „Zastrzel go, on sięga po broń!". Armen natychmiast sobie uświadamia, że popełnił błąd, ale jest już za późno. Odwraca się i widzi przed sobą uzbrojonego Turka, który w międzyczasie zdążył do niego podejść, wyciągnąć pistolet z perłową rękojeścią i wycelować prosto w jego klatkę piersiową. Powoli i ostrożnie podnosi ręce do góry, po czym z całej siły wbija mu ołówek w lewe oko. Na dłoń i twarz Armena z białej gałki ocznej, która się zapada, jakby spuszczono z niej powietrze, tryska ciepła, bezbarwna maź. Ostry szpic ołówka wchodzi coraz głębiej. Grafit dociera do kory mózgowej i łamie się, dokładnie w chwili, gdy mężczyzna odruchowo naciska na spust i strzela. Kula ociera się o ucho Armena i wybija szybę za jego plecami. Dopiero teraz zraniony Turek traci równowagę i pada na ziemię. W następnej sekundzie Armen, nie bacząc na to, że tył jego czaszki być może usiany jest drewnianymi drzazgami i odłamkami roztrzaskanego szkła, ciska torbą w tego drugiego i rzuca się na niego. I choć potwornie dzwoni mu w uszach, przygniata go do podłogi. W tym samym momencie czuje, jak jego własne kolana z całej siły uderzają o drewno. Kątem oka dostrzega pistolet, który leży najwyżej półtora metra dalej. Ołówek wystaje z oczodołu Turka niczym drewniany pal wbity w ziemię, a jego ciałem wstrząsają silne drgawki. Wciąż żyje, lecz nawet nie próbuje wyciągnąć ołówka ze swojej czaszki.

Armen rzuca się w kierunku broni. Leżący pod nim mężczyzna, korzystając z chwilowego oswobodzenia, również próbuje przechwycić rewolwer. Jednak Armen dopada do niego pierwszy i choć jego ruchy są dziwnie powolne i ociężałe, chwyta broń i strzela Turkowi prosto w twarz. Świat znów rozpada się na kawałki w eksplozji huku i gniewu. Armen ma wrażenie, jakby w wagonie lunął nagle rzęsisty deszcz.

A potem wszystko dookoła pogrąża się w przyjemnej, niemal całkowitej ciszy – tak się przynajmniej wydaje ogłuszonemu strzałami Armenowi. Słychać jedynie stukot metalowych kół uderzających o szyny. Odpycha od siebie zwłoki Turka i siada na podłodze. Widzi, że ten drugi też przestał się ruszać.

Przez chwilę siedzi wsparty o nogi drewnianej ławki, próbując złapać oddech. Zastanawia się, czy tureccy żołnierze w sąsiednim wagonie usłyszeli dwa wystrzały, a jeśli tak, to czy jest możliwe, by wzięli je za odgłosy wydobywające się z parowozu. Lecz nie zamierza tu zostać, żeby się o tym przekonać. Pospiesznie chwyta pistolet, torbę i nie czekając ani chwili dłużej, otwiera drzwi wagonu i wyskakuje z pociągu. Ląduje na piasku, tak daleko od pędzącej maszyny, jak to tylko możliwe.

Hatoun kurczowo trzyma się Nevart, gdy idą razem za młodą Amerykanką, która prowadzi je do amerykańskiego konsulatu, gdzie rezyduje konsul i jego goście. Nevart czuje, jak od środka żerają ją wątpliwości. Owszem, Turcy w każdej chwili mogą zamknąć sierociniec; owszem, niektóre dzieci zachowują się brutalnie, inne po prostu umierają i tylko niewielki odsetek wyjdzie z tego cało. Mimo tej wiedzy obawia się jednak, że właśnie popełnia ogromny błąd, zachowując się wobec Hatoun wyjątkowo egoistycznie. Co daje jej prawo myśleć, iż będzie w stanie zapewnić temu dziecku lepsze życie niż zakonnice w sierocińcu? Przecież nie ma pojęcia o macierzyństwie. Przez siedem lat małżeństwa z Sergem nie udało jej się zajść w ciążę. Po tych wszystkich nieudanych próbach doszli do wniosku, że już nigdy nie będą mieć dziecka. Przez jakiś czas perspektywa bezdzietności kładła się cieniem na ich cielesnych stosunkach. Bezpłodność okazała się sporym rozczarowaniem, ale w którymś momencie po prostu pogodzili się z tym. Kiedy przestali ze sobą sypiać tylko i wyłącznie z zamiarem powiększenia rodziny, seks znów zaczął sprawiać im przyjemność. Przyjęli do wiadomości fakt, iż są i pozostaną dla siebie jedyną rodziną – oczywiście oprócz rodziców, rodzeństwa i kuzynów.

– Co Hatoun lubiła jeść, zanim… – Elizabeth spogląda przez ramię na swoje towarzyszki, idąc szybkim krokiem po ulicy. Nevart zauważyła, że specjalnie wybrała okrężną drogę, żeby ominąć plac, na którym koczują pozostali uchodźcy. – Zanim opuściła dom rodzinny? – kończy pytanie. – A ty, Nevart? Co kucharka ma dla ciebie przygotować?

Kobieta próbuje sobie przypomnieć, o czym rozmawiała z Hatoun, zanim matka i siostra dziewczynki zostały ścięte – od tego momentu dziecko nie odezwało się prawie ani słowem. Czy były to rozmowy o jedzeniu? Na pewno. Ale wszystkie wspomnienia z tamtego okresu spowija gęsta mgła. Oczyma wyobraźni widzi, jak opowiadają sobie z Hatoun o pokrojonych w plasterki ogórkach z jogurtem i koperkiem. O lawaszu z sezamem. O jagnięcinie i cebuli marynowanej w oliwie z oliwek i czerwonym winie. O liściach winogron nadziewanych orzeszkami piniowymi i ryżem. O bakławie – przepysznym, lepiącym się ciastku z orzechami włoskimi, cukrem i cynamonem. O cieście zrobionym z mąki, masła i jogurtu. O wodnistym jogurcie *tan* popijanym z dodatkiem mięty.

Nagle przypomina sobie, co powiedziała jej matka Hatoun, gdy z mozołem przemierzały gorące piaski pustyni. Dziewczynka uwielbiała robić koftę. Stawała na stołku obok blatu przy zlewie, rozgniatała goździki, a z bulguru i zmielonej jagnięciny lepiła okrągłe kotleciki wielkości pomarańczy. Wolała raczej słodkie przekąski od mięsnych potraw, ale najwyraźniej przyrządzanie kofty traktowała jako swego rodzaju dzieło artystyczne.

– Na co masz ochotę? – kontynuuje Elizabeth. – Jestem pewna, że nasza kucharka potrafi ugotować wszystko, co tylko zechcesz. Kobiety na placu konają. Umierają z głodu. Te, które są w stanie utrzymać się na nogach, za chwilę wyruszą do Dajr az-Zaur. W czasie trwającej sześć dni podróży wykończy je upał, odwodnienie i dyzenteria. A jeśli będą przechodzić przez bagno, które na pozór przynosi ukojenie, dopadnie je malaria. Ta choroba będzie dla wielu z nich zaskoczeniem – dopiero po pewnym czasie przekonają się, że tak też można umrzeć.

– Chleb – odpowiada wreszcie Nevart bezbarwnym tonem, czując, jak Hatoun wbija paznokcie w obwisłą skórę na jej ramieniu. – Zacznijmy od czegoś prostego. – Dziewczynka nie odzywa się ani słowem.

Rozdział 6

Nasze związki z przodkami ulegają z czasem dezintegracji. Powinowactwo krwi, które tak bardzo liczyło się w przeszłości – wiele pokoleń wstecz – całkowicie traci znaczenie.

Mój mąż jest Włochem, a raczej, mówiąc bardziej precyzyjnie, jego pradziadkowie byli Włochami. Pochodzili z Toskanii. Jednak przedstawienie go jako typowego mieszkańca stanu Vermont byłoby dużo trafniejszym wyborem. (Prawdę powiedziawszy, obawiam się, że gdyby pozwolono mu wpisać w paszporcie dowolną przynależność narodową, wybrałby Red Sox Nation. Choć jest poważnym prawnikiem korporacyjnym, na jednej z półek w swojej kancelarii przy Park Avenue poustawiał figurki zawodników drużyny Red Sox.) Pełne imię i nazwisko mojego męża brzmi: Robert Ethan Gemignani. Jego pradziadek Augusto wyemigrował z Grosseto do Ameryki, gdzie zajął się obróbką kamienia i rzeźbieniem płyt nagrobnych w otoczonym kamieniołomami granitu Barre w stanie Vermont. Jednak z wyglądu i zachowania Robert przypomina Toskańczyka nie bardziej niż ja. Przyjaciele z college'u do dziś nazywają go Bobby G. I to dopiero dzięki mnie i moim usilnym namowom wybraliśmy się na przepiękny cmentarz Hope w Barre, gdzie pośród nagrobków i mauzoleów mogliśmy podziwiać dzieła, które wyszły spod dłuta jego pradziadka. Mój mąż nigdy wcześniej nie był w tym mieście, choć dorastał w oddalonym o niecałą godzinę drogi Burlington.

Tak więc dopiero po ukończeniu drugiego roku studiów prawniczych, kiedy zaczął się ze mną spotykać, jego oczy po raz pierwszy ujrzały pomniki, nagrobki i krypty, które przyniosły zasłużoną sławę Augusto Gemignaniemu. Jak się okazało, pozostawił po sobie nie tylko anioły i serafiny. Wśród jego dzieł były także lwy (zważcie na imię pradziadka), piłka baseballowa wielkości mini coopera z idealnie odwzorowanym podpisem zmarłego, konie (w liczbie dwóch), marmurowy stóg siana i traktor, łabędź o tęsknym spojrzeniu, niemowlęta (przejmujące, tragiczne, podobne do cherubinów) oraz melonik i peleryna. Najwyraźniej ci bogatsi (a czasem i nieco bardziej ekscentryczni) mieszkańcy środkowego Vermont decydowali się na jego usługi, kiedy czuli, że ich czas dobiega końca.

Wspominam o tym wszystkim, ponieważ moje zainteresowanie historią dziadków i tym, co naprawdę wydarzyło się w Aleppo, z czysto teoretycznej ciekawości przerodziło się w prawdziwą obsesję. Bob próbował jakoś wziąć mnie w karby, powtarzając, że przeszłość to przeszłość i nie ma nic wspólnego z tym, co jest tu i teraz. On sam nie czuł prawie żadnego związku z Augusto i Allessandrą Gemignani i martwił się tą moją chorobliwą obsesją (to on użył tego słowa, nie ja, choć w ostatecznym rozrachunku okazało się, iż miał rację) na punkcie Elizabeth i Armena Petrosiana. Zwróciłam mu uwagę na fakt, iż mnie, inaczej niż w jego przypadku, dzieliło od tych ludzi zaledwie jedno pokolenie. Poza tym, tłumaczyłam, każdego dnia miliony osób przeszukują strony internetowe typu ancestry.com, żeby dowiedzieć się więcej na temat swojego drzewa genealogicznego. Oczywiście Bob od razu zauważył, jak bardzo moja linia obrony była naiwna. Nie wziął pod uwagę tylko jednej kwestii – zresztą ja sama też o tym nie pomyślałam, bo w tamtym czasie jeszcze żadne z nas nie znało prawdy. Otóż nie przyszło nam do głowy, jak niewiele Elizabeth i Armen wyjawili własnym dzieciom i jak głębokim piętnem owe sekrety odcisnęły się na ich życiu emocjonalnym.

**

Clara Barton* jako pierwsza użyła sformułowania „przymierający głodem Ormianie". Nieznana Rzeź w rzeczywistości nie była wcale owiana jakąś wielką tajemnicą – w czasie gdy dokonywano ludobójstwa, wiedzieli o tym zarówno Amerykanie, jak i Europejczycy. Pierwsze pogromy Ormian – które, choć nie mniej makabryczne, okazały się niczym w porównaniu z tymi z 1915, gdyż zginęło wówczas zaledwie dwieście tysięcy osób – miały miejsce w latach 1894–1896. Zbulwersowana nimi Clara Barton aż kipiała ze złości. Podobnie jak reszta świata. „Harper's Magazine" na bieżąco pisał o tych wydarzeniach, zamieszczając ogromne fotografie w formacie 30 na 40 centymetrów. A Alice Blackwell, rodowita mieszkanka Bostonu, założyła organizację pod nazwą Przyjaciele Armenii, która po latach odegrała tak ważną rolę w życiu Elizabeth i Silasa Endicottów. Z kolei podczas Wielkiej Katastrofy, w latach 1915–1916, „The New York Times" opublikował 145 artykułów dotyczących tego ludobójstwa. Zarówno pośród Amerykanów, jak i Europejczyków znaleźli się tacy, którzy chcieli pomóc Ormianom.

Od razu muszę zaznaczyć, że żadne ze zdjęć zamieszczonych w „New York Timesie" nie znalazło się na wystawie, którą jako studentka widziałam w Watertown, ponieważ tamta ekspozycja składała się wyłącznie z fotografii zrobionych przez Niemców i przemyconych potem do Europy lub Ameryki. W archiwach „Timesa" nie znajdziecie więc mojego nazwiska w żadnych artykułach ani w podpisach pod zdjęciami. Dopiero wiele lat później, na innej wystawie w Peabody Museum na Harvardzie pojawi się ono obok pewnego obrazu, rzucając nikłe światło na historię mojej rodziny.

Tak czy owak, gdy wraz z bratem byliśmy jeszcze dziećmi, od czasu do czasu słyszeliśmy określenie „przymierający głodem Ormianie", które padało z ust naszej matki. Gotowała naprawdę beznadziejnie i za każdym razem, kiedy jej kolejny kulinarny eksperyment kończył się totalną klapą, wspomniana fraza stawała się dla niej ostatnią deską ratunku – usiłowała nas w ten sposób przekonać,

---

* Clara Barton (1821–1912) – amerykańska pielęgniarka i działaczka, założycielka Amerykańskiego Czerwonego Krzyża.

żebyśmy dokończyli obiad. Pamiętam, jak kiedyś postanowiła uraczyć nas szwedzkim daniem w postaci zimnej kiełbasy z rozdrobnionego śledzia. Innym razem zaserwowała nam specjał kuchni francuskiej: pieczone pomidory posypane pietruszką i taką ilością czosnku, że w całym domu cuchnęło przez kilka dni. Oczywiście zdarzały się nieco bardziej konwencjonalne katastrofy kulinarne. Spaghetti z klopsikami w tak rzadkim sosie, że całe danie raczej przypominało zupę. Kotlety z wieprzowiny pieczone tak długo, że zrobiły się twarde jak podeszwa. Krewetki, na których było więcej skorupy niż mięsa. W dużej mierze wynikało to z faktu, iż mojej matce gotowanie najzwyczajniej w świecie nie sprawiało przyjemności. A kiedy już trafiła do kuchni, najbardziej lubiła siadać na drewnianej, dwuosobowej ławie w stylu kolonialnym z naszym psem, Mackiem. Pies opierał swój pysk na jej kolanach, podczas gdy ona zaciągała się dymem z papierosów Eve, popijając kawę, która według dzisiejszych standardów z pewnością zyskałaby miano substancji toksycznej. Kiedy ojciec wracał z pracy, wolała z nim usiąść w salonie i napić się whisky niż stać przy garach. Była znana z wydawania przyjęć, podczas których alkohol lał się strumieniami, natomiast kwestią otwartą pozostawało, czy na stole w ogóle pojawi się jakaś kolacja. Tak więc gdy nadchodził ten moment, że trzeba było przekonać mnie i brata, żebyśmy dokończyli jakieś wyjątkowo paskudne danie, roztaczała przed nami wizję przymierających głodem dzieci z odległej Armenii – odległej zarówno czasowo, jak i geograficznie.

Zanim zaczęłam studiować, raczej nie potrafiłabym znaleźć Armenii na mapie świata. Wskazałabym pewnie okolice wschodniej Turcji. Może przejechałabym palcem wzdłuż wschodniego brzegu Morza Czarnego. Wiedziałam tylko, że wśród kaukaskich republik Związku Radzieckiego znajduje się także Armenia, której ludność stanowi zaledwie ułamek zamieszkującego niegdyś te tereny narodu. Ale gdyby ktoś zapytał mnie o dawne i obecne granice tego państwa, nie miałabym bladego pojęcia, co odpowiedzieć. Poza tym nad małżeństwem moich dziadków co jakiś czas zbierały się czarne chmury i kładły się cieniem na całym ich życiu. I to ten dziwny mrok, którego nigdy nie potrafiłam zrozumieć i o którym nigdy się w naszym domu nie dyskutowało, prawdopodobnie powstrzymywał mnie przed zadawaniem pytań o ormiański świat, w którym kiedyś żył mój dziadek i do którego kiedyś na moment zajrzała moja babcia.

– Jedzcie – mówiła matka do mnie i brata. – Kto jak kto, ale akurat wy powinniście pamiętać o przymierających głodem Ormianach.

– Ja tam nie spotkałem żadnych umierających z głodu Ormian – kilkakrotnie zauważył ojciec skonsternowanym, a nawet nieco urażonym tonem. – Dlaczego ludzie wciąż używają takiego określenia? Dlaczego nie powiedzą: pomyślcie o przymierających głodem mieszkańcach Kambodży? Albo Bangladeszu?

– Po prostu tak się mówi – tłumaczyła się matka.

W rzeczy samej. Nie należy jednak zapominać, że w kilku momentach historii Ameryki – najpierw w latach dziewięćdziesiątych dziewiętnastego wieku, a potem tuż po zakończeniu pierwszej wojny światowej owa fraza działała jak hasło bojowe wśród aktywistów walczących o prawa człowieka. W owym czasie Amerykanie byli dosłownie bombardowani fotografiami i ilustracjami przedstawiającymi śmiertelnie wychudzone dzieci w sierocińcach i obozach dla deportowanych.

Ale niektórzy spośród ocalałych, jak również Ormianie z następnych pokoleń, a zwłaszcza osoby pokroju mojego ojca, uważali, że owo wyrażenie sprowadza ich do roli ofiary, czym byli z lekka poirytowani. Dlaczego mój dziadek codziennie jadł na śniadanie kotlet z jagnięciny? Bo mógł. Ot i cała tajemnica. Bo po prostu mógł.

Ojciec Elizabeth stoi z rękami skrzyżowanymi na piersi w słabo oświetlonym korytarzu prowadzącym do jego sypialni. Po nieznośnie długiej chwili milczenia odzywa się wreszcie do niej spokojnym, aczkolwiek stanowczym tonem.

– Nie możemy sprowadzić wszystkich do naszego ośrodka. Nie zdołamy ocalić każdego. Sam Jezus Chrystus powiedział, że na tym świecie zawsze będą biedni. – Zaciska usta. Jego szerokie, krzaczaste brwi przybierają kształt litery V. Mówi w taki sposób, jakby chciał przywołać ją do porządku.

Ale ona nie daje za wygraną.

– Inne amerykańskie misje w… – Silas gwałtownie podnosi dłoń, jakby miał łokieć na sprężynie, i palcem wskazującym celuje w sufit.

– To nie ma nic wspólnego z tym, co zrobili w Bitlis czy w Van. Być może nigdy się nie dowiemy, co dokładnie tam się wydarzyło. Ale wszystko wskazuje na to, że zaczęli wyrzynać ludzi na ulicach. Dlatego tamtejsi misjonarze i konsulowie nie mieli innego wyjścia – musieli udzielić ofiarom schronienia. I zapewniam cię: jeśli Turcy czy Syryjczycy zaczną mordować Ormian na ulicach Aleppo, drzwi naszego konsulatu staną dla tych ludzi otworem. Jednak do tej pory nic takiego się nie zdarzyło i raczej się na to nie zanosi.

– W tej chwili wyprowadzają ostatnią grupę kobiet na pustynię.

– Wiem, właśnie spędziłem z nimi trzy godziny na słońcu. Turcy zabierają je do obozu dla przesiedleńców. Może i mieści się na pustyni, ale to właśnie tam gromadzą wszystkich Ormian.

– Pan Martin mówi, że to straszne miejsce.

– Bardzo możliwe. Mam nadzieję, że będziemy mogli się o tym osobiście przekonać. Tymczasem nie mamy ani wystarczających środków finansowych, ani wystarczającej liczby ludzi, żeby ocalić całą rasę. Dlatego będziemy robić wszystko, co w naszej mocy, na miarę tego, czym dysponujemy.

W tym świetle jego oczy wydają się dużo ciemniejsze – w normalnych warunkach mają kolor niedojrzałych jagód. Ale Elizabeth zna go na tyle dobrze, by wiedzieć, że nie zamierza odprawiać Nevart ani Hatoun. Toteż, ostrożnie dobierając słowa, mówi dyplomatycznie:

– Mając na względzie wygodę i komfort wszystkich mieszkańców, chciałabym ulokować je w swojej sypialni. Ja natomiast mogę przenieść się do pokoju zarezerwowanego dla panny Wells. – Misjonarka Alicia Wells ma wkrótce do nich dojechać razem z doktorem Forbesem i doktorem Pettigrew.

– Jestem pewien, że w tych i tak już wystarczająco prymitywnych warunkach panna Wells liczyła chociaż na własną sypialnię.

– A ja jestem pewna, że nie będzie miała nic przeciwko temu, by dzielić ją ze mną, zwłaszcza jeśli wziąć pod uwagę powód naszej prośby.

– Rozmawiałaś już o tym z Ryanem?

– Oczywiście – potwierdza Elizabeth, choć jest to zupełnie niezgodne z prawdą. Po powrocie do konsulatu będzie musiała natychmiast – zanim zdąży to zrobić ojciec – spotkać się z nim i poinformować go o nowych gościach.

Silas pociera oczy w samych kącikach, tuż przy grzbiecie nosa. Wie, że został pokonany, i jest tym faktem rozdrażniony.

– W takim razie postaraj się, żeby dziecko czuło się tu swobodnie i komfortowo – zwraca się do Elizabeth. – Żeby obie czuły się komfortowo. I jeszcze jedno: daj im jasno do zrozumienia, że nie weźmiemy do siebie nikogo więcej. Od tego jest sierociniec i obozy dla przesiedleńców.

Elizabeth kiwa głową i już po chwili z dziecięcym zapałem biegnie w podskokach korytarzem, chcąc jak najszybciej pokazać Nevart i Hatoun, gdzie od dziś będą mieszkać.

Zrywa się wiatr. Nagle, zupełnie niespodziewanie. Piasek wiruje wokół twarzy Armena niczym chmara głodnych insektów. Odruchowo przymyka powieki. Niemal nadludzkim wysiłkiem zmusza się do tego, by usiąść. Mruży oczy, chroniąc je przed wiatrem i oślepiającymi promieniami słońca. Jego wzrok pada na jaszczurkę, która przemyka tuż obok jego dłoni i po chwili znika. Cały świat tonie w błękicie i bieli. Jest magiczny i przerażający zarazem. Armen nigdy nie czuł się bardziej samotny.

Potwornie boli go kostka, ale to raczej zwichnięcie, nie złamanie. Pewnie da radę wstać i chwilę pokuśtykać, jeśli jednak chce na piechotę dojść do Damaszku, niewiele zdziała, utykając na jedną nogę. Nie dotrwa do końca podróży. Nie ma ani jedzenia, ani wody, a już teraz odruchowo zaczyna oblizywać wargi. Jego gardło przypomina wysuszoną rurę. Jak ci Beduini sobie radzą? Jakim cudem kozy – nie mówiąc już o ludziach – są w stanie przetrwać w tych warunkach? Jego koszula jest cała poplamiona krwią. Armen zdejmuje ją i zakopuje w piasku. Z torby wyciąga drugą. Lejący się z czoła pot spłukał krew Turka z jego twarzy.

Jutro spróbuje złapać następny pociąg. Na tym odcinku pustyni tory położone są w linii prostej, więc maszyna będzie pędzić z dużą prędkością – zbyt dużą, by w biegu wskoczyć do któregoś z wagonów. Jednak w pewnej odległości dostrzega górski grzbiet, co oznacza, że pociąg będzie musiał albo wjechać na sam szczyt, albo ominąć przeszkodę okrężną drogą. Biegnące w tym kierunku tory przypominają czarną wstążkę. Tak czy owak, niezależnie od trasy, pociąg musi zwolnić, to oczywiste. Poza tym Armen doskonale zna możliwości tych maszyn i liczy na to, że uda mu się wskoczyć. Ale na razie trzeba znaleźć trochę cienia. W stronę wzgórza wyruszy po zmroku.

Przypomina sobie pasmo górskie wznoszące się nad siedzibą władz w Harput oraz pełen melodramatyzmu obraz Enwera Paszy, który wisiał na ścianie w poczekalni. Mężczyzna siedział na czarnym koniu gabarytami przypominającym raczej słonia. To właśnie tutaj Armen przyszedł złożyć skargę w sprawie konfiskaty paszportów – zarówno jemu, jak i Karine odebrali dokumenty uprawniające do zagranicznych podróży oraz paszporty krajowe, umożliwiające poruszanie się po terytorium Imperium Osmańskiego. Niektórzy spośród jego przyjaciół łudzili się, że odebranie paszportów przez władze to tylko jeden z przejawów wojennej paranoi, ale on od początku spodziewał się najgorszego. Pracował przy budowie Kolei Bagdadzkiej i był zatrudniony przez Niemców, więc skoro nawet jego nie ominęła konfiskata dokumentów, uznał to za zły znak. Nadzorował plany rozbudowy linii kolejowej oraz sam proces kładzenia torów, a władze, z powodu wojny, na gwałt potrzebowały kolei w Cieśninie Dardanelskiej, na Bliskim Wschodzie i na Kaukazie. W tej sytuacji Imperium Osmańskie chyba powinno oczekiwać od niego, że będzie podróżował znacznie więcej niż dotychczas. Dlatego zebrał się na odwagę i ruszył do siedziby władz, żeby się czegoś więcej dowiedzieć. Znał kilku urzędników państwowych, w tym młodego administratora Nezimiego. Uważał go za swojego przyjaciela. Kiedy Armen mieszkał w Harput, grali razem w karty, spotykali się w kawiarniach i często chodzili wspólnie do łaźni. Nezimi – podobnie jak inni funkcjonariusze Komitetu Jedności i Postępu – sam siebie postrzegał jako człowieka o naukowych horyzontach i modernistę, mimo iż nie zdobył żadnego porządnego wykształcenia poza granicami Harput. Ale zawsze lubił rozmawiać z Armenem o kolei, gdyż była dla niego żywym symbolem postępu – ogniwem łączącym imperium z cywilizowanymi potęgami zachodu, a w przyszłości ze złożami ropy naftowej na południowym wschodzie. Co więcej, do niedawna często szukał aprobaty Armena.

– Martwisz się o swoją żonę. I o dziecko – powiedział Nezimi, gdy tamtego dnia Armen wszedł do jego gabinetu i usiadł naprzeciwko niego, po drugiej stronie biurka. Każde słowo wypowiadał jakimś zupełnie nietypowym dla siebie tonem, w sposób tak bardzo uniżony i pełen szacunku, że aż robiło się od tego niedobrze. Poczęstował gościa kawą, którą obaj sączyli powoli. Gabinet Nezimiego zawsze pachniał kawą.

– Tak – odpowiedział Armen. – Wiem, że ty sam zrobiłbyś wszystko, co w twojej mocy, by chronić moją rodzinę. Ale chodzą różne słuchy...

– W rzeczy samej – zgodził się Nezimi, po czym zaczął uspokajać Armena, iż w jego przypadku konfiskata paszportu była wynikiem nadgorliwości i na pewno zwrócą mu dokumenty, bo będą go potrzebować na odcinku kolei w okolicach Van. Niemcy już złożyli Nezimiemu w tej sprawie wizytę. Chcieli się upewnić, że turecka armia udoskonali swoją linię zaopatrzenia w tym rejonie, ponieważ nie mogli sobie pozwolić na kolejne fiasko działań sojusznika – wystarczyła im już jedna zakończona porażką kampania przeciwko Rosji, którą imperium przeprowadziło zeszłej zimy.

– A co z papierami mojej żony? – zapytał Armen. Rodzina Karine nadal mieszkała w Van.

– Karine – wyszeptał Nezimi niemalże tęsknym tonem. Czyżby wracał pamięcią do tych wszystkich wspólnych kaw i araków wypitych w ciągu ostatnich miesięcy w gronie przyjaciół, do których zaliczali się również on i Karine? Do tych wszystkich godzin spędzonych na dyskusjach o polityce, rodzinie i wojnie? Być może. Po chwili zadumy pochylił się w stronę Armena, splótł dłonie, kładąc je przed sobą na blacie, i zaczął mówić o Darwinie, tym razem przybierając charakterystyczny dla siebie ton. Wcześniej dyskutowali już na ten temat, głównie w kontekście ich dwóch religii. Ale dlaczego teraz nagle przyszła mu do głowy teoria Darwina? Dlaczego wspomniał o Darwinie akurat w tym momencie? Armen nie musiał długo czekać na wyjaśnienie. Nezimi wyjawił mu bowiem, jak dramatyczny los czekał jego pobratymców – obława na Ormian miała ruszyć w ciągu kilku najbliższych dni. W związku z tym złożył Armenowi pewną propozycję. *Być może* – powiedział wówczas – *zdołam ocalić twoją rodzinę… Przynajmniej w tym życiu. Bo przecież nikt nie wie, co czeka nas po śmierci, prawda?*

Święta prawda.

Pustynny wiatr, który w pierwszej chwili przeraził Armena niewielką trąbą powietrzną, całkiem ustał, pozostawiając piasek na jego ociekającej potem twarzy i ramionach. Spogląda teraz na wydmy, niezmącone nawet najmniejszym podmuchem powietrza. Wszystko zastyga w całkowitym bezruchu.

– Nie jestem mężatką. Ale proponowano mi małżeństwo – Elizabeth odpowiada na pytanie, które zadała jej Nevart. Jest z tego faktu bardzo dumna, zastanawia się jednak, czy kiedy głośno o tym mówi, nie brzmi to zbyt zarozumiale.

– Jakiś kolega ze studiów?

– Nie, w Mount Holyoke uczą się tylko dziewczęta.

– Bardzo mądrze – stwierdza Ormianka. Elizabeth wyczuwa

w jej tonie sarkazm, choć, jak się domyśla, ona również uczęszczała do żeńskiej szkoły. Amerykańskie placówki edukacyjne w Armenii z pewnością nie są koedukacyjne. Obydwie kobiety popijają mleko ze szklanek, a Hatoun siedzi skulona na kolanach Nevart. Dziewczynka wpatruje się w kamienny mur otaczający dziedziniec, trzymając w dłoniach swoją mniejszą szklankę. Wygląda, jakby na coś czekała.

– Też był z Bostonu? – Nevart zadaje kolejne pytanie.

– Tak.

– Dlaczego odrzuciła pani jego oświadczyny?

Elizabeth wzdraga się na sam dźwięk słowa „odrzuciła". Bije od niego taki chłód, taka bezduszność, a nawet okrucieństwo. Nikt z jej bliskich w Ameryce nie użył tego określenia, odnosząc się do jej zerwania z Jonathanem Peckhamem. Jednak teraz, gdy o tym myśli, dochodzi do wniosku, że być może rodzina Peckhamów tak to właśnie odebrała. Jonathan chciał, żeby została w Massachusetts, podczas gdy ona – jak to określiła jej matka, próbując jakoś wyjaśnić decyzję córki – potrzebowała „szerszej perspektywy". Sytuacja była dość niezręczna, ponieważ Jonathan zamierzał podjąć pracę w banku jej ojca, który miał o nim bardzo wysokie mniemanie. Ostatecznie zatrudnił się u konkurencji.

– Nie byłam gotowa na małżeństwo – tłumaczy Ormiance. – Chciałam podróżować. Chciałam zobaczyć świat.

Gdy odrzuciła jego oświadczyny, poczuła ulgę, czego oczywiście zupełnie nie dała po sobie poznać. To małżeństwo miało może sens dla rodziny Endicottów i Peckhamów, ale nie dla niej. Przed Jonathanem byli inni, którzy starali się o jej rękę, nie mówiąc już o jednym, wysoce niestosownym, niedopuszczalnym wręcz związku z angielskim profesorem w Mount Holyoke. Toteż, mając już jakieś doświadczenie w tym względzie, liczyła na to, że kiedyś spotka wreszcie mężczyznę, któremu nie będzie przeszkadzać jej żądza podróżowania. Kogoś, kto tak jak ona będzie pragnął świata wykraczającego daleko poza granice Nowej Anglii. Podczas rejsu przez Atlantyk poznała pewnego mężczyznę. Bardzo dobrze się czuła w jego towarzystwie i niewiele brakowało, a dałaby się przekonać, gdy zaproponował, by razem udali się do jego prywatnej kabiny. A tu, w Aleppo, spotkała Armena. Jak widać, świat pełen jest interesujących mężczyzn.

Nevart podnosi swoją ciemną brew.

– I wybrała pani to malownicze miejsce, tę istną oazę pośród piasków pustyni?

– Wybrałam wspieranie ojca w niesieniu pomocy innym – rzuca w odpowiedzi Elizabeth, która nie przywykła do tak skrajnego cynizmu i złośliwego poczucia humoru. Zastanawia się, gdzie w tej chwili jest Armen.

Nevart właśnie zamierza znów się odezwać, gdy nagle Hatoun zrywa się z jej kolan i pędzi w stronę kamiennego muru. Elizabeth ten widok kojarzy się z wiewiórkami w parku Boston Common. Dziewczynka podnosi do góry cienkie gałązki ramion i wskazuje na szczyt muru, gdzie usadowił się kot, który właśnie wrócił z wczorajszej nocnej eskapady. Zwierzę spogląda na nią czujnym wzrokiem, a jego ogon chodzi w tę i z powrotem, jak wahadło metronomu. Lecz mimo nieufności ani nie chowa się na rosnącym obok drzewie, ani nie znika za ogrodzeniem. Hatoun odwraca się do kobiet. Jest uśmiechnięta. W tym momencie Elizabeth sobie uświadamia, że do tej pory ani razu nie widziała na jej twarzy uśmiechu. Zaczyna się zastanawiać, gdzie w tym przysypanym warstwą kurzu, zatłoczonym mieście – w świecie wygnańców i ludzi, którzy próbują służyć im pomocą – mogłaby zdobyć dla Hatoun jakąś zabawkę. Na przykład lalkę.

Nazajutrz Armen zajmuje miejsce w pociągu prawie identycznym – i równie pustym – jak ten, z którego wyskoczył poprzedniego dnia. Wczoraj wieczorem znalazł odpowiedni punkt, mniej więcej na poziomie dwóch trzecich wysokości wzgórza, gdzie spędził resztę nocy. Zapadł w bardzo niespokojny sen, ale przynajmniej miał na tyle szczęścia, że nic mu się nie śniło. W którymś momencie u stóp zbocza w bladym świetle księżyca dostrzegł grupę mężczyzn podróżujących na wielbłądach. Przez chwilę próbował przewidzieć, czy gdyby się ujawnił, daliby mu trochę wody i jedzenia. Jednak dobrze wiedział, co Kurdowie daleko na północy robili z Ormianami, dlatego wolał nie ryzykować życia, wychodząc naprzeciw nomadom z południa. Zwłaszcza że ci Beduini mieli przy sobie karabiny. Postanowił więc cicho czekać. Tej nocy budził się jeszcze kilka razy, święcie przekonany, że szczury pustynne pełzną po jego skórze wewnątrz nogawki spodni albo że zaraz zaczną wgryzać mu się w ucho. Kiedy razem z braćmi walczył z Turkami w Van, usiłując odeprzeć oblężenie spichlerza, większe obawy budziła w nim turecka artyleria niż szczury. Ale gdy wyszli z Garo na zewnątrz po ciało jego przyjaciela, Hraga – matematyka, który przed oblężeniem nigdy w życiu nie strzelał z pistoletu – rozdęte zwłoki były już jednym wielkim szczurzym gniazdem. Zwierzęta utorowały sobie drogę do trzewi, przegryzając się przez brzuch i rany na głowie, od których zginął Hrag. Gdy zaczęli podnosić ciało, szczury rozpierzchły się na wszystkie strony niczym pszczoły wypłoszone z ula.

Po całej nocy spędzonej na wzgórzu i po ponad dobie bez jedzenia i picia Armen popadł w niemal deliryczny stan. Wreszcie dostrzegł w oddali ulatującą w niebo czarną wstęgę dymu. Głowa pękała mu z bólu. Miał wrażenie, że minęła cała wieczność, zanim lokomotywa ukazała się na horyzoncie, i jeszcze drugie tyle, nim dotarła do stóp wzgórza. Przeszło mu przez myśl, że może powinien był zostać dokładnie tam, gdzie wczoraj wyskoczył, i z tego miejsca próbować złapać pociąg. Lecz to ślimacze tempo w rzeczywistości okazało się iluzją. Maszyna mknęła przez pustynię z całkiem dużą prędkością i zwolniła dopiero w okolicy wzniesienia. Natomiast na sam szczyt pięła się z takim mozołem, iż bez trudu dało się wskoczyć do środka, nawet ze zwichniętą kostką. Pociąg składał się z lokomotywy i trzech wagonów. Odbiwszy się od ziemi, Armen wylądował pomiędzy drugim i trzecim wagonem, po czym wdrapał się na wąski podest i popchnął drzwi.

W ostatnim wagonie siedział tylko jeden mężczyzna, umundurowany oficer tureckiej armii. Opadające powieki lekko przesłaniały mu oczy, a podbródek przecinała głęboka bruzda. Armen liczył w duchu na to, iż na jego widok kapitan uzna po prostu, że przyszedł z innego wagonu. Szukając miejsca, starał się maskować utykanie. Na samej górze torby trzymał pistolet z wysadzaną perłami rękojeścią, by w każdej chwili bez trudu móc po niego sięgnąć.

Teraz, gdy siedzi na drewnianej ławce, czuje lejący się z niego ciurkiem pot, a serce łomocze mu w piersi jak oszalałe. Próbuje sobie przypomnieć, jak to było podczas oblężenia – i jak bardzo się wtedy bał. Na widok szczurów karmiących się zwłokami Hraga przeżył prawdziwy szok. Kilka razy zdarzyło mu się wczołgać do okopu tuż pod wiekowym budynkiem spichrza, skąd obserwował tureckie wojsko przez kartonowy peryskop przytwierdzony do prowizorycznej ściany oporowej. Pamięta nagły przypływ adrenaliny w chwili, gdy Turcy po raz pierwszy dokonali ostrzału ormiańskiej dzielnicy, a on sobie uświadomił, że spichlerz, w którym stacjonował, stał się głównym celem ataku. Jednak prawie przez cały czas czuł tylko gniew. Potem pojawiła się nadzieja. Aż wreszcie, wraz z nadejściem Rosjan, coś na kształt satysfakcji.

Lecz w przeciwieństwie do większości swoich przyjaciół nie wpadł w euforię, gdy Turcy w końcu dali sygnał do odwrotu, ponieważ zanim to nastąpiło, zdążył być świadkiem śmierci własnego brata. Poza tym Karine z pewnością też już nie żyła. Tak jak ich maleńka córeczka. Prawdopodobnie z tych samych powodów nigdy nie czuł strachu, jaki teoretycznie powinien odczuwać w czasie bitwy. Bo kiedy wszystko wskazuje na to, że nie masz już po co żyć, śmierć nie wydaje się szczególnie przerażającą perspektywą.

Teraz jednak panicznie się boi. Co jakiś czas rzuca ukradkowe spojrzenia w stronę tureckiego oficera. Z pewnością doszły go słuchy o dwóch okręgowych administratorach zamordowanych wczoraj w pociągu kursującym na tej samej trasie. I nagle przychodzi mu do głowy pewna myśl: jestem przerażony, bo znów zacząłem wyobrażać sobie przyszłość. Życie poza okopami Dardaneli. Przed oczyma staje mu Elizabeth Endicott. Przypomina sobie niesforny kosmyk włosów tuż nad jej uchem, skąpany w pierwszych promieniach porannego słońca. Kształt jej ust na ułamek sekundy przed pojawieniem się na nich uśmiechu. W jego wspomnieniach często ma lekko rozchylone wargi, jakby właśnie o czymś intensywnie myślała.

Za oknem we wszystkich kierunkach rozciąga się bezkres pustyni. Patrząc na bezchmurne niebo, Armen mruży oczy.

– Dokąd pan zmierza, drogi przyjacielu?

Armen odwraca głowę od okna i spogląda na Turka. Trudno mu ocenić, czy kapitan, nazywając go swoim przyjacielem, nie mówi tego sarkastycznie. Dyskretnie kładzie dłoń na płóciennej torbie, szukając pod palcami kształtu pistoletu.

– Do Damaszku – odpowiada.

– To tak samo jak ja – oficer uważnie mu się przygląda, taksując wzrokiem jego ubranie. – Wygląda pan na zmęczonego – mówi po chwili. – Na kogoś, kto wiele ostatnio przeszedł.

Armen zdaje sobie sprawę z tego, że jego spodnie są poplamione. Ma dwudniowy zarost, a wąsy, zazwyczaj perfekcyjnie przycięte, muszą wyglądać równie niechlujnie jak jego włosy.

– Nic mi nie jest – odpowiada po prostu, uśmiechając się nieznacznie.

– A co pan będzie robił w Damaszku?

Wczoraj, udzielając odpowiedzi na podobne pytanie, wymyślił siostrę, która mieszka w Syrii. Powiedział też, że pracuje jako inżynier na kolei. Wszystkie te kłamstwa na nic się nie zdały. A teraz? Doprawdy, cóż mógłby powiedzieć teraz? Rękawem koszuli ociera pot z czoła.

– Moja siostra… – mamrocze pod nosem. W tym momencie uświadamia sobie, jak bardzo wycieńczył go brak picia i jedzenia.

– W Damaszku, stosunkowo rzecz biorąc, jest całkiem sporo Ormian – stwierdza kapitan, kiwając przy tym głową, jakby właśnie wygłosił wyjątkowo odkrywczą myśl. Następnie wstaje i sięga na półkę po bagaż. Oprócz chlebaka ma także elegancką czarną walizeczkę ze skóry. Odpina od plecaka manierkę, podchodzi do Armena i podaje mu naczynie.

– Wygląda pan, jakby całkiem zaschło panu w gardle – mówi.

– Proszę się napić.

Armen się waha, ale już po chwili bierze do rąk manierkę i pociąga duży łyk wody o metalicznym posmaku. Jest przepyszna.

– Niech się pan jeszcze napije. Mówię poważnie, mój plecak i tak jest za ciężki, a do tego, jak pan widzi, podróżuję bez ordynansa.

– Po tych słowach zdejmuje chlebak z półki, siada na ławce i stawia go sobie pod nogami. Z środka wyciąga kawałek wędzonego mięsa owiniętego w papier śniadaniowy i grubą pajdę razowego chleba.

– To dla pana – mówi, podając Armenowi jedzenie. Gdy napotyka z jego strony opór, dodaje: – Proszę, niech pan to weźmie – po czym krzyżuje ręce na piersiach i zamyka oczy. Nie patrzy na Armena, gdy ten łapczywie pochłania mięso i chleb. Nie próbuje nawiązać dalszej rozmowy. Po upływie zaledwie kilku minut jedynym dźwiękiem, jaki wydobywa się z jego ust, jest chrapanie.

Rozdział 7

Wcale nie nazywam się „ten wasz naród", ale myślę, że jakiś przybysz z kosmosu mógłby odnieść takie wrażenie, usiłując zrozumieć niektóre konwersacje, jakie przyszło mi w życiu prowadzić z kompletnie obcymi ludźmi. (Nie żebym się z tego powodu złościła – raczej mnie to bawi.) Kiedy we wczesnej młodości byłam komuś przedstawiana, owa osoba natychmiast stwierdzała, że muszę być Ormianką, skoro moje nazwisko, Petrosian, kończy się na „ian". Następnie, co stanowiło nieodłączny element każdej takiej konwersacji, z ust mojego rozmówcy padało stwierdzenie w stylu: „Ten wasz naród jest taki sympatyczny. Znałem kiedyś jedną ormiańską rodzinę z Ridgewood w New Jersey" albo „Ten wasz naród jest taki pracowity. Dzięki tej ciężkiej pracy porządnie zarabiacie. Znałem kiedyś jedną rodzinę Ormian w Rockford w stanie Illinois. Byli bardzo bogaci", albo – i tu muszę zaznaczyć, że spośród wszystkich cytatów ten jest zdecydowanie moim faworytem – „Ten wasz naród ma taką artystyczną duszę. W Concord w Massachusetts jest jeden sklep z dywanami i zdaje mi się, że wszystkie zostały utkane przez Ormian". (Za ten stereotyp w dużej mierze możemy podziękować Herodotowi. „Mieszkańcy Kaukazu – pisał ów grecki historyk – barwili wełnę, wykorzystując w tym celu różne pigmenty pochodzenia roślinnego, a następnie używali jej do wyrobu tkanin pokrytych wzorami, które nigdy nie traciły swojego wspaniałego koloru". Oczywiście możliwe, iż Herodot był tylko pierwszym z wielu historyków stawiających znak równości pomiędzy Ormianami i dywanami. A skoro już o tym mowa, to jak w języku ormiańskim brzmi słowo „tkanina"? *Kapert.*)

Tak czy owak, chyba nikt, komu właśnie przedstawiono osobę o nazwisku Alvarez, nie odważyłby się zacząć rozmowy od słów: „ten wasz naród". Tak samo byłoby w przypadku Svenssona czy innego Yamady.

Ale my, Ormianie, dobrze wpisujemy się w stereotypy. Jesteśmy egzotyczni, ale nie groźni; obcy, ale nie niebezpieczni. Jesteśmy udomowieni. Robimy dywany.

Moje blond włosy stanowią kolejny przedmiot zainteresowania wśród osób usiłujących odgadnąć, z kim tak naprawdę mają do czynienia. Kobiety rzucają nieraz okiem na mój przedziałek, by przyjrzeć się im u samej nasady – „Wy, Ormianie, macie raczej ciemne włosy, prawda?". Mówiąc to, myślą o Cher. O facetach z System of a Down. Dla mojej córki, gimnazjalistki, źródłem głębokiej frustracji jest fakt, że jedynych sławnych Ormian można zobaczyć w programach typu reality show albo na okładce magazynu „People". Kiedy zaczyna o tym mówić, tłumaczę jej, że Kardashianowie dostają krocie za pojawianie się na różnych imprezach i że to jeszcze wcale nie najgorszy sposób zarabiania pieniędzy.

Zresztą, jak sama sobie często powtarzam, nie jest to najgorszy stereotyp, kiedy mówią o tobie: sympatyczny, pracowity, a na dodatek potrafi utkać przepiękny dywan.

W każdym razie pozwólcie, że po raz ostatni wrócę do Berka, o którym już nigdy więcej nie usłyszycie, ponieważ definitywnie rozstaliśmy się cztery miesiące przed tym, jak każde z nas wyjechało na inną uczelnię – ja wybrałam Amherst w Nowej Anglii, on poszedł na Uniwersytet Miami na Florydzie. Od tego czasu kilka razy wyszukiwałam jego nazwisko na różnych portalach społecznościowych (zresztą nie tylko jego, to samo spotkało też moich byłych chłopaków z college'u), ale zawsze kończyło się tylko na śledzeniu. Nigdy nie zaprosiłam go do grona swoich znajomych ani w żaden inny sposób nie próbowałam nawiązać z nim kontaktu.

Byliśmy w ostatniej klasie liceum i zdawaliśmy sobie sprawę z tego, że przez większość przyszłego roku będzie nas dzielić odległość dwunastu stanów. Już jako bardzo mała dziewczynka – co uważniejsi czytelnicy z pewnością odnotowali ten fakt – zostałam zaznajomiona z pojęciem „miłosnych złudzeń" i może właśnie dlatego nie spodziewałam się, by nasz związek przetrwał nawet do Święta Dziękczynienia. Jednak Berk zapatrywał się na to zgoła inaczej. Nasza relacja była dość niestabilna, nawet jak na licealne standardy. Po części wynikało to z romantycznej natury Berka. W każdym razie zdarzenie, o którym chcę opowiedzieć, miało miejsce pewnego kwietniowego popołudnia. Po szkole zazwyczaj wpadaliśmy do lodziarni Friendly's, gdzie spotykaliśmy się z paczką przyjaciół, po czym wycofywaliśmy się dyskretnie i szliśmy do mnie albo do niego, żeby posłuchać Blondie czy Talking Heads i uprawiać dziki seks, od którego aż się trzęsło całe łóżko. Oczywiście, kiedy do domu wracali nasi rodzice albo rodzeństwo, już dawno byliśmy ubrani i siedzieliśmy na pomoście, wdychając jakże zdrowe powietrze znad sztucznego jeziora w samym środku osiedla. Widząc wypieki na naszych twarzach, być może się domyślali, co mamy na sumieniu, ale nigdy nie przyłapali nas na gorącym uczynku (zwłaszcza że kiedy w domu pojawiała się reszta rodziny, często naprawdę byliśmy pochłonięci fizyką czy angielskim i na pierwszy rzut oka wyglądaliśmy jak dwójka ambitnych, może nawet trochę kujonowatych uczniów ostatniej klasy liceum).

Gdy tamtego kwietniowego popołudnia siedzieliśmy u mnie na pomoście, nad brzegiem chemicznie oczyszczanej, pełnej środków grzybobójczych wody, Berk postanowił poruszyć wreszcie temat, który do tej pory oboje omijaliśmy szerokim łukiem. Ja wolałam unikać konkretnych deklaracji, bo choć mi na nim zależało, nie sądziłam, żeby czekała nas wspólna przyszłość. Wiadomo było, że on pozna jeszcze wiele innych dziewczyn, a ja innych chłopaków. W końcu mieliśmy przed sobą całe życie. Ale tamtego dnia Berk nie dawał za wygraną. Koniecznie chciał to ze mnie wydusić. Wiercił mi dziurę w brzuchu jak jakiś rozkapryszony dzieciak.

Być może podświadomie miał ochotę się pokłócić. Jednak przede wszystkim zachowywał się tak, jakby nie mógł uwierzyć, że nie mam stuprocentowej pewności, czy za dziesięć lat nadal będziemy razem. Wreszcie, po jakichś dwóch kwadransach jałowej dyskusji, powiedział bez ogródek:

– To dlatego, że jestem Turkiem, tak? Ten wasz naród... Wy nigdy nie odpuścicie.

„Ten wasz naród" – ile razy już to słyszałam? Dlatego nie mogłam się powstrzymać, musiałam jakoś na to zareagować.

– Mówisz o moim narodzie? Ale kogo konkretnie masz na myśli? Ludzi z północy?

– Doskonale wiesz, o co mi chodzi. Cóż, powiem ci tylko, że ja nie mam z tym nic wspólnego. Zupełnie nic. Moglibyśmy... – w tym momencie przerwał, szukając odpowiedniego określenia, ale już po chwili podjął wątek – stać się symbolem. Symbolem pojednania.

– Możesz mi wierzyć – odparłam zaskoczona, bo nie mieściło mi się w głowie, jak on w ogóle mógł pomyśleć, że przekreślam naszą wspólną przyszłość z powodu jego tureckiego pochodzenia – jeśli za dziesięć lat nie będziemy małżeństwem, to na pewno nie z powodu... tamtych wydarzeń.

Tamtych wydarzeń. Nie użyłam słowa *ludobójstwo*, co nawet dziś wydaje mi się znamienne.

– Wasz naród nigdy nie zapomina. Twój ojciec...

– No, słucham?

– To właśnie dlatego twoja rodzina nie lubi mojej i ja dobrze o tym wiem.

Rzeczywiście kontakty towarzyskie naszych krewnych ograniczały się jedynie do spotkań w większym gronie, na przykład podczas wielkich przyjęć urządzanych nad jeziorem. Nasze rodziny ani razu nie zjadły wspólnego obiadu, a nasi rodzice nigdy nie wybrali się razem na drinka. Czy się domyślałam, że powodem tej sytuacji było z jednej strony ormiańskie pochodzenie mojego ojca, a z drugiej tureckie pochodzenie rodziców Berka? Owszem, domyślałam się, ale guzik mnie to obchodziło. Osobiście miałam gdzieś wszystkie te rodowody, tak samo jak Berk, który w ogóle się tym nie przejmował. Kochał mnie, a ja odwzajemniałam jego uczucie, przynajmniej na tyle, na ile to możliwe w przypadku nastolatki. (Gwoli przypomnienia: jestem Ormianką tylko w połowie. Moja matka wywodziła się z wyjątkowo wyniosłej, zamkniętej w gorsecie konwenansów amerykańskiej arystokracji.) Istnieje niewielkie prawdopodobieństwo, że stanęlibyśmy razem na ślubnym kobiercu, nawet gdyby nie zaczął zdania od słów: „ten wasz naród". Niemniej jednak obraziłam się wtedy na niego. Kiedy patrzę na to z dzisiejszej perspektywy, wiem, że zareagowałam przesadnie. Dokonałam niesprawiedliwej oceny i, co tu kryć, zraniłam miłego, naprawdę bardzo miłego młodzieńca.

Elizabeth pochyla się na obitej ozdobną tkaniną otomanie i zdejmuje z głowy wstążkę. Czuje, jak rozpuszczone włosy opadają jej na uszy niczym dwie ciężkie zasłony. Rozciąga tasiemkę między palcami i mówi do Hatoun:

– Twoja nowa przyjaciółka będzie jej potrzebować. – W ciemnych oczach dziewczynki pojawia się niepokój. Elizabeth uświadamia sobie źródło tego strachu: Hatoun się obawia, że będzie musiała mieć do czynienia z kolejną nową osobą. Dlatego postanawia nie trzymać jej dłużej w niepewności. Sięga pod ozdobiony frędzlami skraj obicia i wyciąga spod niego niespodziankę – lalkę, która ma twarz z porcelany i intensywnie błękitne oczy, kojarzące się Elizabeth z zimną skandynawską urodą. Zawczasu porządnie wyszorowała jej policzki, dzięki czemu skóra na twarzy lalki znów jest bielsza od mąki. Jej włosy mają barwę kukurydzianych nitek. Rączki oraz stopy i czarne buciki zostały wykonane z porcelany. Za to ramiona, nogi i brzuch są miękkie jak puchowa poduszka, przez co trochę przypomina w dotyku giętką, galaretowatą meduzę. Ma na sobie podartą tunikę w szkocką kratę i wciąż jest przesiąknięta zapachem potu i stęchlizny, mimo iż Elizabeth delikatnie spryskała ją swoimi perfumami. Ale to przecież nieistotne. Najważniejsze, że udało jej się zdobyć prawdziwą lalkę, mierzącą niecałe pół metra od maleńkich stópek aż po sam czubek kukurydzianej główki. Hatoun nie musi wiedzieć, skąd Elizabeth ją ma – przecież nie będzie opowiadać dziecku o tym, jak lalka trafiła do niej z rąk niemieckiej zakonnicy, która z kolei zabrała ją z łóżka innej dziewczynki. Elizabeth wie, że poprzednia właścicielka zmarła w szpitalu, trzymając zabawkę w ramionach, ale nie ma pojęcia, jakim cudem lalka – która jej zdaniem powinna nazywać się Annika – znalazła się w posiadaniu tego dziecka.

Hatoun przez chwilę bacznym wzrokiem przygląda się zabawce, ale nie wyciąga po nią rąk.

– To dla ciebie – mówi Elizabeth. – To jest ta nowa przyjaciółka, którą miałam na myśli.

Jednak dziewczynka wciąż stoi niemal w całkowitym bezruchu.

– Proszę – dodaje po chwili. – Chcę, żebyś ją wzięła.

Hatoun powoli odwraca się za siebie i spogląda na Nevart, która w milczeniu obserwuje tę scenę. Kobieta kiwa głową, uśmiechając się przy tym.

– To prezent – zapewnia dziewczynkę.

Hatoun niechętnie przyjmuje podarunek i trzyma go z dala od siebie, jakby się bała, że zamiast lalki bierze do rąk pustynnego chomika o ostrych zębach i nienasyconym apetycie.

– Koniecznie musisz mi powiedzieć, jak ją nazwiesz – próbuje zagadywać Elizabeth, choć cała ta sytuacja jest dla niej dość niezręczna. Oczekiwała, że dziewczynka na dowód wdzięczności od razu przytuli lalkę.

– A to ona nie ma imienia? – pyta Hatoun.

Elizabeth jest zaskoczona jej słowami, bo przecież ona prawie w ogóle nie odzywa się do nikogo.

– No cóż, chyba masz rację. Pewnie już się jakoś nazywa.

Hatoun wpatruje się w młodą Amerykankę i czeka. Najwyraźniej spodziewa się usłyszeć więcej.

– Gdybym miała zgadywać – zaczyna Elizabeth – obstawiałabym imię w stylu Annika.

Dziewczynka, szepcząc do siebie, ostrożnie powtarza imię, jakby chciała je wypróbować.

– A skąd się tu wzięła? – pyta po chwili.

Elizabeth zdaje sobie sprawę, że nie może wyjawić jej całej prawdy.

– Dostałam ją od znajomego – rzuca krótko.

– Znajomego ze szpitala czy z sierocińca?

Tym razem Elizabeth postanawia skłamać.

– Ani ze szpitala, ani z sierocińca.

Nevart pochyla się w stronę dziewczynki i szepce jej coś do ucha.

– Dziękuję – mówi Hatoun.

– Nie ma za co.

Gdy rozmowa dobiega końca, mała wstaje i powoli rusza na dziedziniec, wciąż trzymając lalkę z dala od siebie, jakby w obawie przed nagłym atakiem. Elizabeth i Nevart obserwują ją przez okno. Hatoun zatrzymuje się i wreszcie obejmuje lalkę jedną ręką. Spogląda w górę, mrużąc oczy. Wolną ręką osłania twarz przed rażącymi promieniami słońca. Elizabeth ma wrażenie, że patrzy w niebo, jednak po chwili zaczyna się zastanawiać, czy przypadkiem nie szuka rudego kota, który – co można wywnioskować z jego częstych przechadzek po szczycie muru – mieszka gdzieś na skraju ogrodzenia. Oczyma wyobraźni Elizabeth widzi, jak Hatoun zapoznaje swoją lalkę z rudzielcem, po czym urządza im przyjęcie przy herbatce. Jednak ani przez moment w to nie wierzy.

Na skraju placu Ryan Martin zatrzymuje Helmuta i podaje mu rękę na powitanie. Jeszcze kilka dni temu dokładnie w tym samym miejscu obozowały setki ormiańskich kobiet. Dziś jest tu całkiem pusto. Ormianki są daleko na pustyni. Konsul, zupełnie nieświadom faktu, że chyba właśnie w czymś przeszkodził swojemu znajomemu – zdaje się w ogóle nie zauważać rozgorączkowanych spojrzeń rzucanych przez Niemca to na niebo, to na plac, to na ulice, jakby się za kimś usilnie rozglądał – od razu przechodzi do rzeczy. Ryan

Martin rzadko traci czas na wymianę uprzejmości, choć oczywiście sam jest z natury bardzo uprzejmym człowiekiem. Chodzi po prostu o jego podejście do obecnej sytuacji, którą postrzega jako wyścig z czasem. Ludzie giną w masakrach, doświadczają tortur, umierają z głodu, i przychodzą takie chwile, kiedy się boi, że zanim rząd jego kraju wreszcie się tym przejmie i zainterweniuje, nie będzie już kogo ratować. Do końca roku – co niestety staje się coraz bardziej realną perspektywą – dwa miliony Ormian zamieszkujących niegdyś Turcję zostaną całkowicie zmiecione z powierzchni ziemi, dołączając tym samym do grona narodów wymarłych.

– Elizabeth powiedziała mi, że zniszczyli panu aparat – mówi do Helmuta. – To oburzające. Zachowali się jak prawdziwi barbarzyńcy. Jest mi z tego powodu naprawdę bardzo przykro.

– Faktycznie spotkał go dość drastyczny koniec – odpowiada z przekąsem.

– A płytki fotograficzne? Z pewnością ma je pan jeszcze w swoim pokoju. Da mi pan te materiały? Przewiózłbym je jakoś do Europy albo Ameryki. Opublikowałbym zdjęcia, rozesłał, gdzie się tylko da. No i jak? Przemyślał pan moją propozycję?

Helmut jest postawnym mężczyzną, co najmniej dziesięć centymetrów wyższym i ze dwadzieścia kilogramów cięższym od Ryana Martina. Na jego szerokich plecach kurta munduru przypomina rozpięty żagiel. Po chwili milczenia kładzie ciężką dłoń na ramieniu konsula i po raz pierwszy patrzy mu prosto w oczy.

– Dostałem nowe rozkazy. Tak samo jak Erich. Za dwie i pół godziny opuszczamy Aleppo. Wygląda na to, że dowódca dowiedział się o naszym projekcie fotograficznym i postanowił nas... zdyscyplinować.

Ryan Martin od razu się domyśla, jaka czeka ich kara: okopy na froncie zachodnim. Istne piekło na ziemi. To chyba najgorszy wyrok, jaki może usłyszeć dziś żołnierz. Bo nawet użycie gazu bojowego tej wiosny w Ypres nie wpłynęło na przesunięcie linii frontu, a żołnierze, zarówno jednej, jak i drugiej strony, nadal pozostali w okopach. Mimo to zadaje pytanie:

– Dokąd jedziecie?

– A co to za różnica? – zastanawia się głośno Helmut. Nie bardzo wie, co powinien odpowiedzieć. Zabiera rękę z ramienia konsula i klepie się po kieszeni, z której wyciąga papierośnicę i zapalniczkę, a następnie delikatnie wsuwa papierosa do ust.

– Faktycznie to bez znaczenia – Ryan przyznaje mu rację, choć w głębi duszy nie jest o tym do końca przekonany.

– Cieśnina Dardanelska. Turcy poprosili nas, żebyśmy pomogli przy usprawnianiu łańcucha logistycznego na samym krańcu półwyspu, gdzie toczą się walki. Dołączymy do grupy niemieckich inżynierów.

Ryan odczuwa ulgę. Nie wygląda na to, by w ramach kary trafili na pierwszą linię ognia. A jednak jeśli chodzi o przemoc i upokorzenie, to bitwa o Gallipoli rządzi się tymi samymi prawami co front zachodni: każdy może oberwać i każdy jest tak samo narażony. Może i pod pewnymi względami Turcy są na uprzywilejowanej pozycji, ale z tego, co słyszał, i tak siedzą w okopach jak zwierzęta, czekając albo na bezpośrednią szarżę na bagnety, kiedy staną z wrogiem twarzą w twarz, albo na bardziej bezosobowy ostrzał artyleryjski ze stojących u wybrzeży brytyjskich pancerników. Tutaj w Aleppo niemieckim inżynierom raczej nie grozi atak z użyciem bagnetów, a już na pewno nikt ich nie będzie bombardował. Poza tym, niezależnie od tego, jak bardzo prymitywne może się wydawać życie w tym pustynnym mieście, w porównaniu z Dardanelami jest ono niczym Berlin.

– A gdzie Erich? – pyta Ryan.

– Porucznik musiał się jeszcze z kimś pożegnać – odpowiada Helmut, a konsul, mimo zmartwień zaprzątających mu w tej chwili głowę, od razu się domyśla, dokąd poszedł Erich. Prawdopodobnie żegna się właśnie z jedną z wytatuowanych prostytutek w lokalu, który znajduje się po drugiej stronie cytadeli.

– Jak pan myśli, czy Erich będzie miał coś przeciwko, jeśli odda mi pan te płytki?

– Chyba raczej powinien pan spytać, czy ja będę miał coś przeciwko.

Ryan nie spodziewał się takiej odpowiedzi.

– A dlaczego miałby pan mieć?

Helmut częstuje konsula papierosem, a gdy ten grzecznie dziękuje, wreszcie zapala swojego.

– Ludzie się dowiedzą, że to ja zrobiłem te zdjęcia. Już zostałem za to ukarany. Co prawda kapitan, który poinformował mnie i Ericha o naszych przenosinach, nie użył określenia „sąd wojenny", ale dał jasno do zrozumienia, że jeśli po raz kolejny złamiemy prawo, zostaniemy potraktowani jak zdrajcy. Turcja to jeden z naszych kluczowych sojuszników.

– Ale skąd ktokolwiek miałby się dowiedzieć?

– Ormianie sfotografowani w Aleppo? Wiadomo przecież, że tu byłem. Wiadomo, że miałem aparat. Nie jestem pewien, czy mogę ryzykować. W czasie wojny za zdradę grozi kula w łeb.

– W takim razie powiem, że to ja zrobiłem te zdjęcia.

Helmut głęboko się zaciąga, po czym powoli wypuszcza z ust obłok dymu.

– Poza tym w grę wchodzi także życie Ericha. Ja sam mogę nadstawić karku, jeśli się na to zdecyduję, ale czy mam prawo narażać także i mojego przyjaciela na śmiertelne niebezpieczeństwo?

– Chociaż dwie płytki. No, może trzy. To wszystko, o co proszę. Wspólnie wybierzemy takie, na których nie widać, gdzie zostały zrobione.

– Dwie albo trzy fotografie nie oddadzą skali tego, co się tutaj dzieje – stwierdza Helmut, ale Ryan wie, że Niemiec powoli mięknie.

– Chodźmy do pańskiego mieszkania i razem rzućmy okiem na te płytki. Nie musi pan w tej chwili podejmować decyzji.

– No dobrze – mówi pod nosem Helmut i gasi butem papierosa, chociaż nie wypalił go nawet do połowy.

Armen dzierży w dłoniach zapieczętowaną kopertę, jakby to była jakaś święta księga, którą odnalazł tu, w Ziemi Świętej. I wcale nie chodzi o to, że w jego własnym przekonaniu napisał tekst wyjątkowej wagi. Nie, wcale tak nie uważa. Zresztą pierwszą wersję listu, który zaczął jeszcze w pociągu, podarł na strzępy. Może gdy dotrze do Egiptu, jeszcze raz spróbuje opowiedzieć Elizabeth o swojej córeczce. Słowa, które teraz jej posyła, przelał na papier, posługując się ogryzkiem ołówka, w dodatku pisał po angielsku, czyli w swoim trzecim języku, toteż jest pełen obaw, czy zdania nie są zbyt koślawe i czy ich gramatyka nie rozczaruje adresatki. Jednak sama świadomość, że być może to jedyny list, jaki zdoła do niej wysłać, nadaje mu wręcz totemiczne znaczenie.

Gdy wychodzi z poczty w Jerychu, słońce stoi w zenicie. Podnosi kołnierzyk koszuli, by chronić kark przed palącymi promieniami, ale tu w mieście, pomiędzy przysadzistymi budynkami i rozłożystymi palmami, jest sporo cienia. Słońce nie parzy tak okrutnie, jak na pustyni.

Jutro spróbuje przedostać się do Gazy, gdzie stacjonuje brytyjskie wojsko. Włócząc się po mieście, natrafia na kawiarnię serwującą turecką raki. Wchodzi do środka, zamawia karafkę i siada przy stoliku pod oknem. Myśli o Amerykance i o tym, jak zareaguje na list od niego.

Elizabeth nie pokazuje ojcu, co napisała do Przyjaciół Armenii. Wychodzi bowiem z założenia, że nie ma takiej potrzeby. Kładzie natomiast swój raport na biurku konsula, gdyż to na jego opinii tak naprawdę jej zależy. Ryan Martin zgodził się przeglądać wysyłaną do Ameryki korespondencję, by w razie przejęcia jej przez Turków, zanim opuści Syrię, nikt nie dopatrzył się w niej niczego nielegalnego. Oczywiście raporty będą nadawane pocztą dyplomatyczną, toteż Elizabeth ma nadzieję, że jej skromne próby przemycenia choć ziarna prawdy nie zostaną udaremnione przez cenzurę lub konfiskatę – i że czas spędzony przy biurku w sypialni nie okaże się czasem zmarnowanym.

W liście do bostończyków Elizabeth pisze o poznanych w mieście Ormianach i Turkach. O Nevart i Hatoun. O doktorze Sayiedzie

Akcamie. O Armenie. Ani słowem nie wspomina, w jakim stanie były Ormianki, które trafiły do Aleppo. Nie mówi też o młodych strażnikach z pałkami i biczami. Ryan ostrzegł ją, iż taka uczciwość może doprowadzić jedynie do zniszczenia dokumentu i – co wysoce prawdopodobne – do jej deportacji.

Dlatego skupia się na nowych mieszkańcach amerykańskiego ośrodka. Pisze o tym, że Nevart jest wdową po lekarzu, który studiował medycynę w Londynie. O tym, że Hatoun jest sierotą, której matka i starsza siostra zmarły na pustyni. O tym, że Armen jest wdowcem, inżynierem i że jego oczy...

Nie, nie. Opis jego intensywnego, niezgłębionego spojrzenia podarła na strzępy. Ten sam los spotkał kartkę papieru, na której pisała o jego wyjeździe i o tym, jak bardzo za nim tęskni.

Przeredagowała cały akapit. Tym razem postanowiła zaserwować swoim czytelnikom niewielką dawkę informacji na temat Armena: zna kilka języków, pracuje na kolei, bardzo krótko przebywał w Aleppo.

Miała nadzieję, że podane przez nią fakty mówią same za siebie. Członkom swojej organizacji przedstawiła troje Ormian i każde z nich straciło tu najbliższą osobę, stając się sierotą, wdową i wdowcem.

Następnie przeszła do chwalenia przymiotów muzułmańskiego lekarza, który razem z nią pracuje w szpitalu. Podkreśliła, że to bardzo przyzwoity człowiek i że oddaje się swojej pracy z prawdziwym poświęceniem.

Elizabeth przez dłuższą chwilę wpatruje się w stos papierów, które właśnie położyła na biurku konsula. Pewnie będzie miał kilka uwag. Zasugeruje, by w którymś miejscu coś dodała, w innym wykreśliła, w jeszcze innym przeredagowała całe zdanie, jeśli chce, żeby tureccy cenzorzy przepuścili jej raport.

Następnie wychodzi z budynku i rusza na dyżur do szpitala. W duchu modli się, żeby tego dnia nie musiała być świadkiem niczyjej śmierci.

***

Obgryzając skórkę wokół paznokcia, Nevart przygląda się rzędom przypraw i półkom, na których stoją słoje z mąką i cukrem w kuchni amerykańskiego ośrodka. Przed oczyma staje jej obraz własnej kuchni – przypomina sobie, jak to było, kiedy wszystkiego miała pod dostatkiem. Kiedy z okien widziała drzewa obsypane figami. Na drewnianym blacie stoi ceramiczna miseczka z czarnymi oliwkami i pokrojoną w kostkę fetą. Nevart bierze do ust oliwkę i kosteczkę sera, delektując się ich słonym smakiem. Jedna z pielęgniarek radziła jej, żeby jadła raczej małe porcje, dopóki jej waga nie wróci do normy. Widziała zresztą, jak inne kobiety boleśnie przekonały się na własnej skórze o skutkach zbytniej zachłanności, wymiotując dalej niż widziały.

Wygląda przez okno na dziedziniec i ku swojemu zdumieniu dostrzega tam Hatoun. Dziewczynka siedzi bez ruchu, oparta plecami o pień smukłej, niezbyt wysokiej palmy, z nogami wyciągniętymi przed siebie. Ma na sobie sandały, które dostała w sierocińcu. Z tej odległości Nevart nie widzi twarzy Hatoun, ale odnosi wrażenie, że mała po prostu śpi. Zmienia jednak zdanie, gdy dostrzega, jak dziewczynka drapie się po strupie na ramieniu. Zaczyna przyglądać się uważniej. Dziecko siedzi sztywne, jakby połknęło kij. Każdym kręgiem kręgosłupa przywiera do kory drzewa. Z pewnością jest jej bardzo niewygodnie, lecz mimo to nieruchomo trwa w tej samej pozycji. Nevart się zastanawia, czy Hatoun na przykład czegoś nie obserwuje. Może przygląda się jaszczurce, może kotu. Wreszcie, po dobrych pięciu minutach, głowa dziewczynki opada, podbródkiem dotykając obojczyka. Nevart odczuwa ulgę. Jest przekonana, że Hatoun zasnęła. Ale ramiona jej nie opadły, a plecy nadal są sztywne. Zaintrygowana tym wychodzi z kuchni i rusza na dziedziniec.

Maleńka główka dziecka jest nadal pochylona, jakby dziewczynka faktycznie spała. Nie podnosi oczu ani w żaden inny sposób nie reaguje na obecność kobiety. Nic nie wskazuje też na to, by na dziedzińcu przebywało jakieś zwierzę, które mogło przyciągnąć jej uwagę. Nevart czuje, że w całej tej scenie jest coś niepokojąco znajomego, lecz dopiero gdy dostrzega lalkę, którą Hatoun dostała od Elizabeth, wszystko staje się jasne. Odruchowo zasłania usta w niemym okrzyku. Niecałe pięć metrów dalej, pod drugim niewielki drzewem siedzi Annika. Dziewczynka ułożyła ją w identycznej pozycji, jaką przyjęła sama, tyle tylko że wcześniej oderwała jej porcelanową głowę, a następnie umieściła obok na wykaflowanej posadzce, z oczyma skierowanymi w stronę nieba.

Niemieccy inżynierowie zajmują dwa eleganckie pokoje na pierwszym piętrze pensjonatu znajdującego się w pobliżu cytadeli. Mieszkają tam też inni Niemcy: dwóch żołnierzy i dwóch wysoko postawionych pracowników kolei. Na parterze, co od razu rzuca się w oczy Ryanowi, unosi się w powietrzu tytoniowy dym – z fajek, papierosów i szisz – osnuwający grube zasłony i ciężkie, tapicerowane meble niczym mgła. Nagle, pod samymi schodami, Helmut przystaje w pół kroku i wznosząc do góry palec, zatrzymuje również konsula. W tym momencie także do uszu Ryana dobiega hałas. Szuranie, czyjeś przytłumione głosy.

– W moim pokoju na górze są jacyś ludzie – mówi Helmut przyciszonym głosem.

– A Erich?

Niemiec zaprzecza, kręcąc głową. Następnie wyciąga z kabury swojego lugera. Ryan wlepia wzrok w czarny otwór lufy. Niemiec odbezpiecza broń.

– Chyba pan żartuje.

– Już raz mnie okradziono. Drugi raz na to nie pozwolę – odpowiada Helmut. – Niech pan tu zaczeka.

– Nie ma mowy – sprzeciwia się Ryan. Może i w obliczu osmańskiej biurokracji często bywa całkowicie bezradny, ale bądź co bądź był kiedyś żołnierzem i w takiej chwili na pewno nie da sobie odebrać męskości.

Helmut wzrusza ramionami i powoli zaczyna piąć się w górę pogrążonymi w mroku schodami. Ryan, który jest tuż za nim, cały się prostuje, usiłując dojrzeć cokolwiek zza szerokich ramion swojego kompana. Co prawda Helmut ma ciężkie buty, ale porusza się równie cicho jak jego towarzysz. Po drodze przysłuchują się rozmowie w pokoju na piętrze. Ryan wyławia co najmniej trzy głosy. Po chwili stwierdza, że chyba słyszy czwartego rozmówcę. Mówią po turecku, choć jeden z nich brzmi jak Europejczyk. Wszystkie głosy należą do mężczyzn. Zanim docierają na szczyt schodów, konsul czuje ogarniającą go frustrację. Zna turecki dużo lepiej niż Helmut i z tego, co zdołał wydedukować, gubernator generalny posłał swoich żołnierzy do pokoju Niemca w celu skonfiskowania płytek fotograficznych. Najpierw zniszczyli jego aparat, a teraz zamierzają zniszczyć dowody własnej zbrodni.

I nawet jeśli Ryan nie był do końca pewien swoich podejrzeń, w momencie, gdy dochodzą do pokoju Helmuta, wszelkie wątpliwości znikają. Drzwi są lekko uchylone. Niemiec otwiera je na oścież swoim ciężkim butem. W pokoju zapada cisza. Przez dłuższą chwilę stoi w progu, spięty, z palcem na spuście. Jedyny Europejczyk pośród niezapowiedzianych gości to Oskar Kretschmer, sfanatyzowany i irytująco nadgorliwy asystent Ulricha Lange, niemieckiego konsula w Aleppo. Towarzyszy mu major i dwóch żołnierzy tureckiej armii. Jeden z nich trzyma w rękach drewnianą skrzynkę z płytkami. Jedyne krzesło w pokoju zajmuje porucznik. Ręce trzyma na kolanach, a na jego twarzy maluje się wyraz rezygnacji.

– Cześć, Helmut – mówi Erich z nikłym uśmiechem. – Mamy gości.

Inżynier chowa pistolet do kabury.

– Wygląda na to – dodaje po chwili porucznik – że opuścimy to przyjemne miasto bez zbędnego bagażu.

Kretschmer marszczy czoło, unosząc brew. Niemal nadludzkim wysiłkiem usiłuje zachować ambasadorską godność. To wyjątkowo skrupulatny, a jednocześnie wymagający człowiek – Ryan zawsze podejrzewał, że zdaniem samego Kretschmera to on, a nie Lange powinien zostać konsulem. Jednak niezależnie od tego, jak bardzo się stara, nie daje rady ukryć emocji: aż gotuje się z wściekłości. Wreszcie zwraca się do Helmuta:

135

– Powiem panu dokładnie to samo, co przed chwilą powiedziałem porucznikowi. Moglibyśmy postawić was obu przed plutonem egzekucyjnym i zastrzelić, uznając za szpiegów. Zdrajców. Te zdjęcia są dowodem zdrady. To czysta propaganda. Nie pokazują prawdy.

– A jaka jest prawda, Herr Kretschmer? – pyta Ryan.

Niemiecki oficjel wykonuje dramatyczny gest w kierunku swoich tureckich towarzyszy, jakby dyrygował orkiestrą.

– Ci ludzie toczą naprawdę zaciekły bój z Rosjanami, a Ormianie robią wszystko, co tylko mogą, by obrócić wniwecz te wysiłki. Albo sabotują Turków za ich plecami, albo dopuszczają się zdrady i masowo wstępują do rosyjskiej armii.

– Zapewniam pana, że kobiety i dzieci, których tego lata codziennie przybywało w mieście, z pewnością nie planowały się zaciągnąć do rosyjskiego wojska.

W tym momencie po raz pierwszy zabiera głos turecki major.

– A czy może pan powiedzieć to samo o ich mężach i braciach? – pyta, a gdy mówi, unosi się nad nim duszący zapach drzewa sandałowego i kadzidła. Sam siebie postrzega jako wyjątkowo rozsądnego człowieka. Z jego oczu bije blask życzliwości. – Odpowiedź brzmi: nie. Wiele z tych kobiet przetransportowaliśmy do Aleppo, żeby zapewnić im bezpieczeństwo. Znajdowały się przecież w strefie wojny. Żałuję, że w trakcie podróży nie mogliśmy im zapewnić większych racji żywnościowych, ale konwojujący je żołnierze i żandarmi rzadko kiedy jedli więcej czy lepiej od nich. Pański kraj jest neutralny, podczas gdy cała reszta, niestety, znajduje się w stanie wojny. A w czasie wojny zdarzają się różne rzeczy. Różne straszne rzeczy. Jednak obecnie w Syrii mieszkają tysiące Ormian, którzy są tutaj o niebo bezpieczniejsi niż wówczas, gdy znajdowali się dosłownie o krok od pola bitwy.

Ryan wie, że nie przekona ani Turków, ani Kretschmera. Jednak za wszelką cenę chce zdobyć dowód w postaci fotografii.

– Kupię od was te płytki – proponuje majorowi. Niemiecki konsul może nie akceptować łapówkarstwa, ale to jedna z form załatwiania interesów tu na pustyni. Turcy traktują to jako coś oczywistego. – Podajcie swoją cenę.

Ale major zaskakuje Ryana.

– Nie, płytki zostaną zniszczone. Ale dziękuję za pańską wspaniałomyślność – mówi, lekko skłaniając głowę.

Ryan spogląda na Ericha, po czym przenosi wzrok na Helmuta. Porucznik wpatruje się w podłogę, podczas gdy jego przyjaciel opiera się o drzwi i wzrusza ramionami. Konsul się zastanawia, co zrobiłby Kretschmer albo turecki major, gdyby wyrwał żołnierzowi skrzynkę i rzucił się do ucieczki. Czy którykolwiek zaryzykowałby i strzelił do niego? Pewnie nie. Ale żołnierze szybko by go unieszkodliwili, jeszcze zanim zdążyłby wbiec na schody. Uświadamia sobie, że już nigdy nie odzyska tych płytek, i aż cały trzęsie się z bezsilności. Major, jakby czytał w jego myślach, daje znak swoim żołnierzom, by razem z nim – i ze skrzynką – opuścili pokój. Ryan, pozbawiony jakiejkolwiek możliwości manewru, patrzy, jak obrazy zwłok i umierających Ormian na placu w Aleppo zostają mu zabrane prosto sprzed nosa.

Rozdział 8

Jedną z najbardziej zaskakujących tajemnic, jakie skrywa moje DNA, jest fakt, że robię świetne ciasto *filo* – poza tym jedynym wyjątkiem jestem naprawdę beznadziejną kucharką. Moja kuchnia to doprawdy przerażające miejsce. Pod tym względem bardzo przypominam swoją matkę. Nie potrafię zrobić ciasta, no chyba że jest z papierka. Jeszcze nigdy nie udało mi się upiec indyka, który nie byłby suchy jak wiór, natomiast ryż wychodzi mi zawsze w jednej z dwóch wersji: rozgotowanej lub przypalonej. Dna większości moich garnków są pokryte czarnym nalotem spalenizny.

A jednak umiem przyrządzić apetyczne trójkąty serowe, które z wierzchu, jak na porządne ciasto listkowe przystało, mają kilka chrupiących warstw, zaś w środku są miękkie i wilgotne, nie mówiąc już o walorach estetycznych: każdy trójkąt jest idealnie równoramienny, z jednym rozwartym i dwoma bardzo ostrymi kątami. Ormiańska nazwa tej potrawy brzmi *boreg*, a nauczyła mnie ją robić młodsza siostra mojego ojca. W przypadku tego akurat dania najprostszy element to przygotowanie nadzienia. Według przepisu, jaki dostałam od ciotki, robi się je z fety, jajek, pokrojonej w kostkę szalotki, z dodatkiem pietruszki i czarnego pieprzu. Prawdziwym wyzwaniem jest samo ciasto, którego każda warstwa musi być cieniuteńka jak pergamin – „filo" to greckie słowo oznaczające liść. Zaledwie po kilku minutach kontaktu z powietrzem ciasto wysycha, staje się kruche, łamliwe, a przez to zupełnie bezużyteczne. Nawet dla doświadczonego szefa kuchni przygotowanie *filo* może okazać się niełatwym zadaniem. Toteż czysto teoretycznie dla kogoś takiego jak ja, czyli kucharza, który ma dwie lewe ręce, zrobienie go powinno się jawić jako prawdziwy koszmar, natomiast sama kuchnia, w której rozgrywa się ów piekielny koszmar, mogłaby przypominać istny Hades frustracji. Ale tak nie jest. Jakimś cudem zawsze mi się udaje odpowiednio rozmrozić ciasto, utrzymując przy tym jego sprężystość i elastyczność na tyle długo, by zdążyć napełnić je nadzieniem i zawinąć. I zawsze wiem, jaką dokładnie ilość perfekcyjnie przyrumienionego masła nałożyć na każdą cienką warstwę.

Dla wszystkich członków mojej rodziny ta niezwykła umiejętność pozostaje niewyjaśnioną tajemnicą – wszystkich oprócz mojej ciotki, która, tak samo jak ja, ma ojca Ormianina i matkę Amerykankę. Jej zdaniem to po prostu kwestia genów. Dita von Teese (mająca także ormiańskie korzenie) też pewnie świetnie sobie radzi z ciastem *filo*, kiedy akurat nie kąpie się w szampanie.

Tak czy owak, serowe trójkąty zawsze kojarzą mi się z kuchnią dziadków, bo to właśnie tam ciotka nauczyła mnie je robić. To takie moje prywatne magdalenki. Wystarczy, że sięgnę po paczkę mrożonego *filo* do lodówki w supermarkecie i natychmiast przenoszę się do kuchni z mojego dzieciństwa. Jest luty, a ja mam najwyżej dziewięć lat. Rodzice, którzy postanowili zrobić sobie romantyczny wypad we dwoje – wynajęli hotel gdzieś na zachodzie Massachusetts – zostawili nas u dziadków. A że babcia i dziadek mieli już swoje lata, moja ciotka postanowiła ich trochę odciążyć w opiece nad wnukami i przyjechała na jedno popołudnie. Zabrała mnie do kuchni, gdzie miałyśmy robić *boreg*, podczas gdy reszta towarzystwa udała się do piwnicy, żeby pograć w bilard. Stół do bilardu znajdował się w wyremontowanym pomieszczeniu i wyglądał równie ekstrawagancko jak cały salon moich dziadków. Dębowy blat inkrustowany muszlami morskich ślimaków opierał się na nogach, które równie dobrze mogłyby podtrzymywać kunsztownie rzeźbiony tron monarchy. Łuzy wykonane ze złotej siatki przyozdobionej frędzlami idealnie współgrały z ozdobami biegnącymi wzdłuż band. Dziadek już wtedy trochę niedomagał, toteż przez większość czasu pochylał się tylko nad blatem w tej swojej kamizelce i patrzył, jak jego żona wbija bile jedna za drugą, nie dając innym dojść do stołu.

Kiedy ciotka włożyła ostatnią partię trójkątów do pieca – wielkiego gazowego kolosa marki Bengal, którego biel nabrała z latami odcienia kości słoniowej – wytarła ręce o babciny fartuch w czerwoną kratę i powiedziała:

– Droga Lauro, ciasto *filo* i słony ser to najlepsza droga do serca mężczyzny. – W tamtym czasie ciotka miała narzeczonego, profesora wykładającego na Uniwersytecie Columbia. Wyobraziłam sobie, jak dla niego gotuje. – Oczywiście dobry jest też taniec brzucha – dodała po chwili, mrugając do mnie porozumiewawczo.

Amerykańscy lekarze i misjonarka przybywają wreszcie do Aleppo. Mimo środków finansowych pozyskanych przez Silasa Endicotta i jego hojnych przyjaciół z Back Bay niemal tydzień spędzili w Kairze i Port Saidzie, bo tyle czasu zajęło im gromadzenie leków i jedzenia dla deportowanych. Kolejne cztery dni opóźnienia zawdzięczali zarówno brytyjskim, jak i tureckim biurokratom, którzy kwestionowali ważność ich wiz oraz zasadność całej misji.

Nevart stoi w ocienionym rogu pomieszczenia o nazwie *selemlik* – czyli recepcja – z dłońmi spoczywającymi w opiekuńczym geście na ramionach Hatoun. Patrzy, jak Ryan Martin i Endicottowie witają gości. Misjonarka nazywa się Alicia Wells, natomiast lekarze to William Forbes i Hugh Pettigrew. Silas Endicott zachowuje się o wiele bardziej oficjalnie niż jego córka, jednak Nevart dostrzega, iż przy ojcu Elizabeth staje się odrobinę mniej swobodna. Pomimo trudności podczas podróży trójka nowo przybyłych Amerykanów ma i tak więcej szczęścia niż Endicottowie, nie doświadczyła bowiem na samym wstępie takiej traumy jak oni, gdyż miasto nie przywitało ich widokiem setek umierających kobiet i dzieci na głównym placu Aleppo. Zarówno w przypadku doktora Forbesa, jak i doktora Pettigrew jest to pierwsza wizyta na pustyniach Bliskiego Wschodu i obaj, niczym dwa dumne pawie, szczycą się liczbą przeszkód, jakie musieli pokonać podczas podróży z Bostonu: U-Booty, „rozbójnicy" na wielbłądach i burza piaskowa, która według dramatycznej relacji młodszego z nich, Forbesa, „sparaliżowała" ich pociąg. Alicia nie ma nic przeciwko dzieleniu sypialni z Elizabeth i śmiejąc się, dodaje, że to będzie pestka w porównaniu ze wszystkim, czego dotychczas doświadczyli.

Cała trójka, w tym także misjonarka, charakteryzuje się rosłą posturą: wszyscy są wysocy, barczyści i dobrze wykarmieni. Ich tubalne głosy odbijają się donośnym echem od ścian wysokiego pomieszczenia. Nevart czuje pod palcami drżenie ramion Hatoun. Kiedy przed chwilą dziewczynka została przedstawiona Amerykanom, Ormianka odniosła wrażenie, że popatrzyli na to chuderlawe dziecko ze współczuciem, jakie równie dobrze mogliby okazać wyliniałemu, parchatemu psu. Ich wzrok wyrażał jednocześnie protekcjonalność i szorstkość. Obaj mężczyźni wydawali się znacznie gorsi niż misjonarka – reprezentowali dokładnie ten typ lekarskiej postawy, który doprowadzał do szału jej świętej pamięci męża. Podczas rozmowy zachowywali się tak, jakby Hatoun w ogóle nie było w pokoju, jakby mieli do czynienia z jakimś okazem laboratoryjnym. A kiedy się dowiedzieli, że Nevart nie jest jej matką, zaczęli się dopytywać, dlaczego, na litość boską, to dziecko nie jest w sierocińcu.

Nevart się pochyla i szeptem zapewnia dziewczynkę, że nie ma się czego bać. Że ci Amerykanie przyjechali tu, żeby pomóc. Mówiąc te słowa, dostrzega coś, czego wcześniej nie widziała: w zapinanej kieszonce sukienki Hatoun trzyma urwaną głowę swojej lalki. Ale dziewczynka nadal patrzy przed siebie, sprawiając wrażenie, jakby w ogóle nie słyszała, co mówi do niej Nevart. W skupieniu przygląda się tragarzom wnoszącym do środka gigantyczne kufry i eleganckie walizy. Podobno na stacji stoi cały wagon po brzegi wypełniony cukrem, mąką, herbatą i mięsnymi konserwami. W pierwszej chwili Elizabeth wyglądała na mocno zmartwioną faktem, że wagon dotarł do Aleppo tak późno, kiedy kobiety i dzieci już dawno zostały wyprowadzone na pustynię. Wówczas Nevart przypomniała jej o nowych transportach deportowanych, które lada moment niechybnie przybędą do miasta.

– Poznała tu pani kogoś interesującego? – pyta William Forbes, zwracając się do Elizabeth. Skronie ma nieznacznie przyprószone siwizną, a orzechowe włosy niczym morska fala w chwili odpływu zaczęły się cofać, pozostawiając za sobą nagą plażę w postaci lekko spieczonego słońcem czoła. Mimo zakoli wygląda na jakieś trzydzieści pięć lat i jest wyraźnie wdzięczny losowi, iż w takim miejscu jak Aleppo spotkał kogoś takiego jak Elizabeth. Pewnie oczekuje, że młoda Amerykanka będzie jego oazą na tej pustyni.

Ale Elizabeth nie ma szansy mu odpowiedzieć, bo Ryan Martin natychmiast wtrąca się do rozmowy, zupełnie nieświadom prawdziwej treści pytania, którą lekarz zawarł między wierszami.

– W Aleppo można spotkać wielu interesujących ludzi. Mówię poważnie! – zapewnia konsul. – Syryjczyków, Turków, Niemców. Tylko nie należy oceniać ich zbyt pochopnie, Williamie. Ostatnio poznałem niemieckich żołnierzy...

– Żołnierzy? – przerywa mu William.

– Inżynierów – poprawia się Ryan. – Tak samo jak my chcieli pomagać Ormianom. Jeden z nich jest fotografem. Niestety Turcy zniszczyli mu aparat i skonfiskowali płytki fotograficzne. Doprawdy niepowetowana strata. No, w każdym razie chodzi mi o to, że w Aleppo dosłownie wszędzie można spotkać wyjątkowych ludzi. Panna Endicott, na ten przykład, nawiązała przyjaźń z pewnym ormiańskim inżynierem o imieniu Armen.

– Ale już go tutaj nie ma – wyjaśnia Elizabeth. W jej głosie słychać zakłopotanie. W pokoju robi się cicho jak makiem zasiał. Elizabeth czuje na sobie badawczy wzrok lekarza, który z jej zachowania próbuje wywnioskować, co dokładnie konsul miał na myśli, mówiąc o przyjaźni z Armenem.

– Oczywiście w takim miejscu jak to nie należy liczyć na jakąś bardzo trwałą przyjaźń – kontynuuje Ryan. – Niemców, o których wspominałem, też już tutaj nie ma. Zostali przeniesieni do Cieśniny

Dardanelskiej. A tak przy okazji, niech mi pani powie, Elizabeth, dokąd wyjechał nasz inżynier. Muszę przyznać, że nawet go polubiłem.

Elizabeth ciężko wzdycha, wyobrażając sobie, jak Armen z karabinem w rękach pędzi przed siebie wprost na rzędy kolczastego drutu, a z jego gardła dobywa się wściekły wrzask – z tego, co słyszała, tak właśnie zachowują się żołnierze, gdy ruszają do ataku. Czasami nienawidzi mężczyzn. Nienawidzi ich gotowości do walki i śmierci. Taka postawa wręcz doprowadza ją do rozpaczy.

– Cieśnina Dardanelska – odpowiada krótko.

– Naprawdę? – pyta ją ojciec.

– Tak – potwierdza Elizabeth. Na jego wąskich ustach pojawia się wyraz ulgi. Podobną reakcję dostrzega na twarzy nowego lekarza. Tylko ramiona Hatoun, stojącej po drugiej stronie pokoju, nadal nieznacznie drżą pod szczupłymi palcami Nevart.

Turecki żołnierz, szeregowy o imieniu Orhan, klęka na swojej modlitewnej macie, czołem dotykając ziemi. Dziękuje Bogu za to, że znalazł się w Aleppo, a nie w Cieśninie Dardanelskiej, gdzie pod koniec kwietnia jego kuzyn został zakłuty bagnetem, albo na Kaukazie, gdzie z kolei jego starszy brat w maju stracił lewą rękę i zmarł w wyniku gangreny. Kiedyś, podobnie jak wszyscy jego przyjaciele, marzył o tym, żeby zostać bohaterem, ale to już przeszłość. Mimo przeżytych zaledwie osiemnastu lat jest wdzięczny za każdy dzień życia. W tej chwili siedzi sam w swoim ciasnym kącie koszar, zdążył jednak przywyknąć do samotności, bo oprócz matki, która mieszka w wiosce pod Ankarą, nie ma na świecie nikogo.

Po skończonej modlitwie zwija matę, z powrotem zakłada buty i wstaje. Spogląda przez szparę w ścianie pełniącą rolę okna. Jego wzrok zatrzymuje się na minarecie pobliskiego meczetu, który odcina się na tle nieba tonącego w falach żółci i czerwieni. Pod jego pryczą, obok chlebaka i sterty bezładnie porozrzucanych ubrań, stoi drewniana skrzynka z płytkami fotograficznymi, na których zostały uwiecznione ormiańskie kobiety i ich dzieci. Miał je zniszczyć, ale jakoś nie mógł tego zrobić. Oczywiście zdaje sobie sprawę, że na zdjęciach są martwi lub umierający niewierni. Co więcej, wierzy w to, co powiedział major o mężach, braciach i ojcach tych kobiet. Walczyli przeciwko Turcji. To właśnie jakiś Ormianin odpalił moździerz, który urwał ramię jego bratu, co go w rezultacie doprowadziło do śmierci. A jednak bohaterki tych fotografii wyglądają dokładnie tak samo jak kobiety i dziewczęta w Ankarze. I właściwie w każdym innym mieście. W dzieciństwie znał wielu Ormian, choćby rodziny mieszkające po sąsiedzku. Ojciec często robił z Ormianami interesy. Przypomina sobie, co do jego dowódcy powiedział jeden z tamtych Niemców: „Żaden bóg, ani mój, ani wasz, nie akceptuje tego, co robicie".

Turek pociera oczy, usiłując się skupić i przeanalizować całą sytuację. Nie może przecież trzymać tej skrzyni tu w koszarach – to zbyt niebezpieczne. Nie może też oddać jej amerykańskiemu konsulowi. Jest jednak pewien, że nigdy nie wykona rozkazu i nie zniszczy tych płytek. W związku z powyższym trzeba wymyślić, gdzie ukryć skrzynię do czasu podjęcia ostatecznej decyzji, co dalej z nią zrobić.

Niemiecki konsul, Ulrich Lange, siedzi sam w swoim gabinecie. Na zewnątrz promienie słońca powoli bledną, zaś nagrzane powietrze Aleppo wreszcie zaczyna stygnąć. Dyplomata zanurza pióro w czarnym atramencie i pisze następujące zdanie do swoich przełożonych w Berlinie: „Zważywszy na nieobecność mężczyzn, z których większość została powołana do wojska, jakie zagrożenie mogą stanowić kobiety i dzieci?". Przez dłuższą chwilę wpatruje się w słowo „powołana". Nieprzypadkowo zdecydował się na to, a nie inne określenie – nie chciał rozwścieczyć swoich tureckich gospodarzy, w razie gdyby jego raport został przez nich przechwycony i przeczytany. W tej chwili nawet tym Ormianom, którzy zostali wcieleni do wojska, zabrano broń, po czym ich zamordowano. Albo wysłano do niewolniczej pracy przy budowie kolei. To wszystko zaszło za daleko i Berlin musi się dowiedzieć, co się tutaj dzieje. A on nie zamierza ukrywać swojego negatywnego stosunku do deportacji tych, którzy ocaleli.

Zamyka oczy i wsłuchuje się w nagranie zarejestrowane na płycie gramofonowej. Ludowe pieśni tureckie wykonuje sławna żydowska sopranistka z Istambułu, ponieważ muzułmańskim kobietom nie wolno nagrywać muzyki. Wcześniej puścił sobie płytę nadwornej kapeli sułtana, Mizika-i Humayun, ale były tam tylko marsze, których po jakimś czasie po prostu nie dało się słuchać. Zarówno płyty, jak i kunsztownie zdobiony gramofon podarował mu turecki gubernator generalny Aleppo. Urządzenie stoi na kamiennym postumencie (kolejny prezent), gdyż zdaniem gubernatora gramofon sam w sobie jest równie piękny jak muzyka, którą odtwarza. Ściany wykonanej ręcznie dębowej skrzyni pokrywają delikatne, wyrzeźbione w drewnie dzikie róże w kolorze łososia, precyzyjnie pomalowane wprawną ręką artysty. Tuba, choć z mosiądzu, ma kształt etiopskiej kalii, zaś faliste ramię przypomina węża.

Nagle w gabinecie rozlega się pukanie. Konsul podnosi głowę i spogląda na uchylone drzwi. W progu stoi jego sekretarz, niski, krępy mężczyzna o wiecznie przepraszającym wyrazie twarzy. Lange prosił go wcześniej, żeby wpadł do niego mniej więcej o tej porze – zakładał, że do tego czasu skończy raport i jego młody asystent będzie mógł przepisać wszystko na maszynie i wysłać. Ale jest już po ósmej i obaj powinni iść na kolację.

– Zaraz skończę, Paul. Jeszcze moment – mówi cicho konsul. – Przepraszam cię.

– Piękna piosenka.

– Owszem. Ta śpiewaczka ma cudowny głos.

– Ormianka? Cyganka? Żydówka?

– Żydówka. Wiesz co, Paul – dodaje po chwili – a może pójdziesz już na tę kolację? Poszukaj Oskara i razem idźcie coś zjeść. O tej porze i tak nie ma sensu nic wysyłać. Raport może poczekać do jutra.

– Jest pan pewien?

– Tak – odpowiada Lange.

– Nie chcę pana zostawiać samego, kiedy pan jeszcze pracuje.

– Idź, idź – nalega konsul, machając dłonią w kierunku wyjścia. Sekretarz odpowiada skinieniem głowy, składa lekki ukłon, po czym wycofuje się na korytarz. Lange znów spogląda na słowo „powołana". Już sam nie wie, kto go bardziej denerwuje: Ormianie czy Turcy. Ci drudzy kompletnie sobie nie radzą z administracją, a do tego zachowują się jak ostatni barbarzyńcy. W swoich kontaktach z tureckimi władzami konsul zazwyczaj spotykał się albo z przejawem tego pierwszego, albo drugiego, ale w przypadku Ormian brak kompetencji administracyjnych i barbarzyństwo szły w parze. Z drugiej strony nie mógł się jednak nadziwić, jakim cudem Ormianie przeoczyli jeden drobny szczegół, a mianowicie szalejącą na całym kontynencie wojnę? Czy nie przyszło im do głowy, że Turcy, którzy nigdy za nimi specjalnie nie przepadali, wykorzystają ten konflikt jako pretekst do pozbycia się chrześcijan i stworzenia – co było w ich mniemaniu jedyną słuszną opcją – homogenicznego państwa? Do tej pory nie może zrozumieć, dlaczego tak niewielu Ormian opuściło kraj kilka lat wcześniej. Doprawdy niepojęte. Z tego, co wie, planowali powstanie. Przynajmniej niektórzy. Wystarczy spojrzeć na walki, które toczyły się w Van zeszłej wiosny. Czy to przypadek, że Ormianom udało się utrzymać miasto na tyle długo, by doczekać się Rosjan, którzy przejęli je na jakiś czas? Ależ skąd.

Niezależnie od wszystkiego rzeź, jaka odbywa się w tym zakątku imperium, napawa go głębokim oburzeniem i ostatnie, czego sobie życzy, to by jego nazwisko kojarzono z tym miejscem. Jako zawodowy dyplomata ma nadzieję, że w przyszłości, zwłaszcza gdy wojna dobiegnie końca, będzie obejmował posady w bardziej cywilizowanych rejonach świata niż ta przerażająca pustynna kraina, jakby żywcem wyjęta ze średniowiecza. Widzi siebie we Francji, Wielkiej Brytanii, może nawet w Stanach Zjednoczonych. Oczywiście doskonale zdaje sobie sprawę z faktu, iż obecnie jego kraj znajduje się w stanie wojny z dwoma spośród tych trzech państw. Ale przecież stosunki międzynarodowe zmieniają się jak w kalejdoskopie.

W tej sytuacji należy zachować dyplomatyczną równowagę:

musi powiadomić Berlin o horrorze w Aleppo, jednocześnie wspierając Turcję, sprzymierzeńca Niemiec, jeśli zajdzie taka potrzeba. Na tym polega praca konsula. To jego obowiązek. Nie chce jednak, by nazwisko Lange kiedykolwiek pojawiło się w kontekście rzezi Ormian i żeby pociągnięto go do odpowiedzialności za wyciek materiałów stanowiących namacalny dowód tureckiej zbrodni. Tak właśnie wygląda instynkt samozachowawczy. Problem w tym, że pewne informacje już zaczynają wypływać na światło dzienne. Zaledwie kilka dni temu jego inny asystent, niejaki Kretschmer, doniósł mu o dwóch idiotach – niemieckich inżynierach! – których ruszyło sumienie, i o ich aparacie fotograficznym marki Ernemann.

W tej chwili tych dwóch delikwentów jest już daleko w drodze do Cieśniny Dardanelskiej. Kilka miesięcy w tym piekle nauczy ich rozumu.

Gdy wybrzmiewają ostatnie dźwięki tureckiej pieśni, konsul wstaje, podchodzi do gramofonu i podnosi igłę. Dopiero teraz zauważa, że płyta została nagrana w niemieckim studio w Konstantynopolu.

Z jego piersi wydobywa się głębokie westchnienie. *Powołani*. Ileż sprytu i zmyślności wymaga współpraca z Turkami, nie mówiąc już o tym, jak bardzo trzeba się nagimnastykować, by nieco złagodzić obraz rzezi. Ludzie w Berlinie muszą wiedzieć, że jest gotów wypełniać ich rozkazy, przy czym nie pochwala tego, co się tutaj dzieje.

Mimo tych wszystkich rozterek ma pewność, iż uda mu się pogodzić treści zawarte w korespondencji z zachowaniem dobrej reputacji. Bądź co bądź jest dyplomatą.

Pociąg mknie przez pustynię, gdzie niegdyś rozciągały się równiny Cylicji. Helmut ostrożnie wstaje z siedzenia, gdzieś pomiędzy Adaną i Zejtun, chcąc trochę rozciągnąć obolałe plecy. Nie jest pewien, czy obudził go ból w dolnych partiach kręgosłupa, którego się nabawił, śpiąc na tej prymitywnej ławce, czy promienie wschodzącego słońca. Siedzący naprzeciwko niego Erich pochrapuje przez sen, podobnie jak dwóch tureckich biznesmenów.

Helmut dobrze zna pojemność tych wagonów. Kiedy wojsko używa ich jako środka transportu, każdy przewozi trzydziestu sześciu żołnierzy albo sześć koni. Jeszcze zanim wyjechał z Aleppo, od tureckich pracowników Kolei Bagdadzkiej dowiedział się, że do jednego wagonu średnio udaje im się upchnąć osiemdziesięciu ośmiu Ormian. Deportowani stoją przez kilka godzin stłoczeni jak bydło, nie mogąc wykonać nawet najmniejszego ruchu. Do jego uszu docierały także opowieści o tym, jak najstarsi pasażerowie, wciąż stojąc na własnych nogach, niejednokrotnie duszą się z braku tlenu, a ich zwłoki, ściśnięte przez inne ciała, w pozycji pionowej docierają do Adany, Aintab czy Aleppo. Jeden z wysoko postawionych pracowników kolei przechwalał się, jak to od czasu do czasu zdarza im się ładować Ormian do piętrowych wagonów przeznaczonych do transportu owiec, co oznacza, że dorosła osoba w żaden sposób nie da rady się w takim wagonie wyprostować. Czasami zwłoki deportowanych zrzuca się jak śmieci z nasypów.

Helmutowi w głowie nie może się pomieścić, ile taborów kolejowych Turcja marnuje na te deportacje. W Cieśninie Dardanelskiej w każdej chwili turecka armia może stanąć w obliczu wyczerpania rezerw żywnościowych, ponieważ nie ma prawie żadnych zapasów. Dlaczego? Ano dlatego, że Imperium Osmańskie, które posiada przestarzałą sieć kolejową, każdy cenny wagon przeznacza na przewóz Ormian, zamiast na transport żywności na front.

Z kieszeni munduru Niemiec wyciąga zegarek. Okazuje się, że zapomniał go wczoraj nakręcić, co wprawia go w bardzo kiepski nastrój. Zegarek stanął około drugiej w nocy. Jednak sądząc po tym, jak na wschodniej linii nieba płonące promienie słońca przebijają się przez delikatną powłokę chmur, musi być szósta trzydzieści, może siódma rano. Za oknem przesuwają się wzgórza i zalesione zbocza gór. Pociąg mija porośnięte trawą polany. Gdzieniegdzie zdarzają się nawet sosnowe zagajniki. Z pewnością jest tu trochę chłodniej niż w Aleppo. No i dzięki Bogu.

Helmut myśli o ostatnich kobietach, które zdążył sfotografować, zanim żandarmi zniszczyli mu aparat. Przypomina sobie notatkę, jaką sporządził na temat jednej z nich. Spisywał dane możliwie jak największej liczby deportowanych: notował imiona i nazwiska, miejsca urodzenia, czasami skrobnął jedno zdanie dotyczące tego, kim byli. Oczywiście nie zdołał napisać o każdym, ale i tak stworzył całkiem pokaźny rejestr.

Zaspany ziewa, a w jego oddechu czuć jeszcze resztki snu. Nie może odżałować, że nie było żadnego sposobu, by odnaleźć Armena, gdy zniknął z miasta. Erich mówił mu, żeby odpuścił, bo przecież nic nie dało się już zrobić. A mimo to…

Uwagę Helmuta przykuwa pokaźna sterta konarów widoczna za oknem – bezładny stos znajduje się trzydzieści, góra czterdzieści metrów od torów. Promienie słońca wybieliły gałęzie, ale tylko z jednej strony. Z drugiej wydają się dużo ciemniejsze, lekko osmolone, jakby ktoś podłożył pod nie ogień, lecz stos się nie zajął, a płomienie same wygasły. Helmut się zastanawia, po co ktoś wyciął kilka drzew na tym skrawku ziemi i wybrał akurat to miejsce, żeby je spalić, kiedy nagle dociera do niego, że to wcale nie gałęzie. Chce obudzić Ericha, ale nie może się poruszyć. Nie może oderwać wzroku od sterty za oknem. Przyciska palce do szyby jak mały chłopiec.

Ostatecznie to dzięki czaszkom zrozumiał, na co patrzy. Czyżby początkowo uznał, że to krąg ułożony z kamieni, by zapobiec rozprzestrzenianiu się ognia na połacie pożółkłej trawy? Możliwe. A może w ogóle ich nie zauważył, usiłując rozwikłać zagadkę niejednolitego koloru gałęzi, które z jednej strony mają barwę kości słoniowej, a z drugiej zieją czernią popiołu. Czaszki musiały sturlać się ze szczytu stosu. A może należały do zwłok tworzących najniższy krąg tego kurhanu? Helmut nie jest w stanie sobie wyobrazić, z ilu ciał powstał ten kopiec. Z setek? Tysięcy? Setek tysięcy?

Do tego dochodzi jeszcze jedno pytanie: dlaczego akurat w tym miejscu?

Po chwili pociąg zostawia za sobą stertę kości, które znikają za horyzontem. Porucznik wciąż chrapie. Po drugiej stronie wagonu wtórują mu dwaj tureccy biznesmeni.

Część Druga

Rozdział 9

Mogłam zacząć tę historię dokładnie w tym miejscu i w tym momencie, o których teraz piszę. Stałam w kuchni w swoim domu w Bronxville w hrabstwie Westchester, oddalonym zaledwie kilka minut od ceglanej rezydencji przy Winesap Road w Pelham, gdzie mieszkał mój ormiański dziadek ze swoją bostońską żoną, gdy nagle zadzwonił telefon. Okazało się, że to moja koleżanka ze studiów, z którą dzieliłam pokój w akademiku na trzecim i czwartym roku. Miałam czterdzieści cztery lata. Matthew chodził do ósmej klasy, a Ann do szóstej. Było sobotnie popołudnie poprzedzające Dzień Matki. Wcześniej całą rodziną wybraliśmy się na mecz baseballa, żeby zobaczyć Matthew w akcji, a potem się rozdzieliliśmy. Mój mąż i dzieciaki wsiedli do jednego samochodu i pojechali potajemnie szykować jakąś niespodziankę z okazji mojego święta. Ja wzięłam drugie auto i wróciłam do domu.

– Laura? – usłyszałam w słuchawce podekscytowany głos koleżanki w chwili, gdy tylko powiedziałam „halo". – Dziś rano w „The Boston Globe" widziałam stare zdjęcie twojej babci. A przynajmniej tak mi się wydaje.

Kiedy skończyłyśmy rozmawiać, od razu siadłam do komputera, weszłam do Internetu i zaczęłam szukać zdjęcia Elizabeth Endicott. Opierając się na tym, co usłyszałam od koleżanki, z góry założyłam, że artykuł dotyczy bostońskiej organizacji Przyjaciele Armenii. Spodziewałam się zdjęcia Elizabeth, jej ojca, być może i Alicii Wells.

Oczyma wyobraźni widziałam moją babcię w jednej z jej białych sukienek, z czarnym słomkowym kapeluszem w dłoniach. Kolor włosów na czarno-białej fotografii pewnie będzie wyglądać raczej na ciemny blond niż rudy. Z tego, co mówiła moja dawna współlokatorka, zdjęcie zostało zrobione na Bliskim Wschodzie, oczekiwałam więc, że gdzieś w tle zobaczę bazar w Aleppo albo wysokie mury amerykańskiej placówki dyplomatycznej.

Patrząc na całą tę sytuację z dzisiejszej perspektywy, nie mam bladego pojęcia, skąd mi to wszystko przyszło do głowy. Nie było żadnego logicznego powodu, by oczekiwać, że na zdjęciu ujrzę Endicottów. W końcu w czasach studenckich nie nazywałam się Endicott, tylko Petrosian. I to właśnie to drugie nazwisko skłoniło moją koleżankę do wykonania telefonu.

W każdym razie w gazecie zamieszczono trzy fotografie, które ćwierć wieku wcześniej widziałam w ormiańskim muzeum w Watertown. Jedno z nich pamiętałam dość wyraźnie. Widniejąca na nim kobieta oczywiście nie była moją babcią, ale, jak głosił podpis pod zdjęciem, nazywała się Petrosian. Z krótkiej noty dowiedziałam się także, iż pochodziła z Harput – ta informacja również nie figurowała pod fotografią, gdy oglądałam ją przed wielu laty. Kobieta miała niesamowicie wielkie, okrągłe oczy i potwornie zapadnięte policzki. Jak pisał autor artykułu, przez wiele dni niosła w ramionach zwłoki swojej maleńkiej córeczki, nie pozwalając innym deportowanym kobietom, by zakopały ciało martwego niemowlęcia w piaskach pustyni gdzieś pomiędzy Harput i Aleppo.

Jednak jej historia nie stanowiła głównego tematu artykułu, tekst dotyczył bowiem wystawy zatytułowanej „Apostaci". Ekspozycja zawierała fotografie oraz dokumenty z różnych źródeł (w tym także zdjęcia zrobione przez Niemców, które widziałam w Watertown) i można ją było obejrzeć w tym miesiącu na Uniwersytecie Harvarda w Peabody Museum.

Oczywiście w dzisiejszych czasach niezbyt często używa się określeń „apostata" czy „apostazja". A skoro już przy tym jesteśmy, to muszę przyznać, że po raz pierwszy używam tego słowa w swoim tekście – do tej pory w ponad setce artykułów i sześciu powieściach nie sięgnęłam po nie ani razu. Ma ono bardziej negatywne konotacje niż na przykład słowo „herezja". Na przestrzeni dziejów wielu ludzi szczyciło się faktem, że napiętnowano ich jako heretyków, lecz historia nie zna zbyt wielu przypadków dumnych apostatów.

Nie istnieją żadne dane na temat tego, ilu ormiańskich chrześcijan w latach 1915–1916 wyrzekło się swojej wiary w nadziei, że uda im się w ten sposób uniknąć śmierci. Ale jedno jest pewne: była to raczej rzadka praktyka wśród dorosłych. Działo się tak, ponieważ z jednej strony tureccy muzułmanie prawie nigdy nie oferowali Ormianom nietykalności w zamian za przejście na islam, z drugiej zaś Ormianie to wyjątkowo uparta nacja. Jeśli chodzi o dzieci, sprawa przedstawiała się zgoła inaczej. Często słyszało się o tureckich rodzinach, które brały pod swoje skrzydła dzieci ormiańskich sąsiadów, a potem wychowywały je w wedle zasad islamu. Ale dorośli? Prędzej pozwoliliby się wychłostać, odrzeć z ubrania, przypiekać, zastrzelić, udusić, utopić, zadźgać nożem czy bagnetem, przebić widłami, zarąbać siekierą, wybebeszyć, poćwiartować, zagłodzić na śmierć, ukrzyżować, powiesić, pozbawić głowy, nabić na pal czy (jeśli mówimy o kobietach) „zhańbić" (i oto kolejne określenie, którego nieczęsto się dziś używa, przynajmniej jako wiktoriańskiego synonimu słowa „gwałt"). Woleliby zapalenie płuc, grypę, dyzenterię, tyfus, malarię, cholerę, zakażenie, sepsę. Zresztą podczas pierwszej wojny światowej Ormianie tracili życie ze wszystkich wymienionych tu przyczyn – z pewnością było ich więcej, ale ja podaję te, na które się natknęłam, czytając zeznania naocznych świadków.

Zazwyczaj grupa tureckich żołnierzy albo uzbrojonych żandarmów – zwerbowanych wśród lokalnych policjantów czy nastolatków płci męskiej – wkraczała do ormiańskiej dzielnicy miasta lub wioski w celu konfiskaty broni. Zaglądali do każdego domu, kradli, grabili i od czasu do czasu dopuszczali się aktów przemocy. Jakby tego było mało, rąbali siekierami szafy, rozwalali kredensy, zrywali podłogi. Czasami wyrzucali przez okno ozdobne kielichy, rozbijali lustra i wazony. Zdarzało im się też „zhańbić" jedną czy dwie dziewczyny. Jeśli w domu jakiegoś Ormianina natrafili na broń, był to dowód jego rebelianckiej działalności; w przypadku, gdy nie znaleźli niczego, uznawali, że Ormianin ukrywa broń, co stanowiło, jakżeby inaczej, dowód jego rebelianckiej działalności. Następnie przedstawiciele tureckich władz przeprowadzali obławę na wszystkich mężczyzn – znów metodycznie chodząc od drzwi do drzwi – po czym wyprowadzali ich z miasta i dokonywali masakry. Robili to przy użyciu karabinów maszynowych, jeśli takowe mieli do dyspozycji, a jeżeli nie, to korzystali z pomocy jednostek paramilitarnych składających się z przestępców specjalnie w tym celu zwolnionych z więzień albo naprędce organizowali „grupę egzekucyjną". Wyobraźcie sobie, że cała wioska zbiera się tak, jak w dawnych czasach przy stawianiu stodoły*, tyle tylko, że łopaty, toporki i noże idą w ruch nie po to, by wznieść stodołę, lecz aby wymordować ludzi, którzy mieszkali w sąsiednich dzielnicach czy ościennych wioskach. A kiedy już pozbyto się mężczyzn, dużo łatwiej było deportować kobiety z dziećmi i – jeśli któregoś z Turków naszła ochota – jeszcze trochę sobie „pohańbić".

Jedynym i niepodważalnym uzasadnieniem deportacji było pojęcie *hissetmek* (czuć, wyczuwać), dzięki któremu tureckie władze mogły legalnie deportować każdego, jeśli tylko *czuły*, że dana osoba albo cała grupa osób stanowi zagrożenie dla państwa. Niepotrzebne były żadne dowody, wystarczyło *czuć*. Co ciekawe, na próżno szukać konsekwencji w zasłanianiu się przez Turków owym *hissetmek*, zwłaszcza gdy próbowali tłumaczyć cudzoziemcom powody deportacji: raz wyprowadzali Ormianki ze strefy wojny, bo bali się o ich bezpieczeństwo, to znowu wyprowadzali je ze strefy wojny, gdyż w ich odczuciu stanowiły zagrożenie.

---

* W osiemnastym i dziewiętnastym wieku w Stanach Zjednoczonych, zwłaszcza na terenach północnych, istniała tradycja wspólnego budowania stodół, stanowiących niezbędny element każdej farmy. W ten sposób pomagano rodzinom, które osiedlały się w danej wiosce i stawały się członkami wspólnoty. Zwyczaj ten przetrwał do dziś we wspólnotach Amiszów i Mennonitów.

Tak czy owak, w latach 1915–1916 zarówno pośród żywych, jak i martwych Ormian nie było zbyt wielu apostatów, choć oczywiście zdarzały się pojedyncze przypadki.

A skoro już przy tym jesteśmy, to wróćmy do mojej rodziny, a ściślej mówiąc, do moich dziadków. Już nawet jako mała dziewczynka zauważyłam, że dziadek, w przeciwieństwie do swoich przyjaciół, okazywał niewielkie zainteresowanie Apostolskim Kościołem Ormiańskim. W zasadzie egzystencja moich dziadków wydawała się całkiem pozbawiona wymiaru religijnego, nawet podczas świąt Bożego Narodzenia czy Wielkanocy, co wyróżniało ich na tle reszty członków ormiańskiej wspólnoty traktujących kościół jako oś, wokół której obracało się ich życie.

Moi dziadkowie mieli do tego zupełnie inny stosunek. Przesadziłabym, twierdząc, iż traktowałam to wówczas jako jakąś wielką zagadkę. Nie, nie myślałam o tym w ten sposób. Pytania pojawiły się dopiero po latach. Jednak już wtedy zauważyłam, że z jakichś bliżej niewyjaśnionych powodów dziadkowie nie utrzymywali zbyt bliskich kontaktów z Ormianami, którzy teoretycznie mogli być ich przyjaciółmi, a kościół omijali wyjątkowo szerokim łukiem.

Tamtego sobotniego popołudnia w przeddzień mojego święta wydrukowałam trzy fotografie z „The Boston Globe" i towarzyszący im artykuł. Kobieta nosząca to samo nazwisko co ja, zanim wyszłam za mąż, była apostatką – takiego właśnie określenia użył Niemiec, który przeprowadził z nią krótki wywiad w 1915 roku. Powiedziała mu, że przeszła na islam tylko po to, by ocalić życie swojego dziecka.

Postanowiłam wybrać się do Bostonu, żeby obejrzeć wystawę, a stamtąd pojechać do Watertown, gdzie zamierzałam przeprowadzić małe śledztwo.

Ryan Martin siedzi w gabinecie nowego administratora, nie bardzo wiedząc, co o nim sądzić. Farhat Sahin pojawił się w Aleppo zaledwie kilka dni temu. Ma idealnie ogoloną głowę i gładką twarz, którą zdobią gęste czarne wąsy i kozia bródka. Jak większość wysoko postawionych członków Komitetu Jedności i Postępu, sprawia wrażenie człowieka spokojnego, rozsądnego i niezwykle opanowanego. Ryan się zastanawia, czy Sahin okaże się bardziej układny niż jego poprzednik. Chodzi o to, że do tej pory żaden Amerykanin nie dostał pozwolenia na wizytę w Dajr az-Zaur, a Silas Endicott chce osobiście dostarczyć zgromadzone przez siebie leki i żywność do obozu przesiedleńców. W tej sytuacji najgorsze, co może zrobić Farhat Sahin – czyli zachować się tak samo jak inni urzędnicy – to powiedzieć „nie".

Wreszcie administrator składa dłonie, opierając je o wielki blat swojego biurka, co oznacza, że dyplomatyczna wymiana uprzejmości właśnie dobiegła końca.

– Obawiam się, że w Dajr az-Zaur może wam grozić niebezpieczeństwo – mówi do konsula.

– Ze strony Ormian? Czy naprawdę będą stanowić jakiekolwiek zagrożenie dla Amerykanów niosących im pomoc?

– O tak, Ormianie niczego nie pragną bardziej niż pomocy z Ameryki. Albo z Czerwonego Krzyża. Albo ze strony jakiegokolwiek innego kraju. Głębokim rozczarowaniem napawa mnie fakt, że szukają wsparcia u obcych. Jeśli mam być szczery, to czasem musimy po prostu chronić tych ludzi przed nimi samymi. To dlatego są tacy... wyalienowani.

Ryan z łatwością mógłby udowodnić absurdalność tej tezy, ale się powstrzymuje. Jego celem jest zdobycie pozwolenia na transport żywności oraz leków zgromadzonych przez Endicotta, a spieranie się z administratorem na pewno mu w tym nie pomoże. Dlatego pyta po prostu:

– Czego dokładnie się pan obawia? Z czyjej strony może nam grozić niebezpieczeństwo?

– Na pustyni aż się roi od osobników podejrzanego autoramentu. Kilka wozów wypełnionych jedzeniem i lekarstwami to doprawdy łatwy łup.

– Jestem gotów podjąć to ryzyko. Podobnie jak Silas Endicott.

Farhat Sahin się uśmiecha.

– Ach tak, ten wasz dobroczyńca.

– To wyjątkowo zaradny człowiek.

– I przyjaciel tych waszych Ormian.

Ryan dobrotliwie kiwa na niego palcem.

– Przyjaciel waszych obywateli.

– Czy aby na pewno jest pan świadom ryzyka, na jakie chcecie się narazić?

Konsul przytakuje skinieniem głowy, po czym dodaje:

– Tak, jestem. Wszyscy jesteśmy.

Turek milczy przez dłuższą chwilę. Następnie rozkłada ręce i wzrusza ramionami.

– No dobrze, wobec tego wypiszę dla was pozwolenia na wjazd do Dajr az-Zaur. Dostaniecie specjalne paszporty. Ale rozumie pan, że będziecie musieli dostosować się do pewnych wymogów.

Ryan czeka na dalszy ciąg zdania, lecz administrator nie mówi nic więcej.

– Oczywiście – odpowiada wreszcie, przerywając milczenie.

– Żadnych zdjęć. Żadnych raportów. Żadnych rozmów z przesiedlonymi cywilami. I oczywiście żadnej broni.

– To znaczy, że nie możemy się bronić? Sam pan przecież mówił, że może być niebezpiecznie.

– Żadnej broni – powtarza Turek.

– Zgoda.

– To ilu was się tam wybiera?

Konsul zastanawia się przez chwilę.

– Sześć osób plus tragarze.

– A ile macie wozów?

– Siedem, najwyżej dziesięć.

– Zaprzężone w woły?

– Raczej w konie.

– No tak, w końcu jesteście z Ameryki – zauważa administrator, po czym wstaje z fotela. Spotkanie dobiegło końca. – Osiem wozów, ośmiu tragarzy i sześcioro Amerykanów.

– Jest pan dla nas bardzo łaskawy. Dziękuję za pańską wielkoduszność. Jestem panu głęboko wdzięczny.

– Papiery będą gotowe na jutro. Nie musi pan ich odbierać osobiście, może pan kogoś po nie przysłać.

Ryan Martin podaje dłoń urzędnikowi. Nie spodziewał się tego zwycięstwa. Sahin nachyla się w jego stronę.

– Panie konsulu? – mówi, a jego słowa brzmią jak wstęp do pytania.

– Tak?

– Będziecie na siebie uważać, prawda? Nigdy nie wiadomo, na kogo można się natknąć w okolicach Dajr az-Zaur.

Ryan wyczuwa w tonie Turka jakąś niepokojącą nutę, która lekko zakłóca moment triumfu. Lecz stara się na to nie zważać i kiwając głową, zapewnia go, że zachowają czujność.

– Wygląda na to, że znów udało mi się na coś przydać – amerykański konsul mówi wesoło do Elizabeth, przechadzając się po bibliotece, podczas gdy ona wypoczywa na szezlongu przed popołudniowym dyżurem w szpitalu. – Mam dla pani list, panno Elizabeth. Przyszedł dyplomatyczną pocztą z Kairu – oznajmia, wręczając jej kopertę. Gdy Elizabeth dziękuje za list, konsul posyła jej porozumiewawczy uśmiech, po czym wychodzi z biblioteki i idzie do swojego gabinetu.

Elizabeth siada na szezlongu, stawia stopy na dywanie i przez chwilę, pogrążona w niemal całkowitym bezruchu, wpatruje się w swoje imię i nazwisko skreślone ręką Armena. To nie pierwsza wiadomość, którą od niego dostała. Trzy dni temu otrzymała korespondencję nadaną z Jerycha zwykłą pocztą. Jednak dopiero ten list – o czym świadczy stempel pocztowy – wskazuje na to, iż Armen bezpiecznie dotarł do Egiptu. Elizabeth wzdycha, dziękując Bogu, że nie zginął na pustyni. Lecz już po chwili, niczym mała dziewczynka, z entuzjazmem rozrywa kopertę, dając upust swej ogromnej radości spowodowanej faktem, że Armen żyje.

Ale jej szczęście nie trwa zbyt długo. W miarę czytania kolejnych zdań naniesionych na papier grubym ołówkiem dobry nastrój całkowicie się ulatnia.

Z relacji naocznych świadków wynika, że dzieci wciąż jesz-
cze żyły. Starsze zanosiły się płaczem pośród zwłok, młodsze
siedziały całkiem cicho, gdyż były za małe, by zrozumieć, że
dorośli już nigdy nie otworzą oczu. Powiedzieli mi, że na sto-
sie nie było żadnych niemowląt – Talene, tak samo jak inne
noworodki, zmarła wiele dni wcześniej.

Talene. Elizabeth zatrzymuje się na tym imieniu. Wraca do początku akapitu i czyta od nowa. I od nowa. Ale nie tylko to. Wiele
razy przebiega wzrokiem również wcześniejsze i następne zdania.

Chciałem ci powiedzieć o Talene jeszcze w Aleppo. Straciłem
nie tylko Karine, ale i Talene. Naszą maleńką córeczkę.

Elizabeth jest zdruzgotana. Przypomina sobie te wszystkie godziny spędzone z Armenem, nie mogąc przestać myśleć o tym, jak
wielki ciężar przyszło mu dźwigać w pojedynkę. Żałuje, że nic jej
nie powiedział. Wręcz nie może się z tym pogodzić. Jednocześnie
próbuje odtworzyć w swej pamięci momenty, gdy Armen mógł być
bliski wyrzucenia z siebie całego tego bólu po stracie najbliższych.

W korytarzu rozlegają się kroki ojca i dwóch nowo przybyłych lekarzy, więc czym prędzej stara się wziąć w garść. Kładzie list
na kolanach, ociera łzy i próbuje stłumić falę wzbierającego w niej
smutku, nie chcąc, by mężczyźni zastali ją zapłakaną. Wie, że w tej
chwili są pochłonięci inwentaryzowaniem leków – tych przywiezio-
nych z Bostonu i tych zdobytych w Port Saidzie i Kairze – a także
ustalaniem, które z nich powinni zabrać ze sobą do ormiańskiego obozu przesiedleńczego w Dajr az-Zaur. („Nie zapominajcie
o jednym: z tego, co ludzie mówią, określenie *teren przesiedleńczy*
to w najlepszym razie eufemizm" – powiedział pan Martin zeszłego wieczora przy kolacji.)

Wygląda na to, iż znaczną część transportu skradziono gdzieś
pomiędzy Port Saidem i Aleppo, co niezmiernie poirytowało Wil-

liama Forbesa. Patrząc na jego wściekle czerwoną twarz, trudno dociec, czy przyczyną tej czerwieni jest gniew, czy oparzenie słoneczne.

– Jeden z tragarzy stwierdził bezczelnie, że czasami rzeczy po prostu wypadają z ciężarówek – mówi do jej ojca – a czasami całe transporty „przez przypadek" trafiają nie tam, gdzie trzeba. Dajcie spokój. Czy oni mają nas za idiotów?

Kiedy dostrzega Elizabeth, od razu siada obok niej, zupełnie nie zauważając kawałka papieru jej kolanach.

– Widzę, że pani także jest przygnębiona z powodu naszej straty – zwraca się do niej –Ale proszę się tym nie trapić. Wcale nie chciałem pani martwić. Mamy jeszcze wystarczająco dużo żywności i leków, by nasza podróż do Dajr az-Zaur nie okazała się jedną wielką stratą czasu.

Zmieszana Elizabeth kiwa głową. Dużo prościej jest utwierdzać go w przekonaniu, że to właśnie ta kradzież tak bardzo wyprowadziła ją z równowagi, niż powiedzieć mu o morderstwie niemowlęcia, którego nigdy nie widziała, i wytłumaczyć, dlaczego akurat śmierć tego jednego dziecka, pośród tysięcy innych zgonów, tak bardzo nią wstrząsnęła.

Po wyjściu mężczyzn Elizabeth po raz kolejny czyta list od Armena. Radzi jej, żeby odpisała mu do amerykańskiego konsulatu w Kairze, gdzie będą znali jego aktualny adres. Dodaje jednak, że sporo czasu może upłynąć, zanim korespondencja do niego dotrze – nie wyjaśnia co prawda, dlaczego, ale nie musi. Elizabeth doskonale zna przyczynę. Zaciągnął się do do brytyjskiego wojska, tak jak planował od samego początku, i najprawdopodobniej trafił do ANZAC, utworzonej niedawno nowozelandzko-australijskiej armii. Czytała o niej w gazetach po jego wyjeździe z Aleppo. Możliwe, iż razem z innymi Ormianami walczy w „dywizji mieszanej", gdzie, jak donosi jeden z reporterów, oficerowie każdego dnia mają istną wieżę Babel – z tyloma językami i dialektami muszą się borykać. Elizabeth martwi się o Armena i nie chodzi wcale o to, że Hindusi, Australijczycy czy (tak, tak) Ormianie mogą błędnie interpretować rozkazy wydawane w ogniu walki. Oczyma wyobraźni widzi, jak nieszczęsny Armen usiłuje rozszyfrować australijski akcent. Kiedy Amerykanie czy Brytyjczycy mówili do niego po angielsku, nie miał większych problemów ze zrozumieniem. Sęk w tym, że Australijczycy mają swoje językowe dziwactwa.

I choć doskonale wiedziała o jego planach dotyczących wstąpienia do armii, teraz, gdy mu się wreszcie udało, ogarnia ją niepokój. Jak donosił autor jednego z artykułów, żołnierze ANZAC trenowali przeprowadzanie desantu na plaży, ponieważ – co nie było żadną tajemnicą – już wkrótce mieli dołączyć do reszty Brytyjczyków i Francuzów w Gallipoli. Elizabeth przypomina sobie, jak w dzieciństwie biegała po wydmach Cape Cod i ile wysiłku kosztowało ją utrzymanie tempa. Człowiek nie jest w stanie uciec przed ogniem z karabinów maszynowych, a już na pewno nie na plaży. Boi się, że nigdy więcej nie zobaczy Armena.

Dokonując przeglądu długiego szeregu wozów zaprzęgniętych w konie na wschodnim krańcu miasta, Silas Endicott jest całkiem zadowolony z tego, co udało mu się osiągnąć. Karawana liczy dwadzieścia jeden zdrowych, silnych zwierząt i osiem wozów, co świadczy o ciężkiej pracy wykonanej przez niego i Ryana, o prowadzonych przez nich negocjacjach i, nie ma co kryć, o dyskretnie składanych ofertach, które w Bostonie z pewnością nazwano by łapówkami. Jak go zapewniono, drogi, po których będą podróżować na wschód przez pustynię, są na tyle porządne, że powinny wytrzymać ciężar wozów.

Silas i Ryan, dwaj przybysze z Zachodu, przed dłuższą chwilę przyglądają się chłopcom bez koszul, odzianym jedynie w workowate spodnie, którzy ładują na wozy mąkę, cukier, herbatę i lekarstwa. To właśnie potęga Ameryki, myśli Silas, choć zdaje sobie sprawę z tego, że takie samozadowolenie graniczy z arogancją. Ale jak tu nie być dumnym z amerykańskiej siły? Z amerykańskiej pomysłowości? Czyż nie tak wygląda rozwiązywanie problemów, gdy cywilizowany naród zakasuje rękawy i bierze się do pracy? Jutro wyjeżdżają do Dajr az-Zaur. Już nie może się doczekać.

Jako tłumaczka Nevart stanowi dla Elizabeth nieocenioną pomoc, zarówno na ulicach Aleppo, jak i w szpitalu. Co prawda Amerykanka trochę się podszkoliła w tureckim i ormiańskim, lecz nadal w wielu sytuacjach cieszy się, że ma przy sobie Nevart.

Dziś jednak, podczas kolejnego popołudniowego dyżuru, który pełni w szpitalu razem z Elizabeth i dwoma nowymi lekarzami, to nie jej translatorskie czy nauczycielskie umiejętności okazują się przydatne, tylko gotowość do interwencji. Widząc awanturujące się małe bestie, które stanowczo odmawiają drzemki, a do tego dwoje z nich toczy między sobą zacięty bój na podłodze, postanawia wkroczyć do akcji. Chwyta szczupłego wyrostka za nadgarstki i odciąga od jeszcze chudszego chłopca. Obaj mają na sobie koszule i szorty, niegdyś zapewne białe, dziś swym kolorem przypominające raczej barwę ziemi w pobliżu torów, po których jeżdżą bostońskie tramwaje. Bawełna wygląda na ubrudzoną popiołem. Materiał skrywa sterczące kości klatki piersiowej, ale łokcie, co widać gołym okiem, są ostre jak brzytwa. Z powodu głęboko zapadniętych oczodołów ich czoła przypominają skarpy górujące nad pustymi jaskiniami.

Mimo to chłopcy walczą jak dzikie, agresywne koty. Przez kilka ostatnich dni zjedli wystarczająco dużo, by mieć siłę okładać się z impetem i szamotać po podłodze pomiędzy długimi rzędami szpitalnych łóżek. To cud, że nie poprzewracali stołów ani szafki z gazikami i bandażami. Na oko mają z siedem, osiem lat. W zasadzie można ich już odesłać do sierocińca, gdzie z pewnością dalej będą się tłuc na prawo i lewo.

Kiedy Nevart udaje się wreszcie rozdzielić walczących chłopców, staje pomiędzy nimi, tworząc coś na kształt strefy buforowej, i zaczyna mówić po ormiańsku tak szybko i z taką złością, że Elizabeth musi sobie w głowie powtórzyć każde usłyszane zdanie, żeby wyłowić sens całej tej połajanki. W pewnej chwili, choć skupia się przede wszystkim na tłumaczeniu, kątem oka dostrzega innego chłopca, który siada na łóżku i podnosi rękę, trzymając w niej szklankę wody. Choć ma zaledwie trzy, najwyżej cztery lata, na jego ustach pojawia się szatański uśmiech. – Nie! – rozkazującym tonem woła Elizabeth, ale jest już za późno. Dzieciak z całych sił ciska szklankę, celując w Nevart, a może w chłopców – Elizabeth nie jest w stanie tego ocenić. Instynktownie rzuca się przed siebie z wyciągniętą ręką, by odbić ją dalej, niczym piłkę, chroniąc przed ciosem przyjaciółkę i stojące obok niej dzieci. Ale w wyniku uderzenia szklanka, zamiast polecieć do góry, ląduje na ziemi i roztrzaskuje się o jej prawą stopę. Długi odłamek szkła niczym sztylet przebija domowy pantofel w kolorze lawendy. Na sali, gdzie jeszcze przed chwilą panował straszny hałas, zapada absolutna cisza. Elizabeth powoli klęka i przygląda się trójkątnemu odpryskowi wbitemu w stopę. Gdy go wyciąga, na materiale pojawia się cienka strużka krwi, a nie fontanna, której można się było spodziewać. Zdejmuje pantofel i widzi, że biała pończocha zdążyła przesiąknąć krwią. Ten widok przywodzi jej na myśl obrus stołowy uwalany winem z przewróconego niechcący kieliszka. Plama powiększa się na jej oczach.

Nevart klęka obok niej, próbując ją jakoś rozweselić.

– W sierocińcu jest jeszcze gorzej – mówi. – Kiedy dzieci tam trafiają, są już wystarczająco silne, by zachowywać się jak prawdziwi barbarzyńcy. – Zdecydowanym gestem dłoni nakazuje chłopcom, żeby wrócili do łóżek. Dzieci, przerażone faktem, że zrobiły krzywdę dorosłej osobie, posłusznie wykonują polecenie. Chłopiec, który rzucił szklanką, kuli się pod pościelą i wciska twarz w poduszkę.

– Jutro jedziemy do Dajr az-Zaur – oznajmia Elizabeth beznamiętnym tonem, gdy Nevart pomaga jej zsunąć pończochę, by odsłonić stopę i sprawdzić głębokość rany. Na korytarzu jedna z zakonnic woła doktora Akcama. Elizabeth przygryza wargę, z całych sił próbując powstrzymać napływające jej do oczu łzy.

***

– Uważam, że nie powinna pani nigdzie jechać – mówi dr Akcam, przyglądając się odłamkowi szkła, który trzyma pęsetą. Elizabeth siedzi na łóżku na kółkach pod jedyną salą operacyjną, jaką dysponuje szpital. – Istnieje ryzyko zakażenia, a jeśli coś się stanie, w pobliżu nie będzie nikogo, kto mógłby pani pomóc. Poza tym powinna pani oszczędzać nogę.

Elizabeth spogląda na stojącego za tureckim lekarzem Williama Forbesa. Doskonale wie, co za chwilę od niego usłyszy. W głębi duszy odczuwa ulgę, a jednocześnie ogarnia ją wściekłość.

– Nic nie będzie pannie Endicott – stwierdza Forbes i to właśnie ten fragment jego wypowiedzi stanowi niejakie pocieszenie. Amerykanin zacznie teraz przekonywać wszystkich w jej imieniu, ponieważ chce mieć pewność, że Elizabeth weźmie udział w wyprawie na pustynię. Dopiero to, co dodaje po chwili, odbiera jako przejaw czystej arogancji. – W końcu będę obok – mówi Forbes – i w razie potrzeby się nią zaopiekuję. I dopilnuję, żeby oszczędzała nogę przez całą podróż do obozu.

– Przez ostatnie cztery i pół roku sama się o siebie troszczyłam i wydaje mi się, że całkiem nieźle mi to wychodziło – rzuca w odpowiedzi. – Ale doceniam pańskie... zaangażowanie.

Forbes zdaje się nie dostrzegać podtekstu jej wypowiedzi.

– Mówiłem tylko i wyłącznie z punktu widzenia lekarza – oznajmia, szczerząc do niej zęby w uśmiechu, który pasuje raczej do młodego chłopaka niż do mężczyzny po trzydziestce.

Akcam kiwa głową.

– Może zamartwiam się na wyrost. Może faktycznie nic złego się nie stanie. Podróż do Dajr az-Zaur zajmie wam pięć, góra sześć dni. Panna Endicott będzie siedzieć w powozie, a w tym czasie noga będzie się goić.

– Nie, nie w powozie. Mamy do dyspozycji bardziej prymitywny pojazd. Widziałem, co dla nas zorganizował Silas. Będziemy jechać furmanką. Wozem przeznaczonym do transportu zaopatrzenia. – Z tonu, jakim to mówi, Elizabeth wnioskuje, że Forbes chełpi się tym, jak prymitywnym warunkom musi stawić czoła.

– Tak czy owak, przynajmniej będzie siedzieć – stwierdza Akcam.

– A ja już się postaram o to, żeby żadna krzywda nie stała się tej ślicznej, małej stópce.

– To brzmi, jakbyście się wybierali na jakąś wycieczkę krajoznawczą – mówi Akcam do swojego amerykańskiego kolegi po fachu.

– Wcale nie. Doskonale zdaję sobie sprawę z tego, dokąd jedziemy.

Turek delikatnie umieszcza jej stopę w miednicy z mydlinami. Elizabeth się wzdraga, czując ukłucie. – Pozwoli pani, że zacytuję Koran – zwraca się do swojej pacjentki, próbując w ten sposób odwrócić jej uwagę od bólu, który odczuwa podczas oczyszczania rany.

Orhan siedzi w cieniu nieopodal dworca wraz z dwoma żandarmami, którzy są młodsi od niego o rok i którzy, jak się okazuje, pochodzą z wioski leżącej obok miasteczka, gdzie się wychowywał. Wszyscy trzej ze swoich rodzinnych domów mieli całkiem niedaleko do Ankary – najwyżej trzy godziny jazdy na grzbiecie konia. Żandarmi przybyli do Aleppo z nowym transportem deportowanych, liczącym jakieś dwieście pięćdziesiąt kobiet i dzieci.

– W tym mieście aż się roi od Ormian – zauważa jeden z nich.

– Jest ich tu chyba więcej niż Syryjczyków.

– I Turków.

– Mieliście ciężką drogę? – pyta Orhan.

Żandarm wzrusza ramionami.

– Długą – odpowiada wreszcie. – Lepiej opowiedz nam o wojsku.

– Ale dlaczego?

– Bo to dużo ciekawsze. Gdzie stacjonowałeś, zanim trafiłeś do Aleppo?

– Nigdzie. To mój pierwszy posterunek – przyznaje Orhan, ale od razu mówi im o swoim bracie i kuzynie, którzy oddali życie za imperium. Gdy kończy opowiadać o rodzinie, pyta: – Czemu nie chcecie rozmawiać o marszu?

– Bo nie ma o czym mówić. Prowadzisz ich i grzebiesz zwłoki. Dostaliśmy rozkazy i mieliśmy konkretny harmonogram działań. Podczas takiego marszu człowiekowi zawsze jest za gorąco, ciągle jest głodny i spragniony. To praca dla wieśniaków, a nie dla prawdziwych żołnierzy.

– Ale jednego się dowiedzieliśmy – wtrąca drugi tajemniczym tonem.

– Czego?

– Byliśmy ciekawi, ile Ormianek da się zastrzelić jedną kulą – przerywa na moment, po czym podejmuje wątek: – Jak brzmi odpowiedź? Jeśli ściągnie się z nich ubrania i ustawi jedna za drugą, cyckami do pleców, można jednym strzałem zabić dziesięć. Ale do tego potrzeba porządnego karabinu.

Orhan próbuje ukryć odrazę zmieszaną z przerażeniem. Czuje, że ujawnienie tych emocji byłoby niemęskie. Zamiast tego usiłuje ułożyć w głowie pytanie nurtujące go od pierwszej chwili, gdy poznał swoich towarzyszy. Jednak nie potrafi dobrać odpowiednich słów.

– Czy poznaliście jakieś dziewczyny, które… – przerywa, nie mając ochoty kończyć zdania.

– Które co?

Orhan słyszał historie o tym, jak żandarmi sypiają z każdą dziewczyną, jaka tylko wpadnie im w oko. Czasami na odcinku pomiędzy Adaną i Aleppo wpada im w oko pięć albo i sześć takich dziewic.

– Które co? – dopytuje dalej żandarm, ale jego przyjaciel już wie, co Orhan ma na myśli, i zaczyna z niego szydzić.

– Orhan chciałby się dowiedzieć, czy poznaliśmy jakieś dziewczyny, które warto przerżnąć – wyjaśnia drwiąco. Z dezaprobatą kręci głową i marszczy nos, chcąc w ten sposób wyrazić głębokie obrzydzenie. – Kurdowie wybrali sobie niektóre z nich. Te najładniejsze. Ale to było na samym początku.

– Pewien młody mężczyzna udawał kobietę – wtrąca jego towarzysz. – Prawdziwy ormiański pies. Zdjęliśmy więc obrożę jednemu owczarkowi i kazaliśmy mu ją założyć. To była taka obroża z kolcami na zewnątrz, żeby wilk nie mógł wgryźć się w szyję psa.

– Kim był ten człowiek? – drąży Orhan. W konwojach rzadko spotyka się młodych mężczyzn. Może księdzem, bankierem albo jakimś ważnym urzędnikiem państwowym, zastanawia się Turek. I może dlatego bali się go zabić, zanim wyruszyli na pustynię.

– Mówiłem ci, zwykłym psem. Udawał kobietę. Wśród deportowanych była jego żona. I maleńka córeczka.

– Aha, to znaczy, że chciał je chronić – mówi Orhan.

– Nie, to znaczy, że był psem. Tchórzem – upiera się żandarm. Po chwili wybucha śmiechem, dodając: – Rozebraliśmy go i kazaliśmy mu iść na czworakach. Próbował dotrzymać nam tempa mniej więcej przez godzinę.

– A potem?

– Kiedy już nie dawał rady, zrobiliśmy to, co każdy zrobiłby z bezużytecznym psem. Zdjęliśmy mu obrożę i zastrzeliliśmy go.

Drugi żandarm wyciąga z plecaka kostkę białego sera. Przez moment bacznie jej się przygląda, po czym w całości pakuje ją sobie do ust. Następnie, niemal refleksyjnym tonem, oznajmia:

– Ale przed tym jeszcze zerżnęliśmy jego żonę. Wszyscy ją zerżnęliśmy. I to właśnie wtedy, ten jeden jedyny raz, zachował się jak na prawdziwego psa przystało. Mówię ci, jak on wył. Ale zazwyczaj nie pieprzyliśmy kobiet. Były brudne, cuchnęły i często zdychały, jeszcze zanim zdążyliśmy się do nich dobrać. Wszystkie miały biegunkę. Poza tym byliśmy zbyt zajęci kopaniem grobów czy paleniem zwłok, żeby mieć czas na rżnięcie.

Orhan przypomina sobie zarekwirowane Niemcom płytki fotograficzne, które wciąż leżą w koszarach pod jego łóżkiem. Myśli o odrażającym stanie kobiet trafiających do Aleppo. Żandarm ma absolutną rację. Co on sobie wyobrażał?

***

169

Teoretycznie Ryan zdawał sobie sprawę z tego, jakich widoków mogą się spodziewać na pustyni. Mimo to trzeciego dnia podróży padł na kolana i zaczął wymiotować na poboczu piaszczystej drogi. Ich długi konwój z pomocą humanitarną zatrzymał się przed niewielkim dębowym zagajnikiem tworzącym coś na kształt oazy. Z gałęzi drzew, powieszone za nogi, zwisały bezgłowe zwłoki kilku kobiet. Od pasa w górę większość ciała wyszarpały dzikie psy, które do samych kości obgryzły także ramiona dwóch trupów. Następnego dnia w cieniu jednego z ostańców, co jakiś czas wyrastających ni stąd, ni zowąd na tym odcinku pustyni, dostrzegli niewielkie stosy glinianych mis, popękanych dzbanów, drewnianych przyborów kuchennych i – co nie wróżyło zbyt dobrze – paszportów. Tonem nieznoszącym sprzeciwu Ryan zarządził, by zabrali dokumenty na wypadek, gdyby ciała ich właścicieli nigdy nie zostały odnalezione, po czym znów – choć sam nie bardzo rozumiał, dlaczego – dostał torsji.

Za każdym razem, gdy wymiotował, jego męskie ego bardzo na tym cierpiało. Zwłaszcza że wcześniej opowiadał na prawo i lewo o swoich żołnierskich doświadczeniach w wojnie amerykańsko-hiszpańskiej, przez co teraz, przynajmniej w jego własnym odczuciu, prezentował się jeszcze bardziej żałośnie. Ale nawet na polu bitwy nie widział czegoś takiego jak zwłoki tych kobiet. Elizabeth, która przez większość podróży siedziała w jednym z wozów z nogą podniesioną do góry, podeszła do niego, powłócząc zabandażowaną stopą, i położyła ręce na jego ramionach, gdy próbował odzyskać resztki godności i pewności siebie. Nie był zachwycony, że ona widzi go w takim stanie. Prawdę powiedziawszy, w ogóle mu się to nie podobało. Alicia Wells to co innego. Jako misjonarka najeździła się po świecie i widziała mężczyzn w dużo gorszym stanie. Poza tym obchodziła ją tylko praca – była skupiona, zaangażowana i niezależna. A jeśli miał być ze sobą całkiem szczery, to przyczyna, dla której obecność Alicii podczas tych kompromitujących zajść nie wprawiała go w takie zakłopotanie, była bardzo prosta: nawet w najmniejszym stopniu nie wydawała mu się atrakcyjną kobietą. Traktował ją raczej jak siostrę, na której zawsze można polegać.

Teraz, gdy w rozciągającej się przed nimi dolinie widać już prowizoryczne namioty i sklecone naprędce ogrodzenie obozu Dajr az--Zaur, Ryan odwraca się do Silasa Endicotta i mówi:

– Wiem, że już kilka razy o tym wspominałem, ale pozwolisz, że powtórzę to raz jeszcze. Oczywiście twoja organizacja obdarowała nas bardzo hojnie, ale nawet gdybyśmy nie stracili części towaru na trasie z Kairu do Aleppo, to i tak przeznaczona dla uchodźców żywność stanowiłaby zaledwie kroplę w morzu potrzeb. Jeśli przekroczysz bramę obozu z tą świadomością, czeka cię znacznie mniejsze rozczarowanie w chwili, gdy będziesz stamtąd odjeżdżać. My po prostu – konsul przerywa na moment, szukając odpowiednich słów, lecz w końcu się poddaje i mówi bez ogródek – próbujemy zyskać na czasie. Może uda nam się przedłużyć im życie o kilka dni.

Endicott opuszcza niżej rondo kapelusza, kiwając głową. Nawet teraz, po pięciu dniach podróży, gdy Aleppo zostało za nimi daleko w tyle, wciąż ma na szyi krawat.

– Nigdy nie lubiłem określenia „zyskać na czasie" – mówi do konsula.

– Nie?

– Jako bankier zawsze staram się pamiętać, że akurat czasu nie da się ani zyskać, ani stracić. I choć, jak zapewne dowodziliby myśliciele i uczeni, to tylko figura retoryczna, ja sam głęboko wierzę w to, iż mamy na ziemi dokładnie tyle czasu, ile zostało nam przydzielone, ani dnia więcej, ani dnia mniej. I tak naprawdę w żaden sposób nie jesteśmy w stanie tego kontrolować.

– Czyżbym cię obraził, Silasie?

– Nie, ale na twoim miejscu wyrażałbym się bardziej precyzyjnie.

– Tak? No to co byś powiedział?

Silas spogląda na swoją córkę. Elizabeth uśmiecha się do niego, po czym przenosi wzrok na konsula, któremu również posyła uśmiech.

– Powiedziałbym tylko, że ratujemy ludziom życie – odpowiada Endicott. – Oczywiście nie ocalimy wszystkich. Zdaję sobie z tego sprawę. Ale przynajmniej niektórych.

Ryan nie mówi już nic więcej, bo przecież na środku pustyni nie ma sensu tracić energii na wykłócanie się o semantykę. Poza tym – co do tego nie ma żadnych wątpliwości – Endicott wcale tak nie myśli. Ten zamożny bankier jest głęboko przekonany o tym, że jego pełne wozy diametralnie odmienią los uchodźców. Zawsze stawia na swoim i osiąga cele, jakie sam sobie wyznacza. Ale w tej chwili spór o opozycję „kilku – wielu" przestaje mieć znaczenie. Wkrótce Silas Endicott na własne oczy zobaczy, że nakarmienie setek tysięcy osób w wyschniętej na wiór krainie Dajr az-Zaur jest po prostu niemożliwe. Problem stanowi już samo znalezienie wystarczającej ilości czystej wody potrzebnej do przerobienia całej tej mąki na chleb.

– Czy to ten obóz? – pyta go Elizabeth, wychylając się nieznacznie do przodu i smukłym palcem wskazując w kierunku namiotów.

– Tak. Turcy zbudowali coś w rodzaju zagród, w jakich trzyma się bydło na farmach – odpowiada konsul, odwracając do niej głowę.

– Ale to ogrodzenie zupełnie nie ma sensu. Ani nie powstrzymuje Ormian przed wychodzeniem na zewnątrz, ani nie broni dostępu obcym. Poza tym dokąd tu można pójść? Zwłaszcza jeśli mówimy o schorowanych, przymierających głodem ludziach. – Ryan przypomina sobie pierwszy dzień pobytu Elizabeth w Aleppo. Pamięta, jak upał zmusił ją, by przysiadła na schodach. Chwilę później ten zakątek Imperium Osmańskiego zaserwował jej pierwszą próbkę rozgrywającego się tu horroru: kolejny transport nagich, na wpół żywych Ormianek. A dziś? Dziś Elizabeth jest weteranką. Konsul dochodzi do wniosku, że być może uodporniła się bardziej niż on, zwłaszcza gdy pomyśli o tym, z jakim spokojem zareagowała na widok zwisających z gałęzi ludzkich ciał, którym pozwolono się wykrwawić, jakby to były dzikie zwierzęta. Sarny. Indyki. Łosie.

– Nie mogę uwierzyć, że wybrali akurat takie miejsce. Przecież to nie ma sensu – zauważa Elizabeth, po czym nagle ściska konsula za ramię. W tym samym momencie William Forbes, który jedzie w wozie za nimi, krzyczy na całe gardło:

– Ryan, Silas! Spójrzcie tam, na północ!

Zza stromego wzgórza po lewej stronie wyłania się grupa jeźdźców, którzy pędzą w ich kierunku. Dudniące kopytami o ziemię konie wzbijają tumany kurzu, pozostawiając za sobą brązową chmurę pyłu. Jadący na czele kolumny Syryjczyk, od którego Silas i konsul wynajęli konie, zatrzymuje wozy. Ryan odruchowo sięga do wewnętrznej kieszeni marynarki po dokumenty zezwalające im na wjazd do obozu.

Kiedy jeźdźcy są już blisko, zauważa wśród nich kilku tureckich żołnierzy, a reszta to uzbrojeni po zęby żandarmi. Mężczyźni, którzy nie mają na sobie mundurów, sprawiają dużo groźniejsze wrażenie, ponieważ ich ramiona i klatki piersiowe oplatają, niczym szarfy, szerokie bandoliery z amunicją. Ryan doliczył się jedenastu osób: prawie sami dwudziesto- i trzydziestoparoletni mężczyźni, z wyjątkiem kilku nastolatków.

Dowódca grupy, turecki porucznik, ma szorstką, chropowatą skórę, a wąsy okalające usta sprawiają wrażenie, jakby nieco oklapły w tym upale. Objeżdża karawanę w tę i z powrotem, aż wreszcie zatrzymuje się przed wozem, w którym siedzi amerykański konsul i Endicottowie.

Jego spojrzenie – czego raczej nikt się nie spodziewał – pełne jest melancholii. Przez chwilę wpatruje się w całą trójkę oraz w tragarza pełniącego rolę woźnicy, po czym pyta go, czy ktoś inny oprócz niego mówi po turecku. Jednak Ryan nie daje mu dojść do głosu, natychmiast informując wojskowego, że dobrze zna język turecki.

Porucznik siedzi wyprostowany w siodle z rękoma swobodnie opartymi na łęku. Jako jedyny z całej grupy nie ma karabinu. Za to w jego czarnej, skórzanej kaburze tkwi niemiecki luger. Pozostali żołnierze i żandarmi również zatrzymują swoje konie i ustawiają się za nim półkolem. Ich lubieżne spojrzenia – tak przynajmniej określiłby je Ryan – błądzą pomiędzy pokaźnymi workami z żywnością a Elizabeth Endicott.

– Effendi – porucznik zwraca się do konsula, lecz choć posługuje się zwrotem wyrażającym szacunek, w jego tonie nie ma ani krzty uprzejmości. – Przebył pan długą drogę, żeby tu dotrzeć – mówi powoli. Pomimo cienia życzliwości, jaki można dostrzec w jego spojrzeniu, w wypowiadanych przez niego słowach czai się jakaś groźba.

– Nazywam się Ryan Donald Martin i pełnię funkcję amerykańskiego konsula w Aleppo – przedstawia się konsul, próbując zrewanżować się porucznikowi miłym, aczkolwiek stanowczym tonem. – Jesteśmy Amerykanami. Mamy pozwolenie na transport żywności i leków do Dajr az-Zaur. – Nie chcąc jednak, by ta krótka wypowiedź zabrzmiała zbyt arogancko, dodaje: – Pragniemy w ten sposób wesprzeć władze w niesieniu pomocy przesiedlonym.

Porucznik przenosi wzrok na Elizabeth. Ryan zastanawia się przez moment, czy nie lepiej by na tym wyszli, gdyby zignorowali zakaz i zabrali ze sobą broń. Z drugiej strony, oczywiście poza tragarzami, ma w swojej drużynie bankiera, misjonarkę, dwóch lekarzy i absolwentkę Mount Holyoke, która ukończyła w Bostonie przyspieszony kurs pielęgniarstwa – jednym słowem, niezbyt profesjonalny oddział bojowy, zarówno jeśli chodzi o przeszkolenie, jak i samego ducha walki. W tej sytuacji nie pomógłby im żaden pistolet ani karabin myśliwski.

Siedzący obok niego Silas bacznie przygląda się jeźdźcom. Ryan widzi, jak wzbiera w nim wściekłość, która wszystkimi porami skóry niemal wylewa się na zewnątrz. Postanawia natychmiast wkroczyć do akcji, aby jakoś dyplomatycznie wybrnąć z tego impasu, zanim dumny bostoński bakier palnie jakąś głupotę, czym niepotrzebnie pogorszy i tak już napiętą sytuację. Obawia się co prawda, że Endicottowie odbiorą jego dyplomatyczne gierki jako przejaw zniewieścienia, lecz mimo to szybko podejmuje przerwany wątek:

– Chce pan zobaczyć nasze dokumenty, poruczniku? Mam je przy sobie.

– Dokumenty? Paszporty? Czemu nie? Proszę mi je pokazać – mówi Turek, po raz kolejny robiąc złowrogie pauzy pomiędzy każdym słowem. Słysząc odpowiedź swojego dowódcy, żołnierze zaczynają chichotać, co jeszcze bardziej wytrąca konsula z równowagi. Dlatego zwleka z przekazaniem porucznikowi papierów i daje znak Silasowi, by ten również wstrzymał się z okazaniem swojego paszportu.

– Czy mogę wiedzieć, jak się pan nazywa?

– Hasan Sabri – odpowiada Turek, schylając głowę w nieznacznym ukłonie. – Do pańskich usług. – Stojący za nim żandarm znów wybucha śmiechem. Ryan powstrzymuje się przed zadaniem mu pytania, co go tak śmieszy. Wprawdzie nie sądzi, aby zamierzali dokonać rzezi na sześciu Amerykanach i ośmiu syryjskich tragarzach, niemniej jednak w każdej chwili mogą zarekwirować leki i żywność. Poza tym wiezie ze sobą dwie kobiety, a jeśli ci mężczyźni rzeczywiście są renegatami tudzież recydywistami, honor Elizabeth i Alicii jest zagrożony.

Sabri zsiada z konia i oddaje lejce stojącemu za nim żandarmowi. Następnie podchodzi do wozu i zwraca się do konsula, a w jego wypowiedzi znów pojawiają się złowieszcze pauzy.

– A więc, Ryanie Donaldzie Martinie, niech mi pan pokaże to pozwolenie.

– Oczywiście. Proszę bardzo – konsul podaje mu dokumenty, wyjaśniając, że zostali upoważnieni do dostarczenia żywności na teren obozu w Dajr az-Zaur. Sabri pobieżnie przegląda dokument wydany przez gubernatora generalnego, po czym powoli drze go na strzępy i rzuca je do góry. Lekki wiatr porywa kawałki papieru, które przez chwilę wirują w powietrzu, a potem lądują na ziemi obok końskich kopyt i jednego z przednich kół wozu.

W Aleppo Nevart błąka się pomiędzy straganami na bazarze. Niektóre stoiska są całkiem puste, na innych leży zaledwie kilka worków albo do połowy opróżnionych skrzynek z gnijącymi pomarańczami i cuchnącym mięsem. Próbuje jakoś się uspokoić, wytłumaczyć samej sobie, że nie ma się czym martwić. Ale wszystko to na nic, cała trzęsie się z nerwów. No bo jak tu się nie denerwować? Hatoun po raz kolejny bez słowa wyszła z ośrodka i gdzieś przepadła. I akurat dzisiaj nie ma nikogo, kto mógłby pomóc w poszukiwaniach małej. Od kilku dni wszyscy są daleko na pustyni. Do tej pory, za każdym razem, gdy dziewczynka znikała, ignorując zakazy Nevart, nic złego jej się nie działo. Zawsze sama wracała, i to na długo przed zapadnięciem zmroku – na długo przed kolacją. Nigdy jednak nie powiedziała, gdzie chodzi i co robi, bo to wymagałoby dłuższej rozmowy, na którą Hatoun zupełnie nie ma ochoty.

Nevart sobie przypomina, kiedy widziała ją po raz ostatni. To było jakoś przed południem, gdy szykowała dla nich obydwu przekąskę. Nakładając na tacę ser i owoce, już któryś raz z rzędu nie mogła się nadziwić, że wszystkiego mają tu pod dostatkiem. Mieszkającym w ośrodku Amerykanom nigdy niczego nie brakuje. W przeszłości ona sama traktowała takie jedzenie jako coś absolutnie oczywistego. Ale to było kiedyś. W tym czasie Hatoun siedziała na dziedzińcu w cieniu palmy ze swoją tabliczką i kawałkiem kredy. Nevart powiedziała jej – zresztą powtarzała jej to codziennie – żeby nie wychodziła sama z ośrodka. Nigdy. Hatoun skinęła głową, sprawiając wrażenie posłusznego dziecka. Tyle tylko, że ona zawsze kiwa głową, sprawiając wrażenie posłusznego dziecka, po czym znika jak pustynny płaskowyż ginący w odmętach burzy piaskowej – w jednej chwili wznosi się w całej swej okazałości, w drugiej już go nie ma. Przed wyjściem do miasta Nevart przeszukała wszystkie pokoje, sypialnie i gabinety, ale nigdzie jej nie znalazła. Najwyraźniej znów wybrała się na jedną z tych swoich tajemniczych eskapad i pewnie gdzieś wędruje po zaułkach i bocznych uliczkach Aleppo.

Kiedy wychodziła, dostrzegła pod drzewem tabliczkę i kredę. Patrząc na porzucone pod palmą przedmioty, wyobraziła sobie rozbitka na bezludnej wyspie.

Teraz, kiedy biega jak oszalała po ulicach Aleppo, usilnie wypatrując Hatoun, przeklina samą siebie. Kompletnie nie nadaje się na matkę. Nie ma bladego pojęcia, co robić. Nie zasługuje na to dziecko i, co ważniejsze, to dziecko zasługuje na kogoś lepszego niż ona.

– Ten list faktycznie wyglądał na bardzo oficjalny – stwierdza turecki porucznik, zwracając się do Ryana. Następnie podchodzi do wozu wypełnionego workami mąki i każe tragarzowi, który siedzi z przodu, zejść na ziemię. Gdy ten się waha, spoglądając wyczekująco na konsula, dwóch stojących za Sabrim żołnierzy zdejmuje z ramion karabiny i odbezpiecza je.

– Naprawdę nie ma potrzeby – mówi Ryan. – Z pewnością...

– Z pewnością zdajecie sobie sprawę, że będziemy musieli zarekwirować wasze wozy. Jakiś czas temu bandyci przejęli cały wagon z prowiantem dla wojska. Przypadek? Nie sądzę. Czcigodny Farhat Sahin osobiście kazał mi rozglądać się za skradzionymi towarami.

– Dobrze pan wie, że nie okradliśmy armii imperium – odpowiada konsul, z wielkim trudem usiłując zachować spokój. – Cała ta żywność została kupiona za pieniądze zebrane przez Amerykanów, którzy w ten sposób chcą ulżyć w cierpieniach... – przerywa w pół słowa, bo wie, że zaraz powie coś, czego będzie żałował.

– Proszę kontynuować – mówi Sabri. – Komu ci Amerykanie tak bardzo chcą ulżyć w cierpieniach?

Za ich plecami wszyscy woźnice zeskakują na ziemię i każdy staje przed swoim wozem. Forbes, Pettigrew i Alicia Wells także opuszczają swoje miejsca i schodzą na jasnobrązowy piasek. Dopiero w tym momencie do konsula dociera, co tak naprawdę porucznik miał na myśli, mówiąc o bandytach. I już wie, że sprawa jest przegrana. Turek bezpośrednio kontaktował się z Farhatem Sahinem – administratorem Aleppo, który wydał im „zezwolenia". To wszystko od początku było ukartowane – nigdy nie mieli dotrzeć z pomocą humanitarną do ormiańskiego obozu. Ci ludzie zamierzają ich okraść. Zabiorą całą żywność, wszystkie lekarstwa i bandaże. Jeśli Amerykanie będą mieli szczęście, żołnierze i żandarmi zostawią im jeden wóz i kilka koni, żeby mogli dowlec się z powrotem do Aleppo. Jedyne, co może w tej sytuacji zrobić, to postarać się, aby jego ludziom nie stała się żadna krzywda. A to oznacza pokorę i uległość. Konsul jest tak wściekły na Sahina, że do oczu napływają mu łzy. Po raz kolejny zwraca wzrok w stronę obozu, który majaczy na horyzoncie za zasłoną falującego od upału powietrza. Z tej odległości nie sprawia wrażenia niegościnnego, złowrogiego miejsca. Ale Ryan wie, że to tylko iluzja.

Nagle czuje, że Elizabeth Endicott znów kładzie dłoń na jego ramieniu. Jej palce układają się niemal tak samo jak przed kilkoma minutami, gdy dostrzegła grupę jeźdźców pędzących w ich kierunku przez pustynię. Jednak tym razem jego ramię służy jej jako punkt oparcia, kiedy próbuje wstać z miejsca. W pierwszej chwili wygląda na to, że też chce zejść z wozu, lecz w tym momencie Elizabeth wypowiada słowa, które wprawiają go w osłupienie.

– Allach o każdej rzeczy jest Wszechwiedzący – jej oczy płoną, ale głos ma bardzo spokojny.

Porucznik skupia na niej całą uwagę.

– Widzę, że mamy jeszcze jedną osobę, która potrafi coś powiedzieć po turecku – zauważa. – Kobietę, która postanowiła właśnie zaryzykować, bluźniąc przeciwko Allachowi.

– Powiedz im, że nie miała nic złego na myśli – Silas zwraca się do Ryana ponaglającym tonem, po czym podnosi wzrok na córkę i każe jej z powrotem usiąść.

Ale ona ignoruje polecenie ojca. Rzuca spojrzenie konsulowi i potrząsa głową. Ryan ma wrażenie, że cały świat zamilkł – cały z wyjątkiem Elizabeth Endicott. Zarówno żandarmi i żołnierze, jak i jego towarzysze podróży w skupieniu wpatrują się w kobietę, nie mając pojęcia, jaki będzie finał.

– Pytany o jałmużnę, Allach odpowiada, by rozdawać to, co jest zbyteczne – stwierdza Elizabeth.

– Skąd ktoś taki jak ty, dziewczyna z Ameryki, zna Koran? – pyta zdumiony Turek.

– W szpitalu w Aleppo pracuje lekarz, który jest muzułmaninem – odpowiada, uniżenie uśmiechając się do porucznika. W tym samym momencie dociera do niej, że całe jej dotychczasowe życie było jedynie przygotowaniem do tej chwili. *Niechaj ogarnie mnie strach, ale niechaj się nie cofnę*, modli się w duchu. *I niechaj mój głos nie zadrży.* – Wierzy, że pewnego dnia sprawiedliwy Bóg ukarze niegodziwców, którzy mordują dzieci.

Jeden z żandarmów, przysadzisty nastolatek o okrągłej, niemal chłopięcej twarzy, krzyczy w jej stronę:

– A powiedział ci ten twój doktor, co sprawiedliwy Bóg myśli na temat zabijania dorosłych innowierców?

Porucznik ucisza go spojrzeniem, po czym zwraca się do Elizabeth:

– Mówisz, że ten lekarz to muzułmanin?

– Tak.

– Który zapewne pomaga ormiańskim dzieciom?

– Pomaga każdemu, kto trafi do szpitala: chrześcijanom i muzułmanom, dorosłym i dzieciom – odpowiada Elizabeth. – Tak samo jak pan, wykonuje swoją pracę najlepiej, jak potrafi.

Porucznik omiata wzrokiem karawanę, Amerykanów i tragarzy, którzy czekają w napięciu obok swoich wozów.

Ryan czuje, że musi coś powiedzieć, zwłaszcza po tak elokwentnym przemówieniu Elizabeth.

– Przybywamy z misją charytatywną, by wesprzeć tamtych obywateli Imperium Osmańskiego – mówi, wykonując gest w kierunku obozu. – Jesteśmy z neutralnego państwa i pragniemy jedynie uśmierzyć ból cierpiących cywilów. Dlatego nalegam, by pozwolił nam pan kontynuować naszą misję.

Porucznik przygląda mu się przez dłuższą chwilę. Spojrzenie jego oczu jest nieprzeniknione. Ryan się obawia, że pozwolił, by jego wybujałe ego – pragnienie, aby nie okazać słabości przed Elizabeth Endicott i jej ojcem – odebrało mu zdolność jasnego myślenia. Wreszcie Turek ledwie zauważalnie kiwa głową, bardziej do siebie niż do reszty towarzystwa, i oznajmia:

– Weźmiemy połowę transportu. Moi żołnierze również są obywatelami Imperium Osmańskiego. To, co zostanie, możecie zawieźć Ormianom. – Następnie rozkazuje swoim podwładnym, by dokonali konfiskaty czterech ostatnich wozów.

Konsul już chce zaprotestować, ale Silas klepie go po udzie, kręcąc przy tym głową.

– Daj spokój, Ryan. Zrobiliśmy, co w naszej mocy – zapewnia go, po czym ociera pot z czoła i głęboko wzdycha.

Stojąca za nimi Elizabeth mówi coś i z powrotem siada na miejsce. Konsul, który nie dosłyszał, co powiedziała, odwraca się i patrzy na nią pytająco. Elizabeth powtarza wypowiedziane przed chwilą słowa, lecz i tym razem jej głos jest tak cichy, że konsul ledwie ją rozumie.

– *Selam alekum* – szepcze Elizabeth. Pokój z wami. Ryan widzi, jak cała drży.

W amerykańskim ośrodku Hatoun zapadła w głęboki sen. Leżąca obok niej Nevart zastanawia się, czy dziewczynka o czymś śni. Oddycha spokojnie i miarowo. W nocnym powietrzu czuć lekką wilgoć. Pomimo osłaniającej łóżko moskitiery Nevart dostrzega świecące na niebie gwiazdy.

Jak zwykle nie dowiedziała się od Hatoun, gdzie się podziewała i co robiła przez większość dnia. Dziewczynka nie była zbyt skora do rozmowy. Tym razem pojawiła się w ośrodku około wpół do czwartej, chwilę po powrocie Nevart. Widząc przerażenie i bezsilną złość swojej opiekunki, Hatoun okazała raczej ciekawość niż skruchę. I oczywiście nie odezwała się przy tym prawie ani słowem. Nevart miała ochotę nią potrząsnąć. Chciała na nią nawrzeszczeć. Wyobrażała sobie, jak krzyczy: *Powiedz coś wreszcie! Błagam cię, porozmawiaj ze mną!* A jednak się powstrzymała. Doskonale zdaje sobie sprawę z tego, przez jakie piekło przeszła Hatoun – co widziała i ile musiała znieść. Wie, że powinna ją zdyscyplinować, ale zupełnie nie ma pojęcia, jak się do tego zabrać, od czego zacząć. Poza tym nie wyobraża sobie, jak można ukarać dziecko tak bardzo doświadczone przez los. W każdym razie ona na pewno nie jest do tego zdolna. I wcale nie ma ochoty tego robić.

Obawia się jednak, że inne kobiety – prawdziwe matki – dokładnie wiedziałyby, jak sobie z nią poradzić. Jak dotrzeć do tej dziwnej dziewczynki. Nevart nie może zasnąć, przygnieciona dojmującym poczuciem porażki i braku własnej wartości. Usiłuje sama siebie przekonać, że jutro będzie lepiej. Że nie spuści Hatoun z oczu.

Czuje jednak, jak zbiera jej się na płacz. Kogo ona próbuje oszukać? Dziewczynka, która przywodzi jej na myśl małe, zwinne zwierzątko, na pewno zniknie i to nieprzyjemne przeczucie nie daje jej spokoju. Wyparuje niczym poranna rosa na liściu palmy. I któregoś dnia już nie wróci. Tak po prostu.

Nagle czuje na twarzy dotyk maleńkiego paluszka Hatoun. Dziewczynka ociera spływające po jej policzkach łzy. Nevart widzi w ciemności, że ma otwarte oczy. Mocno przyciska ją do siebie i całuje w czoło. Pyta, czemu nie śpi, ale ona tylko się w nią wtula, nie mówiąc ani słowa.

Elizabeth spogląda na chłopca leżącego na długim, podartym kawałku koca i rozcieńczoną jodyną delikatnie przemywa głębokie pręgi na podeszwach jego stóp. Żandarmi nie chcą jej powiedzieć, dlaczego postanowili poddać dziesięcio- czy jedenastoletniego chłopca karze zwanej *bastinado*, czyli chłoście stóp. Patrząc na rany dziecka, mimowolnie przypomina sobie o własnym skaleczeniu, choć to tylko zadraśnięcie biegnące wzdłuż podbicia prawej stopy.

Jeden z żandarmów stoi z nadąsaną miną nad Elizabeth, gdy ta zajmuje się chłopcem. Ma mniej więcej tyle lat co ona. W rękach trzyma karabin z bagnetem. Jest spocony i cuchnie czosnkiem. Wygląda na to, że każdemu z Amerykanów przydzielono żandarma – zazwyczaj młodego mężczyznę o wyglądzie opryszka – który ma za zadanie dopilnować, by przybysze nie zadawali Ormianom żadnych poważnych pytań, nie robili im zdjęć czy w jakikolwiek inny sposób nie próbowali ich bliżej poznać. Amerykanie mają wstęp tylko na niewielki, specjalnie wydzielony teren Dajr az-Zaur. Jak utrzymuje jeden z tureckich oficerów, znajduje się tutaj obozowe więzienie. Zapewnia ich, że Ormianie przebywający w tej części obozu – kobiety i dzieci – to bez wyjątku element przestępczy i właśnie dlatego, tłumaczy dalej, otrzymują jedzenie i opiekę w ostatniej kolejności. Oficer zdaje się zupełnie nie dostrzegać nielogiczności swojego wywodu: skoro ci ludzie są kryminalistami, to dlaczego to właśnie oni mają skorzystać z wagonów pełnych żywności i leków? Amerykanie dobrze wiedzą, że Turek kłamie.

Elizabeth niechętnie przygląda się ciałom spoczywającym na piasku. Część Ormian jeszcze żyje, ale większość to trupy, które stały się już padliną dla sępów. Rzędy zwłok ciągną się od porośniętego pożółkłą, skarłowaciałą trawą pagórka na północy aż po płytki strumień – odnogę Eufratu – na południu. Patrząc na ciała, Elizabeth przypomina sobie plac, który ujrzała pierwszego dnia pobytu w Aleppo. Jednak to, na co patrzy teraz, trudno porównywać z tamtym widokiem – to tak, jakby postawić obok siebie kajak i liniowiec, którym przepłynęła Atlantyk. Obydwa są wodnymi środkami transportu, ale w tym przypadku gigantyczna różnica w rozmiarze skłania raczej do zastosowania linneańskiej taksonomii: nie są przedstawicielami tego samego gatunku, nie należą do tego samego rodzaju. Elizabeth ma wątpliwości, czy w ogóle pochodzą z tej samej rodziny.

To właśnie ogromna skala śmierci sprawiła, że wczoraj jej ojciec, zazwyczaj pewny siebie, konkretny i rzeczowy, został w wozie, obejmując głowę rękami. Nie był w stanie ruszyć się z miejsca. Jeszcze nigdy nie widziała, żeby ojca cokolwiek doprowadziło do takiej rozpaczy.

– Tu nie ma żadnych pieców. Mówili, że będą kuchnie polowe i piece z cegieł – wyszeptał drżącym głosem. – I po co nam ta cała mąka? Na litość Boską, co my mamy niby z nią zrobić? – Elizabeth odwróciła się do niego, a on mówił dalej: – Piece, miały być piece! Obiecali, że dadzą nam kogoś do pomocy przy wypiekaniu chleba. Mówili, że będą kuchnie. Prymitywne, bo prymitywne, ale to zawsze kuchnie.

Jak się okazało, nie ma ani kuchni polowych, ani ceglanych pieców. Nie postawiono tu żadnych budynków, nie zbudowano żadnych chat. Jest kilka namiotów, a reszta to szałasy sklecone z patyków i trzech grubszych konarów, obciągniętych postrzępionym muślinem albo jakąś inną podartą szmatą, która ma chronić przed palącymi promieniami słońca. W wykopanych w piasku rowach tłoczą się dzieci z podkrążonymi oczami, usiłując znaleźć schronienie przed żarem lejącym się z nieba. Wymiotują, tonąc w brudzie i własnych ekskrementach. No i jest jeszcze to absurdalne ogrodzenie rodem z prerii. Przede wszystkim jednak są tu dziesiątki tysięcy kobiet i dzieci. Leżą na piasku pozwijane w kłębki, próbując ochronić się przed słońcem, odegnać pragnienie i głód, który przeszywa ich ciała rozdzierającym bólem.

Wczoraj, dosłownie kilka chwil po ich przyjeździe, dwóch małych chłopców podczołgało się do wozu i zaczęło grzebać palcami w końskim łajnie, szukając niestrawionych resztek jedzenia.

Elizabeth widzi muchę na rękawie swojej bluzki i natychmiast strzepuje ją koniuszkami palców – muchy są tu dosłownie wszędzie. Następnie w milczeniu znów polewa jodyną stopy chłopca. Dziecko ani drgnie, ponieważ jest ledwo przytomne.

Alicia Wells i William Forbes zbliżają się w jej kierunku, niosąc wiadra z wodą. Krok za nimi podążają dwaj żandarmi z pustymi rękami. Amerykanie zatrzymują się i spoglądają na rzędy zwłok. Alicia zaczyna cytować półgłosem księgę Ezechiela, rozdział 37, w którym jest mowa o kościach na pustyni:

– „Potem spoczęła na mnie ręka Pana, i wyprowadził mnie On w duchu na zewnątrz, i postawił mnie pośród doliny. Była ona pełna kości".

Elizabeth podnosi na nią wzrok, ich spojrzenia krzyżują się na moment, po czym misjonarka podejmuje przerwany cytat nieco głośniejszym tonem:

– „I oto było ich na obszarze doliny bardzo wiele. Były one zupełnie wyschłe".

– W rzeczy samej – przytakuje jej William Forbes, kręcąc głową.

– „Oto ja wam daję ducha po to, abyście się stały żywe" – po tych słowach Alicia zwraca się bezpośrednio do Elizabeth: – Niektórzy z nas wolą cytować Biblię niż Koran.

Elizabeth milczy, rozdrażniona faktem, że misjonarka wciąż ma do niej pretensje o to, co wydarzyło się poprzedniego dnia. To wprost niedorzeczne.

Tymczasem Forbes wskazuje na wzgórze i pyta:

– Czy to jaskinie?

Elizabeth wodzi wzrokiem za jego dłonią, mrużąc oczy.

– Tak. Myślę, że tak.

– Założę się, że tam też są ludzie – mówi Forbes, po czym razem z Alicią i ich eskortą ruszają dalej, prawie nie zwracając uwagi na stos ludzkich czaszek piętrzący się niecałe trzydzieści metrów od nich. Kształtem i rozmiarem przypomina igloo, porośnięte chwastami i oplecione ciemnym pnączem. Elizabeth wraca do przemywania ran na podeszwach chłopca. Kiedy kończy, ściska go za rękę. W odpowiedzi dziecko niemal niezauważalnie kiwa głową i nieznacznie unosi powieki. Elizabeth zamyka butelkę z jodyną i wstaje, odruchowo krzywiąc twarz z bólu przeszywającego jej własną stopę. But i pończocha z pewnością dawno przesiąkły krwią czy inną wydzieliną z rany. Chyba powinna jeszcze dziś po południu poprosić któregoś z lekarzy, żeby obejrzał jej nogę.

Odwraca się do żandarma, rozciera kark i wlepia wzrok w chwasty wyrastające spomiędzy czaszek.

– Jak się nazywa ta czarna trawa między kośćmi? – pyta go, wskazując palcem na stos.

Mężczyzna wygląda na zdezorientowanego, lecz już po chwili dociera do niego sens pytania.

– To nie trawa – odpowiada, przewracając oczami.

– Nie?

Żandarm potrząsa głową.

– Nie. To włosy.

Elizabeth ponownie spogląda na stos. Rzeczywiście to nie żadne pnącza czy inne chwasty, tylko włosy. Z czaszek, niczym pędy, wyrastają długie pasma czarnych włosów.

Rozdział 10

Wiedziałam, że Arshile Gorky był Ormianinem, ale o tym, że przebywał w mieście Van w tym samym czasie, co moi przodkowie, dowiedziałam się dopiero, gdy w 2002 roku obejrzałam film Atoma Egoyana *Ararat*. Razem z mężem zobaczyliśmy go od razu w w dniu premiery na Manhattanie, a potem poszliśmy do Whitney Museum, gdzie wisiał obraz, który Egoyan wykorzystał w swoim filmie. Płótno z 1936 roku, oparte na zdjęciu Gorky'ego i jego matki zrobionym tuż przed rozpoczęciem ludobójstwa Ormian i oblężenia Van, przedstawia dziewięcio-, może dziesięcioletniego chłopca stojącego obok kobiety siedzącej na krześle, z rękoma na kolanach i głową owiniętą chustą. (Gorky postanowił zamazać jej dłonie, zakrywając je dwiema okrągłymi plamami żółtawobiałej farby.) Chłopiec wygląda jak produkt dwudziestego wieku; strój jego matki sugeruje, że przynależy do dziewiętnastego. Gorky wyemigrował do Stanów Zjednoczonych w 1920 roku.

Ani mój dziadek, który pochodził z Van, ani jego żona nigdy nie wspominali o Gorkym i jego krewnych. Mogli zwyczajnie nie wiedzieć, że rodzina Gorkych – wówczas jeszcze Adoyanów – mieszkała tam w latach bezpośrednio poprzedzających wojnę. Być może obie rodziny nigdy się nie spotkały. A może moi dziadkowie po prostu z różnych powodów nie chcieli o tym mówić, tak jak o wielu innych kwestiach dotyczących ich własnej historii. W ich przeszłości wydarzyło się tak wiele bolesnych rzeczy – łącznie z sekretami, których nigdy nie wyjawili nawet sobie nawzajem – że samo mówienie o nich byłoby jak rozdrapywanie starych ran. Jakby się nad tym zastanowić, to w sumie słyszałam znacznie więcej o tym, co dziadek przeżył w Gallipoli, niż o jego życiu w Van, ponieważ w tamtym czasie on i babcia regularnie do siebie pisywali. Z kolei babcia uwieczniała w pamiętniku chwile, o których nigdy nie opowiadała swojemu mężowi.

Gorky powiesił się w Connecticut w 1948 roku, dwadzieścia dziewięć lat po śmierci swojej matki, zmarłej z głodu. Nie mam pojęcia, jak ani kiedy zmarli moi ormiańscy pradziadkowie. A skoro moi dziadkowie także już nie żyją, nigdy się tego nie dowiem. Można chyba jednak z dużą pewnością założyć, że matka i ojciec Armena Petrosiana znaleźli się wśród półtora miliona ludzi pochłoniętych przez niszczycielską zawieruchę, która wyznaczyła kres Imperium Osmańskiego.

Podczas jednej z tych popołudniowych wizyt u dziadków w Pelham, gdzie jako mała dziewczynka przyjeżdżałam razem z rodzicami, wdrapałam się po schodach na strych. Znalazłam tam pudełko ołowianych żołnierzyków mojego ojca z końca lat trzydziestych albo początku czterdziestych i zaniosłam je na dół, żeby pokazać bratu. Patrząc z dzisiejszej perspektywy, był to z mojej strony dość rzadki przejaw siostrzanej dobrej woli. Zawsze interesowały mnie tylko sukienki, lalki i wszystko, co typowo dziewczęce, i sama absolutnie nie miałam zamiaru bawić się żołnierzykami. Wiedziałam jednak, że brat na pewno będzie nimi zachwycony. Figurki były o jakieś cztery centymetry wyższe od plastikowych, którymi bawił się u nas na podwórku czy w swoim pokoju. Zaniósł je do salonu naszych dziadków i zaczął po cichu ustawiać na grubym, orientalnym dywanie, podczas gdy dorośli pili obok kawę i palili papierosy. W pewnym momencie dziadek go zauważył i chociaż był już wtedy za stary, żeby siadać na podłodze, skinął na mojego brata, by podał mu kilku żołnierzy. Następnie pochylił się do przodu w swoim fotelu. Moi rodzice, ciotka i dwóch starszych Ormian, przyjaciół dziadków, którzy także przyjechali z wizytą, spojrzeli z uwagą na Armena, ale on dał im znak, żeby kontynuowali rozmowę. I tak się stało. Ja natomiast przebiegłam do nich przez cały salon, żeby posłuchać. Dziadek podniósł jednego z żołnierzyków i powiedział:

– Znałem tego gościa. Był z Australii, nazywał się Taylor.

Wcale nie byłam pewna, czy dziadek stroi sobie żarty, czy też firma, która wyprodukowała figurki, wysyłała swoich ludzi do obozów wojskowych, żeby wybrali konkretnych mężczyzn do uwiecznienia ich w takiej postaci. (Z tego, co pamiętam, działo się to niedługo po tym, gdy w końcu zrozumiałam, że w rozgłośniach radiowych nie siedzą na ławkach zespoły czekające w kolejce, by zagrać którąś ze swoich piosenek. Jeszcze w wieku przedszkolnym wyobrażałam sobie, jak muzycy z The Beatles, The Archies czy 5th Dimension czuwają w studiu nagraniowym w Nowym Jorku, z instrumentami przy boku, i czekają, kiedy prowadzący każe im grać. W głowie mi się nie mieściło, że stacje radiowe po prostu korzystają z tych samych płyt winylowych, które włączali na swoim gramofonie rodzice, ani że zespoły rockowe nie mają czasu siedzieć przez cały dzień w siedzibie WABC w Nowym Jorku.) W głosie dziadka pobrzmiewała tęskna nuta, co tym bardziej zbijało mnie z tropu.

Mój brat jednak szybko się zorientował, o co tak naprawdę chodziło dziadkowi – po prostu znał kiedyś żołnierza, który z twarzy przypominał tę zabawkę.

– Żartujesz sobie z nas, dziadku – powiedział.

– Nie, znałem kiedyś wielu Australijczyków. I ludzi z Indii, i z Nowej Zelandii też. Ale Taylora nigdy nie zapomnę.

Do głowy przyszła mi nazwa domu towarowego Lord & Taylor i zastanawiałam się, czy to właśnie w tym kierunku zmierza ta opowieść. Ale nie.

– Dlaczego? – zapytał brat.

– On… – dziadek przerwał, wypowiedziawszy tylko tę jedną sylabę, i pokiwał wolno głową, zatopiony w myślach. Pamięć zaczynała mu już wtedy szwankować, ale tamtego dnia nie odniosłam wrażenia, że umilkł, ponieważ uciekło mu wspomnienie.

– On co? – naciskał na niego mój brat.

I dziadek nagle podjął opowieść:

– O tak, on grał z waszym dziadkiem w piłkę nożną na plaży. I w karty. Zawsze graliśmy w piłkę nożną i w karty.

Spojrzał na Elizabeth siedzącą po drugiej stronie stołu dziwnie nieobecnym wzrokiem. Jego ciało było już wówczas bardzo zmęczone.

Dlaczego nasz dziadek do końca życia pamiętał Australijczyka o imieniu Taylor? Ponieważ ten żołnierz zmarł w jego ramionach. Ale dowiedziałam się o tym dopiero kilkadziesiąt lat później, gdy już dawno i sam Armen odszedł z tego świata.

Potężne prądy kołyszą łodzią, jakby była kłodą spławianą w dół rzeki, pchając ją równolegle do brzegu. Na pierwszy rzut oka można by pomyśleć, że dym unoszący się znad plaży to zwykła mgła, a mężczyźni tylko wiosłują energicznie pośród spienionych fal. Silnik spalinowy, który dociągnął łódź tak blisko brzegu, został teraz wyłączony, ponieważ woda stała się za płytka, a ostrzał z wielkich okrętów wojennych znajdujących się za łodzią chwilowo ustał. Lecz w tym momencie, gdy marynarz siedzący na rufie mocno skręca ster i jeszcze raz próbuje obrócić małą łódź, kierując ją na plażę, karabiny maszynowe ukryte w gęstych zaroślach porastających piaszczysty brzeg otwierają ogień w stronę wody, a mężczyźni na łodzi zaczynają krzyczeć. Ich głosy – o wiele cichsze niż odgłosy strzałów, ale dostatecznie wyraźne, by wyłowić je uchem – napawają przerażeniem żołnierzy w łodziach bardziej oddalonych od brzegu, którzy na razie pozostają poza zasięgiem karabinów. Ci pozostali, Australijczycy, Nowozelandczycy, a także grupa Ormian, widzą, jak żołnierze z najbardziej wysuniętej naprzód łodzi wpadają do wody albo przewracają się niczym marionetki, którym poprzecinano sznurki. Kilku próbuje skryć się za niskimi, drewnianymi burtami, albo za ciałami zabitych. Ale ci także nie mają żadnych szans. Kule roztrzaskują deski, a potem roztrzaskują kości. W każdej z tych łodzi siedzi czterdziestu ośmiu mężczyzn i każdą spotyka mniej więcej taki sam los: wszyscy albo prawie wszyscy żołnierze na pokładzie padają jak kłosy pszenicy pod świeżo zaostrzoną kosą, a same łodzie, w większości pozbawione już żywych pasażerów, dryfują, oddalając się od lądu. Armen, jeden z Ormian szykujących się do drugiej fali ataku, zastanawia się, czy ktoś ich przechwyci, czy też prąd zniesie te łodzie pełne trupów poza obszar Cieśniny Dardanelskiej, poza zasięg okrętów wojennych, aż na otwarte Morze Śródziemne. W końcu dobiją gdzieś do brzegu. Tylko gdzie?

Jednak nie ma czasu się nad tym długo zastanawiać, ponieważ już za chwilę ich łódź wpływa na martwą falę i nie więcej niż metr poniżej spienionej wody widać piasek i kamienie. Kapitan krzyczy, że mają się ruszać, natychmiast mają się ruszać, ale w tym momencie na Armena przewraca się Australijczyk o imieniu Taylor siedzący tuż przed nim. W pierwszej chwili Armen sądzi, że Taylor stracił równowagę, próbując wstać w rozkołysanej łodzi, lecz gdy obejmuje go rękami na wysokości piersi, żeby pomóc mu utrzymać się na nogach, czuje na palcach ciepłą krew. Bladoniebieskie oczy Australijczyka są otwarte, ale puste, jego kolana robią się miękkie jak wata i już po sekundzie bezwładne ciało zwisa ciężko w ramionach Armena. Powietrze w dalszym ciągu wypełnia huk karabinów i gryzący zapach prochu strzelniczego.

Armen puszcza Taylora, razem z kilkoma innymi żołnierzami wyskakuje z łodzi i zaczyna brnąć przez wodę, która sięga mu do pasa. Rozbijające się o burtę fale są zabarwione na ciemnorubinowy kolor od krwi zabitych żołnierzy. Na dnie leżą kamienie wielkości hełmów, pokryte śliskim mułem; dwaj żołnierze niemal natychmiast się przewracają i zanurzają po szyję, ale udaje im się złapać burty i choć trochę odzyskać grunt pod nogami. Plecak Armena wydaje się w wodzie jeszcze cięższy niż w chwili, gdy wsiadał z nim do łodzi, a sama woda jest zimniejsza, niż się spodziewał. Lecz podobnie jak i inni pozostali jeszcze przy życiu żołnierze, wie, że teraz jedyna szansa to dostać się na plażę i wspiąć się na trzyipółmetrowy klif oddalony od wody o jakieś dziesięć metrów.

Tymczasem kapitan wciąż na nich krzyczy, żeby biegli naprzód i pokazali, na co ich stać, gdy nagle seria z karabinu dziurawi mu szyję, niemal pozbawiając go głowy. Pada twarzą w bordową toń otaczającą każdą z łódek i tylko jego plecak pozostaje na powierzchni, jak skorupa morskiego żółwia.

Dotarłszy wreszcie do brzegu, Armen słyszy czyjś głos wzywający pomocy. Zatrzymuje się na moment i widzi szeregowca o imieniu Robin. Ma najwyżej siedemnaście lat, ale – a być może właśnie dlatego – uważa, że Armen postąpił jak najbardziej zrozumiale, jadąc przez Palestynę do Egiptu, aby wstąpić do wojska i móc wziąć udział w tej wspaniałej, wojennej przygodzie. Teraz leży na piasku, machając zapamiętale rękami. Wygląda jak ptak ze złamanym skrzydłem; Armen ma nadzieję, że dostał tylko w rękę lub w samą dłoń. Ale już chwilę później jakieś dziesięć metrów od młodego szeregowca plażą wstrząsa eksplozja i kiedy Armen ponownie podnosi wzrok, Robin leży nieruchomo, a jego mundur jest pełen dziur, które momentalnie wypełniają się krwią.

Armen rusza przed siebie i pędzi w stronę piaszczystej skarpy. Dopada do niej jako pierwszy z całej kompanii. Za kilka sekund pod klifem stoi już trzech, czterech, potem ośmiu żołnierzy. I chociaż serce mu wali jak oszalałe i wciąga głębokie hausty powietrza pełnego dymu, uświadamia sobie, że żyje i nie jest sam. Nie widzi Turków schowanych na niewielkim wzgórzu, ale spojrzawszy w kierunku morza, dostrzega kolejne rzędy małych łodzi przedzierających się przez fale, a w oddali trzy brytyjskie okręty wojenne. Musi chwilę odczekać, aż oczy przyzwyczają się do cienia.

– Co teraz? – pyta któryś z żołnierzy. Armen odwraca się do niego. Pamięta go ze szkolenia w Egipcie, ale nie ma pojęcia, jak się nazywa. To krępy facet z rudymi włosami i twarzą pokrytą dziobami po ospie. Piasek okleja ich mundury jak dodatkowa warstwa materiału, a buty są całkiem oblepione błotem. Żołnierz ma dwadzieścia kilka lat i Armen sobie wyobraża, że w jakimś miejscu o magicznej nazwie – coś jak Christchurch w Nowej Zelandii – czekają na niego żona i dzieci. Z początku na poważnie zastanawia się nad odpowiedzią, ale kiedy Nowozelandczyk powtarza swoje słowa, kręcąc głową z oburzeniem i niedowierzaniem, dociera do niego, że było to jedynie retoryczne pytanie.

– Nie widzieli na plaży drutów kolczastych, więc jakiś dupek stwierdził, że nie będzie tu tych cholernych Turków? Jezu, co oni sobie myśleli? Że po prostu wejdziemy jak przez otwarte drzwi? – mówi żołnierz, po czym spluwa na piasek.

Mimo to Armenowi nadal odbija się echem w głowie jego pierwsze pytanie. Naprawdę nie mogą tu dłużej zostać. No więc co teraz?

Elizabeth, wciąż kulejąc, podchodzi do łóżka małego chłopca i kładzie mu zimny kompres na czole. Podobno ma dziewięć lat – tak przynajmniej twierdził – ale jest tak mały i kruchy, że może mieć co najwyżej pięć. Odkąd przybył do Aleppo, nie jest w stanie przyjmować pokarmów, wszystko zwraca. Dwa dni temu przestał nawet płakać. Nie miał już siły. Elizabeth się obawia, że lada moment zapadnie w śpiączkę i umrze. Gorączka w ogóle nie spada, a wysypka rozprzestrzeniła się na cały brzuch i klatkę piersiową.

Oczy chłopca przypominają jej oczy Armena. Choć z drugiej strony wiele ormiańskich dzieci przypomina jej rysy jego twarzy. Pod tym względem chłopiec nie jest wyjątkiem. Zresztą podobnie było w obozie uchodźców w Dajr az-Zaur. Jedzenie, które porucznik pozwolił im zabrać, zostało rozładowane i rozdane w ciągu zaledwie kilku godzin. Pustynne szczury natychmiast zwietrzyły okazję i równie szybko dobrały się do worków z mąką. Całkowita bezowocność tej podróży doprowadziła jej ojca do łez. Osiem wozów czy cztery, co za różnica. To i tak niczego by nie zmieniło. Elizabeth nigdy wcześniej nie widziała płaczącego Silasa Endicotta. Tymczasem Alicia Wells przez cały czas była na nią wściekła za – jak to sama określiła – dziecinną, teatralną i jakże niebezpieczną scenę, którą Elizabeth urządziła na oczach tureckiego porucznika i jego „chuliganów". Jedynie lekarze zachowali spokój, pracując niemal bez wytchnienia przez całe czterdzieści osiem godzin spędzonych w obozie uchodźców. Doktor Pettigrew tylko co jakiś czas zostawiał swoich ormiańskich pacjentów, żeby przeczyścić ranę Elizabeth i sprawdzić szwy. Za to William Forbes wciąż biegał wokół niej, usiłując odgrywać rolę opiekuna i wybawiciela. Wreszcie jednak udało jej się wyraźnie dać mu do zrozumienia, że może sobie darować te uprzejmości, ponieważ są kierowane pod zły adres. Przez chwilę się na nią dąsał jak mały, rozpuszczony dzieciak, lecz ta jego porażka w żadnym stopniu nie wpływała na pracę i nadal z takim samym poświęceniem niósł pomoc deportowanym. Elizabeth tolerowała go jedynie pod warunkiem, że trzymał się od niej z daleka. Pettigrew nieustannie wyrażał obawy dotyczące potencjalnej gangreny, lecz ona – co być może było z jej strony nieco lekkomyślne – w ogóle się tym nie przejmowała. Ale rana się ładnie goi, więc chyba niepotrzebnie wspominała o tym Armenowi w jednym ze swoich długich listów. Nie powinna była tego robić. Nie powinna była pisać o obawach doktora Pettigrew, nawet w kontekście troski i opieki, jaką została otoczona przez towarzyszy podróży, a także (w tym akurat przypadku) ich przesadnych reakcji. Chciała mu jakoś dodać otuchy i zapewnić, że u niej wszystko w porządku, ale gdy teraz o tym myśli, dochodzi do wniosku, że chyba przysporzyła mu tylko więcej zmartwień. Oczywiście jeśli dostał od niej ten list – no i jeśli w ogóle jeszcze żyje.

Nagle chłopiec szeroko otwiera oczy, a jego ciałem wstrząsają spazmatyczne drgawki. Wygina się w łuk, odrywając plecy od cienkiego materaca. Elizabeth patrzy na niego i wymawia jego imię, ale chłopiec zdaje się jej nie widzieć ani nie słyszeć. Po chwili opada na łóżko, zamyka oczy, a z jego płuc dobywa się długi, delikatny świst, po którym przestaje oddychać. Elizabeth wzywa doktora Akcama, choć wie, że ani lekarz, ani nikt inny nie będzie w stanie nic zrobić.

Trzymając rękę chłopca w swoich dłoniach, zastanawia się,

gdzie jest teraz Armen. Nagle sobie uświadamia, że rączka dziecka jest całkiem zimna. Kiedy to się stało?

Hatoun obserwuje dwóch mężczyzn przechadzających się po ulicy w czarnych burnusach, których kaptury zakrywają uszy i czubek głowy. Przywiera plecami do drzwi frontowych i skulona staje na progu, mając nadzieję, że nie jest widoczna. Za parą mężczyzn w burnusach idzie dwóch roześmianych tureckich żołnierzy. Jeden z nich dostrzega Hatoun i głośno cmoka w jej stronę, ale nie dręczy jej dalszymi zaczepkami. Żołnierze nawet na chwilę się nie zatrzymują. Hatoun czeka, aż znikną za rogiem, po czym z powrotem wypada na ulicę i kontynuuje wyprawę na rynek – to dziś cel jej podróży. Wczoraj poznała tam jedną dziewczynkę, która też strasznie się boi sierocińca. Shoushan jest od niej dwa lata starsza i mieszka w ruinach cytadeli. Często odwiedza bazar, ponieważ jeden z handlarzy zawsze daje jej coś do jedzenia, a innych bez trudu można okraść. Pochodzi z Adany, tak jak ona i Nevart. Fakt, że woli spać sama pośród gruzów starej fortecy niż z potworami w sierocińcu, mówi sam za siebie.

Po przybyciu na rynek Hatoun puszcza się pędem pomiędzy budy i stragany, przy których stoją kobiety przebierające w niezbyt pełnych skrzynkach, wózkach i furmankach. Przegania ją starszy sprzedawca kawy i młody chłopak, który ma do zaoferowania kilka smakowicie wyglądających melonów. Jakaś kobieta mówi jej, że śmierdzi, choć to nieprawda i Hatoun dobrze o tym wie. Nevart często każe jej się kąpać. Ale widocznie kobieta z góry założyła, że jest bezdomna, tak samo jak Shoushan, której skóra zdążyła przesiąknąć smrodem podczas długiego spaceru na bazar.

Hatoun zdaje sobie sprawę z tego, że i ona któregoś dnia może stracić dom – ona i Nevart. Albo że Nevart zostanie zabrana do obozu przesiedleńczego, podczas gdy ją umieszczą w sierocińcu. Ale Ryanowi Martinowi – który jest chyba kimś w rodzaju księcia – zupełnie nie przeszkadza ich obecność, a przynajmniej takie sprawia wrażenie. Może kiedyś on i Nevart zakochają się w sobie. A może to z Elizabeth zostaną parą? Nie, nie, przecież Ryan Martin ma żonę, która wróci do Aleppo późną jesienią, gdy upały trochę zelżeją. A poza tym Nevart powiedziała, że Elizabeth jest zakochana w jakimś Ormianinie.

Hatoun nie jest pewna, jak dużą władzę ma książę Ryan Martin. Lecz patrząc na to, jak duży ma dom, chyba musi być bardzo potężny. W dodatku pochodzi z Ameryki, a z tego, co słyszała, Amerykanie są bardzo bogaci, jak sułtani. A jednak często jest smutny przez Turków. I w żaden sposób nie może ich powstrzymać przed zabijaniem Ormian. Ale tak w ogóle to jest bardzo dobry i miły. Mężczyźni rzadko są dobrzy i mili.

Nagle czuje, że ktoś od tyłu obejmuje ją ramionami i unosi w powietrze. Serce podchodzi jej do gardła. Z całych sił zaczyna wierzgać nogami, lecz w tym momencie słyszy chichot Shoushan. Odwraca się i widzi swoją nową koleżankę. Dziewczynka stawia ją na ziemi i mówi:

– Mam coś magicznego.

Hatoun czeka zaciekawiona. Shoushan zdejmuje z ramienia jutowy worek, na którym widnieje logo producenta kawy, i otwiera go szeroko. W środku leży jeden z melonów, które przed chwilą widziała na straganie. Nie musi pytać, skąd Shoushan go ma.

Armen stoi na piasku obok drewnianej skrzynki. Wcześniej przytargał ją z okrętu transportowego i ze zdumieniem odkrył, że jest pełna kawy. Spodziewał się znaleźć w skrzynce herbatę. Herbatę, dżem i mięsne konserwy. Taka była zawartość skrzynek, które nosił przez ostatnie pięć godzin. Jedna z puszek kawy musiała pęknąć, ponieważ Armen czuje zapach ziaren i stwierdza ze smutkiem, że ten aromat przywodzi mu na myśl Nezimiego i jego biuro w Harput. Zamyka oczy i po raz kolejny widzi obraz Enwera Paszy wiszący na ścianie w poczekalni. Czy on i Nezimi naprawdę byli kiedyś przyjaciółmi? Oczywiście. I dlatego tym ciężej pogodzić się z jego zdradą. Armen wziął sobie do serca jego radę i zrobił to, co tamten mu sugerował. Powierzył temu człowiekowi żonę i maleńką córeczkę, podczas gdy sam zgodnie z rozkazem dołączył do Niemców, którzy kładli tory na wschodzie. Nezimi przysięgał, że ani Karine, ani Talene nie zostaną deportowane. Obiecał, że zrobi wszystko, co tylko będzie trzeba, aby je przed tym uchronić.

Ale oczywiście nie uniknęły deportacji. Wieści o tym najpierw dotarły do rodziny Karine w Van, a stamtąd do Armena. Jednak pogłoski były niejednoznaczne. Tu i ówdzie chodziły słuchy, że Karine i Talene zamieszkały z urzędnikiem; Karine wyrzekła się chrześcijaństwa – złożyła nawet formalny wniosek o zmianę religii, tzw. *erzuhal* – i zamierzała wychować Talene na muzułmankę. Według innej wersji Talene trafiła do amerykańskiego sierocińca, a Karine była gdzieś na pustyni razem z innymi kobietami z Harput.

Potem zaś na wydziale ormiańskim Euphrates College dokonano masakry i rodzina Karine – a tym samym i Armen – praktycznie straciła wszelki kontakt z Harput.

Zanim zdążył opuścić Van, żeby zobaczyć, co naprawdę stało się z jego rodziną, Turcy otoczyli miasto, a on i jego bracia nagle znaleźli się wśród ludzi broniących spichlerza. Myślał o tym, żeby pod osłoną nocy spróbować się przebić przez linie Turków i przedostać do Harput, ale Garo i Hratch wybili mu z głowy ten pomysł. W rezultacie nie udało mu się wrócić do Harput, dopóki armia rosyjska nie połączyła sił z ormiańskim ruchem oporu. Dopiero gdy Turcy zostali odparci na zachód, niemal pod Bitlis, Armen zaczął krok po kroku zbliżać się do Harput, unikając kolei i najbardziej uczęszczanych dróg. Po walkach w Van wiedział już, że nie ocali go nawet jego praca na rzecz imperium; ponieważ jest Ormianinem, nawet niemieccy urzędnicy z Kolei Bagdadzkiej nie byliby w stanie go ochronić, kiedy zapuścił się tak głęboko na tureckie terytorium.

Dotarłszy do Harput, odkrył, że jego dom nie należał już do niego, a Karine i Talene zniknęły. W jego mieszkaniu byli teraz zakwaterowani tureccy oficerowie, widział to nawet z ulicy. Udał się więc prosto do biura Nezimiego, żeby się przekonać, co jego przyjaciel – czy może raczej były przyjaciel – może mu o tym wszystkim powiedzieć.

Armen otwiera oczy i wpatruje się w piaszczysty klif, teraz opanowany już przez Australijczyków i Nowozelandczyków. Z tyłu słyszy szum fal i głosy mężczyzn dźwigających ciężkie pudła. Jedyne miejsce, które wydaje mu się teraz jeszcze bardziej odległe niż Harput, to Aleppo. Przypominając sobie rudowłosą Amerykankę, z powrotem podnosi z piasku skrzynkę z kawą.

Rozdział 11

Coś się wydarzyło i dom moich dziadków spowił cień. Było późne popołudnie. Po szkole matka odstawiła mnie i brata do dziadków, a sama pojechała pociągiem na Manhattan, gdzie razem z ojcem miała się udać na kolację biznesową. Mój brat siedział w salonie otomańskim i studiował stare albumy ze zdjęciami. W pewnej chwili babcia zerknęła mu przez ramę i nagle popadła w przygnębienie. Jej nastrój zmienił się w okamgnieniu, to było jak burza w sierpniu. Dziadek też od razu się zasępił. Nie wiem, co mój brat zobaczył na tych zdjęciach, a gdy po latach go o to zapytałam, nie umiał sobie przypomnieć. Tak czy owak, tamtego popołudnia ponownie zobaczyłam w ich oczach tę melancholię, którą widywałam już wcześniej. Któreś z nich – nie mam pojęcia które – zadzwoniło do mojej ciotki. Nagle oboje stali się zbyt starzy, by zajmować się wnukami, albo zbytnio się bali zostać z nami sami. Potrzebowali wsparcia, a to oznaczało konieczność wezwania do pomocy córki. Tak więc zaraz po pracy nasza ciotka i jej dwie koleżanki z agencji reklamowej na Manhattanie, gdzie pracowała jako sekretarka, wsiadły w pociąg do Westchester. Była wtedy świeżo po ślubie, ale jej mąż miał tamtego wieczoru zebranie na uniwersytecie. Namówiła więc przyjaciółki, które wybrały się z nią do Pelham skuszone wizją domowej kuchni ormiańskiej. (Na kolację była, rzecz jasna, jagnięcina. Królewski posiłek.) Oboje z bratem byliśmy w trzeciej klasie, więc nasza ciotka musiała mieć wtedy około czterdziestu lat.

Jak już wcześniej mówiłam, kiedy byłam mała, ciotka czasem wykonywała taniec brzucha. Tamtego dnia także to zrobiła i gdy teraz to wspominam, myślę, że chciała w ten sposób jak najszybciej przegnać wszelkie demony, które najwyraźniej ponownie zjawiły się w domu jej rodziców. Dlatego kiedy jej koleżanki piły kawę i jadły deser, ona poszła się przebrać na górę, do swojego dawnego pokoju, a dziadek ruszył do salonu nastroić swoją lutnię *oud* i przesunąć stolik pod ścianę. Po powrocie ciotka nie miała już na sobie skromnej brązowej spódnicy i białej bluzki, które nosiła do pracy, tylko kostium tancerki z haremu, jakby żywcem wzięty z serialu „I Dream of Jeannie" – nie kręcono już wtedy nowych odcinków, ale oboje z bratem często oglądaliśmy powtórki. Zresztą znaliśmy ten strój, bo nakładała go czasem w te same dni, kiedy mój brat musiał chodzić wystrojony w swoje czerwone, aksamitne pumpy, a mnie matka ubierała w kozaczki godne małej prostytutki.

Przez dobre dwadzieścia minut ciotka bujała się i obracała, podczas gdy dziadek przygrywał jej na *oud*, a koleżanki z agencji reklamowej gorąco ją dopingowały. Dziś, gdy to wspominam, zastanawiam się, czy czuły się choć trochę zmieszane. Nie chodzi mi wcale o to, że taniec brzucha nie pasował do charakteru mojej ciotki – nawet będąc już mężatką, nie wyzbyła się tej swojej dzikości. Kilka lat wcześniej ona i jej mąż kupili dom na plaży na Fire Island i nawet jako dziecko miałam poczucie, że odbywające się tam imprezy miały w sobie coś z bachanaliów. Nie słyszałam wprawdzie, by wymieniano się kluczykami do samochodów i partnerami na noc, ale to pewnie tylko dlatego, że nikt nie przyjeżdżał na Fire Island samochodem. W każdym razie nietrudno zgadnąć, co przyjaciółki mojej ciotki mogły sobie pomyśleć, kiedy zobaczyły, jak wykonuje taniec brzucha przed własnymi rodzicami, bratankiem i bratanicą. Takie rzeczy pasują chyba bardziej do wieczorów kawalerskich, przyjęć kostiumowych i sprośnych męskich fantazji. (Oto kolejna rewelacja, która powinna zbulwersować wszystkich oprócz mojego brata: jako chłopiec po raz pierwszy miał erekcję, oglądając właśnie taniec naszej ciotki. Przysięgam, że on sam pozwolił mi, żebym o tym napisała.)

Tak więc ciotka tańczyła dla rodziny i znajomych, dzięki czemu rozjaśniła mrok, jaki po raz kolejny zapanował w domu jej rodziców. Kiedy skończyła, udałam się z nią do jej pokoju, gdzie poszła się przebrać z powrotem w „ubrania normalnej osoby", jak sama to określiła. Za kilka minut ona i jej koleżanki miały wsiąść do pociągu jadącego na Manhattan. Gdy zapinała bluzkę, zadałam jej jedno pytanie – to właśnie po to przyszłam z nią na górę.

– Nauczysz mnie tak tańczyć? – Nie zdziwiłabym się wcale, jeśli mój głos trochę zadrżał. Chyba nawet wtedy czułam, że w moim pytaniu kryje się coś nieprzyzwoitego.

– Może jak będziesz miała brzuch – odparła ciotka. – Nie da się wykonywać tańca brzucha bez brzucha.

Niewątpliwie było w tym sporo racji; tancerka musi mieć czym potrząsać. Ale nawet około czterdziestki moja ciotka była bardzo szczupła. Dalej więc naciskałam, nie wiedząc, czemu próbuje mnie zbyć.

– Widzisz, kochanie, to wygląda tak… – powiedziała w końcu, siadając na łóżku obok mnie. – Ludzie daliby się zabić za takie włosy jak twoje. Ja też. – Moja ciotka, jak większość członków rodziny, miała kruczoczarne włosy. Ale dlaczego rozmawiałyśmy o włosach, kiedy ja chciałam się nauczyć tańca brzucha, tego zupełnie nie rozumiałam. – Jesteś taką jasną blondynką, a przy tym masz te obłędne ciemne oczy. Na pewno złamiesz niejedno serce. Ale… – urwała i zaczęła gładzić mnie po plecach.

– Ale co?

– Ale prawda jest taka – ciągnęła – że wykonując taniec brzucha z takimi blond włosami, wyglądałabyś jak…

– Barbara Eden – wypaliłam.

Zmarszczyła nos i skrzywiła usta, jakby zjadła coś gorzkiego.

– I tak, i nie. Barbara Eden jest wspaniała jako Jeannie. Ale to tylko telewizja. W prawdziwym życiu blondynka wykonująca taniec brzucha nie wygląda jak aktorka z serialu, tylko raczej jak… – znowu umilkła, z trudem szukając właściwych słów. W końcu uśmiechnęła się i powiedziała: – Jak striptizerka. Taniec brzucha i blond włosy po prostu nie bardzo do siebie pasują.

Od tej pory już nigdy więcej nie zatańczyła. Ani razu. A ja nigdy się nie nauczyłam.

Z początku mój mąż trochę natrząsał się ze mnie, kiedy postanowiłam rzucić wszystko i w tygodniu zaraz po Dniu Matki wybrać się do Bostonu.

– Zrozumiałbym jeszcze, gdyby w mieście akurat grali Red Sox – stwierdził Bob. – Ale nie grają. Cały tydzień siedzą w Kalifornii. – Po czym dodał: – Oczywiście w Kalifornii również są tabuny Ormian, prawda? Pewnie tam też dałabyś radę znaleźć jakiegoś dalekiego krewnego i przy okazji pójść na mecz.

Próbował też wysuwać argument natury logistycznej, przypominając mi ten drobny fakt, że mamy dwoje dzieci, jedno trzynasto- i drugie jedenastoletnie. Bob pracował na Manhattanie, a ja zazwyczaj kończyłam pisać około pierwszej albo drugiej po południu. Dlatego przypadła mi w udziale rola kierowcy. To ja woziłam Matthew i Ann na lekcje muzyki i tańca po szkole, na wizyty u lekarza i ortodonty, a także na mecze tej ligi, która grała w danym sezonie.

Prawda jest taka, że Bob czuł się trochę nieswojo, widząc moją obsesję na punkcie tego zdjęcia i faktu, że uwieczniona na nim kobieta nosiła to samo nazwisko co ja.

– Czy Petrosian to nie jest powszechne ormiańskie nazwisko? – zapytał w końcu któregoś razu.

Wzruszyłam ramionami. Nie miałam pojęcia.

W latach sześćdziesiątych i siedemdziesiątych był pewien sławny ormiański szachista – w każdym razie sławny jak na standardy świata szachów, a to niezbyt wysoka poprzeczka – Tigran Vartanovich Petrosian. Powiedziałam Bobowi wszystko, co o nim wiedziałam – nie było tego wiele. Dzierżył tytuł mistrza świata w latach, kiedy mój brat i ja byliśmy bardzo mali. Zanim skończyliśmy rok, pokonał Borisa Spassky'ego, który z czasem miał się stać jeszcze bardziej sławny, a kiedy mieliśmy po sześć lat, Amerykanina Bobby'ego Fischera. Ilekroć Fischer powiedział albo zrobił coś interesującego w latach siedemdziesiątych, gdy szachy przeżywały chwilowy renesans w Stanach Zjednoczonych, zawsze znalazł się ktoś, kto pytał mnie, czy jestem spokrewniona z Petrosianem; jednego razu ktoś nazwał go „Żelaznym Tigranem" – takie miał przezwisko i podejrzewam, że po rosyjsku albo ormiańsku brzmiało to jeszcze lepiej niż po angielsku. Odpowiedź brzmiała: nie, nie jesteśmy spokrewnieni, przynajmniej nikomu z mojej rodziny nic nie było na ten temat wiadomo.

– Czym tak naprawdę się martwisz? – przycisnęłam wreszcie męża wieczorem przed moim wyjazdem do Bostonu. Staliśmy przy zlewie w kuchni i kończyliśmy zmywanie naczyń po kolacji.

– Cóż – zaczął – wiem, co mi mówiłaś o swoich dziadkach. O ich domu. O ich zmianach nastrojów. O ich dziwnych zachowaniach.

– Zawsze byli dla mnie bardzo dobrzy i kochający – przypomniałam.

– Posłuchaj – kontynuował. – Oboje dobrze wiemy, jak niewiele wie o nich twój własny ojciec. Tak samo twoja ciotka i wujek. Uważam, że cokolwiek odkryjesz, na pewno nie uczyni cię to szczęśliwszą. Ani ciebie, ani nikogo innego. W najlepszym razie przekonasz się, że nic cię nie łączy z tą kobietą na zdjęciu. I mnóstwo pracy pójdzie na marne. A najgorszy scenariusz? Boże, to ty jesteś pisarką, a nie ja. Kto wie, jaki może być najgorszy scenariusz. Poza tym to wszystko to już i tak prehistoria, prawda?

Oczywiście miał rację. Ale nie mogłam przestać myśleć o tym zdjęciu i żywym, oddychającym trupie, który nosił moje nazwisko. Dlatego zgodnie z planem pojechałam do Bostonu.

Hatoun stoi pod oknem sali sierocińca, w której mieszkają dziewczynki, i zastanawia się, gdzie tym razem przepadła Shoushan. Tego dnia jej jedyną towarzyszką jest głowa jasnowłosej lalki Anniki. Kładzie ją na kamiennym parapecie, żeby też mogła zajrzeć do środka. Okiennice zwieńczonego łukiem okna są szczelnie zatrzaśnięte, by chronić pomieszczenie przed południową spiekotą, ale Hatoun wie, że jeśli stanie na palcach, będzie mogła rozsunąć listwy żaluzji i rzucić okiem do wewnątrz. Nie wie natomiast, dlaczego chce to zrobić. W ogóle nie do końca rozumie, po co tu przyszła. Nevart nie miałaby nic przeciwko temu – tak przynajmniej sobie powtarza. Zresztą Elizabeth też nie.

A mimo to Hatoun nie powiedziała żadnej z nich, że przychodzi do sierocińca już od kilku tygodni – a dokładniej od czasu, gdy była z nimi w urzędzie telegraficznym i w drodze powrotnej do konsulatu przechodziły obok tej części budynku – i że czasami stoi z Shoushan na zewnątrz. Dziś w sali panuje niemal absolutna cisza, którą zakłóca jedynie cichy, przypominający lekką czkawkę szloch jednej dziewczynki. Reszta dzieci musi być albo na dziedzińcu, albo w klasie. Wczoraj, kiedy wpadła tu z popołudniową wizytą, w pokoju siedziało dwanaście dziewczynek, jedne starsze od niej, inne młodsze. Rozmawiały o niemieckiej zakonnicy, która ma nos jak grzyb i brzydko pachnie. Z tego, co zdążyła się zorientować, kobieta kazała im podczas lunchu ślęczeć nad matematyką. Potem zaczęły dręczyć jedną z sierot, śmiejąc się, że ma równie pospolitą urodę jak zakonnica. Biedne dziecko niemal natychmiast się rozpłakało. Dziewczynki zachowywały się brutalnie i bezlitośnie, co jednocześnie fascynowało i przerażało Hatoun. Teraz, w czasie obowiązkowej drzemki, zamiast spać, niczym małe rebeliantki delektowały się zakazaną rozmową.

Hatoun się martwi, że jest dokładnie taka sama jak one: podła i słaba. Że jest podobna do tych dziewczynek, które wczoraj naśmiewały się z zakonnicy, a potem urządzały sobie kpiny z niezbyt urodziwej sieroty. Ale – czuje to podskórnie – ma w sobie też dużo z tej biednej dziewczynki, która siedzi tam teraz i płacze. Ormianie. Turcy. Amerykanie. Niemcy. Chrześcijanie. Mahometanie. Wszyscy ludzie są tacy sami. W bibliotece amerykańskiego ośrodka jest książka napisana przez jakiegoś Anglika pod tytułem *Alicja w Krainie Czarów*. Elizabeth i Nevart czytały jej razem na głos tę opowieść – wszystko trzeba było tłumaczyć z angielskiego na ormiański, ponieważ nie opanowała jeszcze na tyle dobrze angielskiego słownictwa. Książka jej się podobała i nawet wyobrażała sobie, że sama trochę przypomina Alicję. Ale w tej opowieści nastąpił jakiś zwrot i kobiety kilka razy przerywały czytanie, opuszczając całe akapity. W nocy Hatoun zakradła się do biblioteki, znalazła książkę i zaczęła przyglądać się pominiętym fragmentom. Z ilustracji, a także z pojawiającego się tu i ówdzie słowa „głowa", które akurat znała, domyśliła się, że dziwna karciana Królowa chciała ściąć Alicji głowę. Mało tego, wszystkim chciała poobcinać głowy.

Hatoun przypomina sobie naukę tabliczki mnożenia z Nevart. Zaledwie godzinę temu siedziały w kuchni na drewnianym stole naprzeciwko zlewu. Na kolanach miała tabliczkę, a w ręku trzymała kawałek kredy. Korzystała też z liczydła, usiłując zrozumieć i rozwiązać równania, które napisała Nevart i których kazała jej się nauczyć na pamięć. Było już po lunchu. Kucharka dawno posprzątała i poszła do domu na popołudniową przerwę. Kilka tygodni wcześniej Nevart uznała, że w kuchni jest chłodno, wygodnie i że mogą się tutaj uczyć, nie przeszkadzając w pracy Ryanowi Martinowi, Silasowi Endicottowi i innym mieszkającym tu Amerykanom. Niektórzy z nich, jak podejrzewa Hatoun, woleliby, żeby wróciła do sierocińca. Z przypadkowo usłyszanych rozmów zdążyła się tego domyślić. Dobrze zrozumiała znaczenie pewnych uwag, które w przekonaniu dorosłych były nie do rozszyfrowania. Poza tym wie doskonale, jak bardzo drażni ich jej milczenie. Boi się jednak, że kiedy zacznie mówić – kiedy z jej ust usłyszą coś więcej niż tylko sporadyczne, jednosylabowe pomruki czy (co zdarza się jeszcze rzadziej) całe, za to bardzo krótkie zdania – nie zdoła powstrzymać łez. Będzie jak ta dziewczynka po drugiej stronie okiennicy, dla której płacz stał się synonimem oddechu.

Zamyka oczy i przypomina sobie chwile spędzone po drugiej stronie tego muru. Być może to właśnie z powodu Amerykanów wciąż tutaj wraca. Jeśli Nevart i Elizabeth zostaną zmuszone, by odesłać ją do sierocińca, wciąż będzie dobrze pamiętać to miejsce, zwłaszcza że już teraz nie może sobie do końca przypomnieć, czy spędziła tu jedną, czy dwie noce, zanim Nevart przyszła ją stąd zabrać.

Nagle spostrzega na ulicy dwóch żandarmów nadchodzących w jej kierunku. Z ich ramion swobodnie zwisają karabiny. Nie sądzi, by jeszcze jedna ormiańska sierota mogła wzbudzić ich zainteresowanie, ale woli nie ryzykować. Odwraca się na pięcie, błyskawicznie znika za rogiem budynku i puszcza się pędem przed siebie. Wpada na ulicę wiodącą na plac, a stamtąd skręca w boczną uliczkę, która prowadzi do dużo przyjemniejszej dzielnicy, gdzie mieści się amerykański ośrodek. Biegnie co sił w nogach i dopiero gdy zatrzymuje się w wejściu – zgięta w pół, z rękoma wspartymi na kolanach, z trudem biorąc do płuc kolejne hausty gorącego powietrza Aleppo – dostrzega, że nie ma przy sobie głowy swojej lalki. Wypadła jej z kieszeni tuniki podczas szalonego pędu przez miasto czy może gdzieś ją zostawiła? I wtedy sobie przypomina: okno sierocińca. Położyła ją na parapecie.

Hatoun już chce zawrócić, kiedy nagle w bramie pojawia się amerykańska misjonarka, Alicia Wells. Ta wielka, przysadzista kobieta ma tak szerokie ramiona i biodra, że dziecko rozmiarów Hatoun bez trudu mogłoby się skryć w ich cieniu.

Jej nastroje zmieniają się jak w kalejdoskopie: w jednej chwili zachowuje się jak dobroduszna, nadopiekuńcza babcia, gdy na przykład zachęca ją do jedzenia, po czym nagle przybiera krytyczny, pełen surowości ton. Niewątpliwie wolałaby widzieć Hatoun w sierocińcu niż w konsulacie. Nie akceptuje też Nevart ani Elizabeth.

– Hatoun, chodź do środka. Wszędzie cię szukaliśmy – mówi ganiącym, poirytowanym tonem. – Martwiliśmy się o ciebie.

Ale dziewczynka, która stoi jakieś półtora metra od misjonarki, nie rusza się z miejsca. Chce odzyskać głowę lalki. Musi ją odzyskać. Jeśli jednak będzie próbowała to wytłumaczyć pannie Wells, ta z pewnością – jak już się wcześniej zdarzało – wyrazi swoje oburzenie faktem, iż dziecko najpierw zniszczyło dobrą lalkę (wszyscy już o tym wiedzą, Hatoun zdaje sobie z tego sprawę), a teraz chce z powrotem ten makabryczny kawałek zabawki. Hatoun nie może się zdecydować, czy w ogóle zacząć cokolwiek jej mówić o swoim zamiarze ponownego odwiedzenia sierocińca w celu odzyskania głowy lalki, gdy Amerykanka niespodziewanie wyciąga do niej rękę. Jednak ledwie muska jej ramię, bo w tym momencie dziewczynka odskakuje na bok, odwraca się i wybiega na ulicę. Słyszy za sobą okrzyki panny Wells, która każe jej natychmiast wracać. Wie, że nie ujdzie jej to na sucho, ale w ogóle się tym nie przejmuje. Jedyne, co się w tej chwili dla niej liczy, to odzyskać maleńką, złotowłosą główkę.

Elizabeth pisze kolejny list do Armena, który – o czym jest głęboko przekonana – i tak do niego nie dotrze, gdy nagle do jej uszu docierają krzyki Alicii Wells wzywającej Hatoun. Kładzie pióro obok kałamarza i wstaje od niewielkiego biurka w ich wspólnej sypialni. Rzuca okiem na zapisaną kartkę, po czym zbiega szybko na dół. W progu ciężkich, masywnych drzwi wychodzących na ulicę spotyka Nevart, która również usłyszała wołanie.

– Myślałam, że Hatoun jest na dziedzińcu – tłumaczy Nevart przepraszającym tonem, spuszczając na ziemię brzeg sukienki, podciągniętej przez nią do góry, żeby oplatający się wokół kostek materiał nie krępował jej ruchów.

– Ja też tak myślałam – mówi Elizabeth.

Alicia Wells odwraca się do obu kobiet i poirytowana kręci głową.

– Znowu to samo. Żadna z was jej nie pilnowała. I co? Znów nam uciekła. I szwenda się teraz po mieście jak inni bezdomni. Chyba nie muszę wam mówić, jakie niebezpieczeństwa czyhają na ulicach na młodą dziewczynę. – Po tych słowach oczywiście następuje litania wszelkich możliwych zagrożeń: dziewczynka może trafić do haremu albo do domu publicznego, może wpaść w ręce żandarmów, którzy szukają kolejnych kandydatów do obozu w Dajr az--Zaur, może zostać zhańbiona przez grasujących po mieście wyrostków (tudzież dorosłych mężczyzn) albo po prostu zarazić się jedną z licznych chorób czających się w rzekach ekskrementów i uryny, które płyną ulicami Aleppo i, w przeciwieństwie do wszelkich innych płynów, jakoś nie chcą natychmiast wyparować.

– Powiem to najszczerzej, jak potrafię – kończy swój wywód.
– Elizabeth, będziesz kiedyś wspaniałą matką. Ale teraz sama jeszcze jesteś dzieckiem. Jeśli zaś chodzi o ciebie, Nevart, nigdy nie będę bagatelizować tego, co przeszłaś. Nigdy. Ale właśnie z powodu twoich niedawnych doświadczeń, myślę, że nie jesteś w stanie matkować temu dziecku. Przecież ona prawie w ogóle nie mówi. Kto wie, co się dzieje w jej głowie? Apeluję do was obu: oddajcie ją do sierocińca, zanim spotka ją jakaś tragedia, której nie da się cofnąć.

Alicia przeciska się pomiędzy dwiema kobietami stojącymi w progu i z powrotem wchodzi do środka.

Pogrążony w delirium Helmut śni o syryjskiej dziwce, z którą raz poszedł do łóżka, i o poczuciu winy, jakie go ogarnęło, kiedy było już po wszystkim. Jednak tym razem prostytutka ma twarz ostatniej z deportowanych kobiet, której zrobił zdjęcie na placu obok cytadeli – kobiety, która przebyła długą i ciężką drogę z Harput. Zdaje mu się, że jest w Aleppo, a nie w szpitalnym namiocie na wąskim półwyspie, na drugim końcu tego żałosnego, rozpadającego się imperium. Zakłada z powrotem spodnie od munduru. Na nagiej klatce piersiowej wciąż czuje mrowienie wywołane miłosnym eliksirem, który prostytutka wcierała mu w skórę, kiedy był wewnątrz niej. Przez cały czas wpatrywała się w jego tors niepokojącym, a jednocześnie czujnym i skupionym wzrokiem. Nie ma pojęcia, jak Erich to robi – jak może spojrzeć w lustro po takim seksie. Wstręt do samego siebie w chwili, gdy z niej wychodzi, miażdży go jak lawina. I nagle, nie wiedzieć kiedy, przenosi się w zupełnie inne miejsce: brodzi teraz w śniegu, zakopany po uda. Znów jest w swoich ukochanych Niemczech, pośród cywilizowanych ludzi. Jego ciałem, pogrążonym w majakach, wstrząsają dreszcze – jedyne, co czuje, to przenikliwy chłód śniegu, który spadając z drzew w sosnowym zagajniku, wleciał mu za kołnierz kurtki i dostał się do butów. W tym delirycznym śnie wie, że dopiero za kilka tygodni runie wprost na płozę łyżwy swojej siostry, oszpecając blizną własną twarz. Kiedy wyjdzie z lasu, będzie na niego czekać cała rodzina, zgromadzona przy kuchennym stole wspartym na ciężkich, solidnych nogach. Wchodząc do kuchni, poczuje zapach…czekolady. Tak, czekolady. Zupełnie inny od fetoru rozkładających się ciał, który towarzyszył mu w Syrii. Nawet teraz czuje kakaowy aromat i desperacko próbuje wciągnąć jego woń. Jego nogi drżą.

Przy łóżku Helmuta czuwa porucznik, mając wciąż nadzieję, że stan przyjaciela ulegnie poprawie. Lecz widząc, jak jego nozdrza rozszerzają się niczym dziób głodnego pisklęcia, a nogami wstrząsają drgawki, ogarnia go coraz większy niepokój. Lekarz mu powiedział, że nic więcej nie da się zrobić. Trzeba czekać i mieć nadzieję na spadek gorączki. Tak więc czuwa lojalnie przy jego łóżku, patrząc na śniącego o czymś przyjaciela aż do chwili, gdy już dłużej nie może czekać.

W nocy Nevart głaszcze miękkie włosy pogrążonej we śnie Hatoun. Dziewczynka oddycha cicho, a jej klatka piersiowa delikatnie unosi się i opada. Tym razem, inaczej niż poprzedniej nocy, dziecko się nie budzi. Myśl, która od tygodni nie daje kobiecie spokoju, powraca jak bumerang, znów spędzając jej sen z powiek: ta okropna misjonarka ma rację. Ma rację, kiedy twierdzi, że Nevart nie nadaje się na matkę. To właśnie dlatego Bóg nie obdarzył jej dzieckiem. Może Hatoun faktycznie będzie lepiej w sierocińcu. Może zachowuje się egoistycznie, chcąc trzymać ją przy sobie.

W pokoju na końcu korytarza Elizabeth także nie może zasnąć. Wpatrzona w moskitierę zastanawia się, czy powinna rano przeprosić kobietę, która śpi w łóżku obok. Gdy Alicia powiedziała jej, że sama jest jeszcze dzieckiem, Elizabeth poczuła się tym głęboko urażona i natychmiast zrewanżowała się pytaniem, czy przypadkiem nie chce odesłać Hatoun do sierocińca tylko po to, żeby z powrotem mieć całą sypialnię dla siebie. W rzeczywistości, choć misjonarka ma wiele nieprzyjemnych cech, akurat o egoizm nie można jej oskarżać, z czego Elizabeth doskonale zdaje sobie sprawę. Gdy zasugerowała, że Alicia ma ukryty motyw, tak bardzo nalegając na wygnanie Hatoun z amerykańskiego ośrodka, misjonarka zupełnie zignorowała tę uwagę, stwierdzając jedynie, iż dziecko będzie bezpieczniejsze pod opieką osób, którym nieobce są dziecięce zachowania i ich szczeniackie wybryki.

Kiedy wreszcie ogarnia ją senność, gdzieś w oddali rozlega się wystrzał z karabinu. Elizabeth natychmiast szeroko otwiera oczy, a jej myśli dryfują w stronę Egiptu. W stronę Armena. Przypomina sobie list, który wysłała do niego dziś po południu i w którym w zawoalowany sposób wyraziła swoje uczucia, choć oczywiście zdawała sobie sprawę, że być może nigdy go nie przeczyta. Może już dawno nie żyje. Z biegiem czasu jej listy stają się coraz bardziej szczere, pisze coraz bardziej otwarcie i coraz bardziej się przed nim odsłania. Wraca pamięcią do tamtej chwili w korytarzu, na schodach, i żałuje, że okazał wtedy siłę woli, której jej ewidentnie zabrakło. Czy gdyby stało się inaczej, byłby teraz przy niej? Czy byliby razem?

Widzę, jak stoisz obok mnie przy balustradzie na szczycie pałacu. Widzę, jak się uśmiechasz, kiedy żartujesz ze mnie i z moich kapeluszy. Proszę cię, żebyś dobrze się odżywiał i nie ryzykował niepotrzebnie. Pomyśl o przyszłości, jaka cię czeka, kiedy ta wojna dobiegnie końca – bo żadna wojna nie trwa wiecznie, nawet ta. Mam nadzieję, że będziesz o tym pamiętał. Tęsknię za tobą. O tym też nigdy nie zapomnij.

W innej dzielnicy Aleppo turecki szeregowiec Orhan myśli o smukłej, samotnej sośnie rosnącej nieopodal opuszczonego klasztoru na wschodnim skraju miasta. Pośród walących się murów budowli można spotkać jedynie mieszkające tu pustynne zwierzęta. Ale to drzewo? Ma dwadzieścia pięć metrów wysokości. Jego dostojne konary wyglądają jak rozpięty wachlarz. Bruzdy i pęknięcia na czerwonawej korze przypominają twarz. Twarz dziewczyny. Dziewicy. Któregoś popołudnia ten dziwny obraz przykuł jego uwagę i od tamtej pory, kuszony jego powabem, codziennie tutaj wraca. I to właśnie u stóp tej sosny zakopał szczelnie zamkniętą skrzynię z fotograficznymi płytkami, które miał zniszczyć.

Rozdział 12

Wiele lat później zapytałam ojca o przyczynę gwałtownych zmian nastroju moich dziadków.

– Głównie chodzi o twoją babcię – powiedział. – Kiedy byłem mały, naprawdę nic takiego się nie działo. Zachowywała się normalnie. Dopiero w późniejszym wieku stała się trochę... nieprzewidywalna. Zresztą podejrzewam, że ty wiesz na ten temat znacznie więcej niż ja. To ty pojechałaś do Watertown, ty znalazłaś jej listy i pamiętniki.

Może i tak. Chyba rzeczywiście wiem więcej o tym, co się wydarzyło w 1915 roku, niż mój ojciec, wujek i ciotka. Wiem więcej o czasach młodości Armena i Elizabeth. I to ja próbowałam ustalić, co zaszło prawie sto lat temu pomiędzy Ormianami i Turkami. Musiałam przy tym w pełni przyznać rację mojemu mężowi: to już naprawdę prehistoria. Świat ogromnie się zmienił w ciągu ostatnich stu lat, prawdopodobnie bardziej niż w którymkolwiek innym stuleciu historii ludzkości.

Ciągle mam jednak kłopot z tym jednym słowem: historia. Wielu Ormian myśli podobnie. Oczywiście nie wszyscy. Mój brat uważa, że próba spisania przeszłości naszych dziadków to jedna wielka strata czasu i energii, a ponadto można w ten sposób bardzo łatwo doprowadzić do ponownego zaognienia stosunków pomiędzy Turkami i Ormianami. Jego zdaniem to zła decyzja, zarówno w wymiarze prywatnym, jak i publicznym. Wszyscy lepiej by na tym wyszli – przekonywał, powtarzając argument Boba – gdybym po prostu napisała kolejną zabawną książkę o kobietach spod znaku New Age, żyjących poza nawiasem społeczeństwa. Na takich rzeczach przecież zbudowałam swoją karierę. Moje dzieci, które noszą inne nazwisko niż ja, także nie mogły pojąć, dlaczego wybrałam akurat taki temat. (Gwoli jasności powinnam odnotować, że pomimo nazwiska Gemignani, żadne z moich dzieci nie czuje się też specjalnie związane ze swoimi włoskimi korzeniami. Bob zawsze wolał piwo od Brunello di Montalcino, a pojęcie moich dzieci o tym, czym jest dobra kuchnia toskańska, zaczyna się i kończy na restauracji Olive Garden.)

Ale historia ma znaczenie. Istnieje jakaś nić łącząca Ormian, Żydów, Kambodżan, Bośniaków i Rwandyjczyków. To oczywiście niewyczerpująca lista, ale ile ludobójstwa może w sobie pomieścić jedno zdanie? Sami rozumiecie. Poza tym historia moich dziadków po prostu zasługuje na to, by ją opowiedzieć, niezależnie od ich narodowości.

Tak czy inaczej, oto jeszcze jeden przypis natury historycznej, którym się posłużę, aby umieścić tę opowieść w szerszym kontekście. Obiecuję, to już moja ostatnia dygresja.

Po rewolucji 1908 roku stery tureckiego rządu przejęli ostatecznie trzej ludzie związani z ruchem młodotureckim: Talaat Pasza, Enwer Pasza i Dżemal Pasza. Wbrew pozorom nie byli braćmi – „pasza" to tytuł honorowy, coś jak brytyjski „lord". Ci trzej stworzyli dyktatorski triumwirat, który zainicjował ludobójstwo i kierował nim, choć za prawdziwego wizjonera odpowiedzialnego za tę masakrę należy uznać Talaata Paszę. To on jako minister spraw wewnętrznych ponosił też za to największą winę. W czasie wojny amerykański korespondent S.S. McClure opisywał go jako „najsilniejszego człowieka pomiędzy Berlinem a piekłem". Możliwe. A już z pewnością był najbardziej bezczelny. Pewnego dnia wezwał do siebie amerykańskiego ambasadora Henry'ego Morgenthaua. Przypomniał mu, że firmy ubezpieczeniowe New York Life Insurance Company i Equitable Life of New York robiły bardzo dużo interesów z Ormianami, i zażądał kompletnej listy ormiańskich klientów obu firm. Dlaczego? Jak zauważył Talaat, w zasadzie wszyscy są już martwi, podobnie jak ich spadkobiercy, a to oznacza, że teraz dziedziczy po nich rząd Turcji. Morgenthau, który od samego początku próbował przekonać tureckich przywódców do zaprzestania deportacji i rzezi, wpadł we wściekłość. W swoich wspomnieniach pisał, że oburzony natychmiast wyszedł z gabinetu.

A jak skończył Talaat Pasza? Niedługo po zakończeniu wojny i porażce Turcji sąd uznał go winnym wielu zbrodni, między innymi masakry i eksterminacji Ormian. Został skazany na śmierć – zaocznie, ponieważ mieszkał już wtedy pod przybranym nazwiskiem w Niemczech. Żył tam do 1921 roku. Zginął w zamachu z rąk młodego ormiańskiego studenta; sprawca został uniewinniony, ponieważ sąd uznał zbrodnie Talaata z czasów wojny za niewybaczalne. Jego ciało powróciło do kraju dopiero w 1943 roku, kiedy to z wszystkimi honorami przewieźli je do Turcji naziści.

Ironia losu? Zapewne. Ale jeszcze dziwniejsze jest to, jakie postscriptum historia dopisała do tych wydarzeń – co z jednej strony świadczy o naturze ludzkiej pamięci, a z drugiej daje wyobrażenie o tym, w co będą wierzyć nasi potomkowie. Jeśli dziś wybierzemy się do Ankary czy Stambułu, znajdziemy tam ulice i szkoły nazwane na cześć Talaata Paszy. A także Enwera. Innymi słowy, naród, który najpierw potępił Talaata Paszę za próbę wyniszczenia całej rasy, później nazywa jego imieniem różne obiekty w stolicy.

Jak to możliwe? Dzieje się tak, ponieważ w opinii sporej części przedstawicieli tego narodu – choć na szczęście nie wszystkich – tamto ludobójstwo na pustyni nigdy nie miało miejsca. Nawet dzisiaj za określanie rzezi z 1915 roku mianem „ludobójstwa" turecki obywatel może trafić do więzienia, a turecko-ormiański dziennikarz może stracić życie.

Armen dzieli ciasny namiot z dwoma innymi żołnierzami, również Ormianami, chociaż ta ich kwatera bardziej przypomina szałas niż namiot. Śpią pod płócienną płachtą, która z jednej strony jest przymocowana do ściany klifu, a z drugiej do dwumetrowego muru worków z piaskiem. Dwa pozostałe boki są otwarte, ale odkąd wylądowali na plaży, jeszcze ani razu nie padało, więc można chyba założyć, że nie ma to większego znaczenia. Upał jest tu równie nieznośny jak na pustyni i Armen z wdzięcznością wita sporadyczne powiewy wiatru w te noce, kiedy śpi – kiedy nie jest na posterunku w jednym z na wpół ukończonych okopów, gdzie cały czas zastanawia się głównie nad tym, czy atak nastąpi, zanim ich oddziały zdążą się okopać. Turcy, jak mu mówiono, atakują tylko w nocy. Siedząc w namiocie, w odległości niespełna kilometra od oceanu, wsłuchuje się w szum fal; kiedy jest w okopie, nasłuchuje odgłosów Turków, którzy siedzą w swoich rowach, czasem oddalonych od niego o nie więcej niż pięćdziesiąt metrów.

Jak dotąd wykonywał dosyć proste zadania i chociaż dni nie należały do przyjemnych, nie były też jakoś specjalnie przerażające od czasu tego strasznego pierwszego poranka. Ostrzał z morza w końcu zmusił Turków z plaży do wycofania się do okopów na szczycie wzgórza. Wtedy żołnierze ANZAC-u potraktowali to jako zwiastun wielkiego, choć ciężko okupionego zwycięstwa. Jednak w ciągu następnych dni zdali sobie sprawę, że Turcy nigdy nie zamierzali zbyt długo bronić plaży. Zamiast tego zbudowali istne miasto okopów ze stanowiskami dla karabinów maszynowych sprytnie rozmieszczonymi tak, aby móc ostrzelać z flanki każdego żołnierza piechoty, który ośmieliłby się ich zaatakować. Na tym etapie nikt nie miał już złudzeń, że będzie łatwo posunąć się w głąb lądu – jeśli w ogóle będzie to możliwe. W końcu reszta wojsk Imperium Brytyjskiego już od miesięcy tkwiła na tym długim półwyspie, właściwie unieruchomiona, z oceanem za plecami.

Przez ostatnie dziesięć dni Armen i jeszcze jeden szeregowiec głównie przewozili z plaży na grzbietach mułów drzewo służące do umocnienia nowo stworzonych okopów i do budowy stanowisk strzeleckich. Wczoraj zauważył, że po raz pierwszy zaczęli częściej kursować z amunicją niż z drewnem, a to już chyba jakiś postęp.

Podczas tej pracy Armen stwierdził, że uwielbia muły, które okazały się o wiele mniej uparte, niż się spodziewał. Nie wyobrażał sobie, co żołnierze by bez nich zrobili w tej krainie piasku, kamieni i karłowatych sosen.

Według własnych szacunków do tej pory zabił co najmniej dwa tysiące much – podstawę tych obliczeń stanowi liczba much, które uśmierca w każdej godzinie, oraz liczba godzin, które minęły od czasu lądowania, z wyłączeniem tych spędzonych na spaniu. Raczej nie udało mu się jeszcze zabić tutaj ani jednego Turka, chociaż w dzień inwazji strzelał do zarośli, dopóki w karabinie nie zabrakło mu kul. W jego wyobraźni każdy Turek ma pociągłą twarz Nezimiego. Muchy natomiast są wszędzie i na wszystkim. Całą chmarą w okamgnieniu obsiadają dżem, gdy tylko otworzy puszkę. To samo dotyczy herbaty i wody. Całkiem możliwe, że odkąd tu jest, połknął równie dużo much, co zabił. Pracuje rozebrany do pasa, a spodnie nosi na szelkach. Jego namiot śmierdzi potem – w porównaniu z tym fetorem muły pachną całkiem przyjemnie. Któregoś dnia miał dwie godziny wolnego i nie mógł zasnąć, więc trzech Australijczyków nauczyło go grać w brydża z licytacją, bo potrzebowali czwartego gracza. Codziennie pisał do Elizabeth i dwa razy przekazał swoje długie listy ludziom, którzy wracali na statki stojące w porcie; być może kiedyś zostaną nadane pocztą. Nikt nie umie powiedzieć, kiedy korespondencja zacznie znowu krążyć – podobno już niedługo – co dla wszystkich żołnierzy stanowi ogromne źródło frustracji. Weterani postrzegają brak działającej poczty jako niewybaczalny grzech świadczący o złym przygotowaniu do inwazji. Minęło siedem tygodni, odkąd Armen opuścił Aleppo i po raz ostatni widział się z Elizabeth. Odtwarzając w pamięci jej obraz, widzi najpierw jej lśniące rude włosy, potem zaś wyraźnie zarysowane kości policzkowe, które przypominają mu jego żonę. Czasami spogląda na skórę w zgięciu swojego łokcia, ponieważ w tym miejscu po raz pierwszy poczuł jej dotyk, kiedy razem szli, a ona swobodnie wzięła go pod rękę.

Dziesiątego dnia pobytu pojawia się plotka o zbliżającym się ataku. Armen słyszy ją najpierw od Ormianina o imieniu Artak, a potem, dwadzieścia minut później, od Nowozelandczyka, który nazywa się Sydney. Koniec czekania, budowania, siedzenia w rowach i nerwowego wpatrywania się w ciemność. Jutrzejszej nocy wychodzą z okopów i przypuszczają atak na Turków.

– Robiłeś kiedyś bombę? – pyta go Sydney, który właśnie przed chwilą potwierdził wieści o rychłym natarciu. Drapie długi rząd śladów po ugryzieniach owadów widocznych nawet wśród gęstwiny włosów na torsie.

– Nie – odpowiada Armen. Kiedy zjawił się w Egipcie razem z resztą żołnierzy sprowadzonych do roli mięsa armatniego, przeszedł przyspieszony kurs obsługi karabinów i bagnetów. W jego odczuciu nauczono go także, jak dać się zastrzelić, brodząc w wodzie do pasa i dźwigając trzydzieści kilo ekwipunku na plecach.

– Niemcy mają granaty. Wiesz, takie małe bomby wielkości, dajmy na to, gruszki. Dużej gruszki. Więc teraz mają je także Turcy. A my nie. Anglicy dają je tylko tym, co walczą we Francji. A tutaj? Nigdy w życiu. Ale ja się właśnie nauczyłem, jak zrobić bombę z puszki po dżemie. – Następnie Sydney zaczyna wyjaśniać Armenowi, w jaki sposób naładować puszkę bawełną strzelniczą i kawałkami metalu, a potem od góry wstawić lont. – Dziś wieczorem – dodaje – zanim zgasną światła, chcemy ich trochę przygotować. Dołącz do nas, stary.

– Mam służbę w okopach – mówi Armen.

– Będziesz na nogach całą noc przed atakiem? A to pech.

– Zróbcie jedną dla mnie, dobrze? – prosi Nowozelandczyka.

– Jedną? Boże, zrobię ci dwie. Dla siebie robię tyle, ile będę w stanie unieść.

– Dziękuję. – Armen patrzy w stronę plaży i widzi w oddali czarny słup dymu wydobywający się z komina jednego z pancerników. Okręt ruszył z miejsca. A dokładniej: zaczął się wycofywać. Sydney również to zauważa.

– No pięknie – stwierdza. – Po prostu pięknie. Pieprzona marynarka. Pieprzeni generałowie.

Armen pytająco unosi brwi.

– Odpływają przed samym atakiem! Gorzej niż cholerne szczury. Ile dział będzie teraz ostrzeliwać tureckie okopy? Mamy o jeden okręt mniej – dodaje Sydney, po czym spluwa.

Armen kiwa głową, choć nie wydaje mu się, żeby jeden okręt mógł sprawić wielką różnicę. Poza tym znajdują się tak blisko okopów nieprzyjaciela, że każdy ostrzał artyleryjski pewnie i tak uśmierci tyle samo żołnierzy po obu stronach. Miał też jeden konkretny powód, aby cieszyć się z widoku odpływającego pancernika – być może oznaczało to, że jego listy do Elizabeth w końcu wyruszą w drogę do Aleppo.

– Sierociniec to całkiem bezpieczne miejsce – stwierdza William Forbes. Jest wyprostowany, ręce trzyma za plecami, a jego twarz, choć stoi przy oknie, spowija cień – promienie słońca widniejącego daleko na zachodnim krańcu nieba są zbyt słabe, by z takiej odległości cokolwiek oświetlić. Mówi cichym, lecz pewnym siebie tonem, jak gdyby recytował przygotowane wcześniej przemówienie. Elizabeth, nawet jeśli kiedyś miała co do tego pewne wątpliwości, teraz jest absolutnie pewna: nienawidzi go. To bardzo zdolny i kompetentny lekarz, o czym przekonała się zarówno podczas pobytu w Dajr az--Zaur, jak i tu, w Aleppo, obserwując jego codzienną pracę w szpitalu. Ale na świecie z pewnością nie brak utalentowanych lekarzy, których uznałaby za podłych i nikczemnych osobników. I nie chodzi nawet o to, że zalicza się do grona mężczyzn potencjalnie nadających się na kandydata do jej ręki – rodzice oczekują, iż poślubi dokładnie kogoś takiego, drugiego Jonathana Peckhama. Nie, Elizabeth chodzi przede wszystkim o jego motywy: wyraża zainteresowanie jej osobą tylko dlatego, że w jego własnym przekonaniu jest jedyną kobietą w Aleppo godną jego awansów. W całym tym sporze o Hatoun – o to, czy powinna zostać odebrana Nevart i odesłana do sierocińca – trzyma stronę jej ojca i Alicii Wells, ponieważ za wszelką cenę pragnie się przypodobać Silasowi Endicottowi. Co do tego Elizabeth nie ma cienia wątpliwości. Jej ojca także drażni obecność dziewczynki, w czym dostrzega pewną ironię. Otóż ojciec, jeśli chodzi o kwestie wychowawcze, zawsze wyznawał następującą zasadę: dziecko powinno być widziane, a nie słyszane. Akurat pod tym względem Hatoun idealnie spełnia jego oczekiwania.

– Pani zdaniem dzieci w sierocińcu, po tym wszystkim, co przeszły, zachowują się jak dzikie zwierzęta. I ja szanuję ten pogląd – ciągnie Forbes. – Ale przynajmniej mają tam zapewniony nadzór i edukację, a do tego przez większość czasu udaje się je zatrzymać na terenie sierocińca, gdzie nie grozi im żadne niebezpieczeństwo.

Opasły tom, który wcześniej przeglądała – czytaniem raczej nie można tego nazwać, ponieważ zupełnie nie była w stanie się skoncentrować – leży na jej kolanach jak kot.

– Nevart potrzebuje jej, a ona potrzebuje Nevart – odpowiada po prostu.

– Niestety nie dostrzegam specjalnych postępów, a pani?

– Chyba zbyt wielką wagę przywiązuje się do idei postępu.

Forbes odwraca się od okna, ukazując swój profil w całej okazałości. Jak już zdążyła się zorientować, chyba podoba mu się własna fizys widziana z tej perspektywy, ale faktycznie odcinający się na tle szyby kontur jego twarzy ma w sobie coś pociągającego. Jest przystojnym mężczyzną, tyle tylko, że jej nigdy nie przypadnie do gustu. Wreszcie, po odpowiednio długiej, wyważonej pauzie, kontynuuje swój wywód:

– Widzę, że chyba coraz bardziej przemawia do pani zacofanie tego miejsca. Ja natomiast jak dotąd zdołałem się oprzeć większości jego uroków – po czym dodaje, posyłając jej porozumiewawczy uśmiech: – ale nie wszystkim. Zdecydowanie nie wszystkim.

Zanim Elizabeth ma szansę odpowiedzieć, do rozmowy wtrąca się jej ojciec.

– Istnieją dużo konkretniejsze problemy niż debatowanie nad tym, z jak bardzo zacofanym narodem mamy do czynienia. Za niespełna tydzień wszyscy oprócz panny Wells wracamy do Ameryki. Moim zdaniem postąpilibyśmy nie fair, gdybyśmy pozwolili ormiańskiej wdowie i sierocie nadal mieszkać na terenie naszego ośrodka, gdy nas już tu nie będzie. Powierzając opiekę nad nimi Ryanowi i jego nielicznemu personelowi, obarczymy ich zbyt uciążliwym obowiązkiem. Będą dla nich tylko ciężarem.

– A dlaczego panna Wells, która tu zostaje, nie jest ciężarem?

– Panna Wells jest jak żywioł – mówi Forbes, chichocząc. – Któregoś pięknego dnia bez niczyjej pomocy uda jej się przekonać całą Ankarę i Konstantynopol do demokracji i tolerancji religijnej.

– W zasadzie panna Wells już wkrótce będzie spędzać tyle samo czasu w Damaszku, co w Aleppo – oznajmia Silas. – Bardzo mi przykro, ale moim zdaniem pozostanie tutaj tych dwóch Ormianek po naszym wyjeździe po prostu nie ma sensu. Na Boga, ich pobyt na terenie konsulatu nawet w tej chwili nie ma sensu! Nie rozumiem, czym sobie zasłużyły na taki przywilej. Porozmawiam o tym z Ryanem.

– Ja też – mówi Elizabeth i po raz pierwszy do głowy przychodzi jej pewna myśl: co by się stało, gdyby i ona została w Aleppo? Jej ojciec razem z dwoma lekarzami mogą wrócić do Ameryki zgodnie z planem, podczas gdy ona zostałaby w mieście, by dalej pomagać doktorowi Akcamowi w szpitalu i prowadzić kronikę wydarzeń dla swojej bostońskiej organizacji, regularnie donosząc im o dramatycznej sytuacji Ormian. Czy Ryan Martin miałby coś przeciwko temu? Raczej nie. Mogłaby wówczas pomóc w opiece nad Hatoun, jak również dopilnować, by obecność deportowanych Ormianek mu nie przeszkadzała i w żaden sposób nie zakłócała jego pracy.

Poza tym, jeśli teraz wróci do Bostonu, Armen będzie miał dużo większy problem z odnalezieniem jej – oczywiście zakładając, że jeszcze żyje. Będzie ich dzielił ocean. Od kilku tygodni nie otrzymała od niego żadnego listu. Ale jeśli nadal chodzi po tej ziemi, czy to w Cieśninie Dardanelskiej na drugim końcu Imperium Osmańskiego, czy też w Egipcie – na pewno wróci do Aleppo po swoich śladach. Tak pisał do niej w listach. A ona w głębi serca wie, że to prawda.

***

Późnym popołudniem młodziutki, najwyżej siedemnastoletni żandarm śpi na chodniku, po ocienionej stronie ulicy, tuż obok tajemniczych drzwi – Hatoun i Shoushan obserwują wchodzących i wychodzących przez nie mężczyzn. Koło niego leży blaszany talerz z trzema pierożkami z jagnięciną, których nawet nie tknął. Shoushan przebiegle zaciera ręce, udając przy tym, że się ślini. Hatoun usiłowała wyperswadować jej ten pomysł. Prosiła, by przyjaciółka darowała sobie te pierożki, bo nie wiadomo, jak mocno śpi żandarm. Zaproponowała nawet, że przyniesie jej więcej jedzenia z domu amerykańskiego księcia – tego ranka zdobyła dla niej chleb i figi – ale Shoushan nie dała się przekonać. Miała ochotę na te pierogi i nic innego nie wchodziło w grę, koniec kropka.

Muzyka dobiegająca zza drzwi budynku, przed którym siedzi żandarm, jest kusząca i uwodzicielska. Dziewczynki czują też zapach kadzidła i opium wydobywający się spomiędzy listewek zatrzaśniętych okiennic. Za pomocą pojedynczych palców oraz całych dłoni Shoushan pokazuje Hatoun co, jej zdaniem, robią mężczyźni i kobiety za tymi drzwiami. Wydyma usta, chichocząc przy tym bez opamiętania; wygląda trochę jak dzikie zwierzę.

Ale Hatoun ma pewne wątpliwości. Nie słyszy żadnych krzyków dobiegających z wnętrza budynku. A przecież za każdym razem, kiedy mężczyźni robili coś takiego kobietom podczas długiego marszu przez pustynię, one krzyczały. Może właśnie dlatego i matki, i córki przestawały się potem odzywać. Może wykrzyczały z siebie cały głos.

Po chwili zastanowienia dochodzi jednak do wniosku, że nie zawsze tak było. Próbuje wywlec wspomnienia z dna świadomości, tak jak wlecze się upartego osła na postronku. Czasami kobiety jedynie cicho szlochały. A niektóre w ogóle nie wydawały z siebie żadnego dźwięku.

Tak czy owak, od razu przychodzą jej na myśl piski i wrzaski, które nieodłącznie kojarzą jej się z – tego słowa Hatoun wcześniej nie znała – gwałtem. Mężczyzna robił to kobiecie, ona zazwyczaj krzyczała, a potem on podciągał spodnie i zapadała cisza.

Shoushan ciągnie ją za ramię i pokazuje trzech niemieckich żołnierzy. Gaszą papierosy swoimi ciężkimi wojskowymi butami i pukają do drzwi. Wysoka kobieta z twarzą pokrytą tatuażem wita gości szerokim uśmiechem i wprowadza ich do środka. Strażnik kaszle przez sen, ale oczy wciąż ma zamknięte.

– Teraz? – pyta Shoushan.

– Nie rób tego – mówi Hatoun. – Jeśli się obudzi, zabije cię.

– Co ty, nie zabije, tylko zrobi tak – po tych słowach dziewczynka dwa razy wyrzuca do przodu biodra i wybucha śmiechem.

Hatoun obiecuje, że spróbuje jakoś przekonać Nevart, by poprosiła amerykańską kucharkę o przygotowanie dania z jagnięciny na kolację, i że albo jeszcze dziś wieczorem, albo jutro rano przyniesie jej jedzenie. Ale Shoushan uparła się jak wół na te pierożki. Przechodzi przez ulicę, poruszając się bezgłośnie, jak rudy kot, który mieszka tuż za murami amerykańskiego ośrodka. Ostatni raz odwraca się do Hatoun i obrzuca ją dzikim spojrzeniem. Gdy dociera do żandarma, jej twarz ginie w cieniu. Staje nad nim i czeka przez dłuższą chwilę, po czym kuca. Hatoun ma wrażenie, że jej przyjaciółka jak zwykle kusi los. Pewnie stroi do niego głupie miny, tylko po to, żeby się zabawić i poczuć dreszcz emocji. Dlaczego nie chwyta pierożków i nie ucieka? Już byłaby z powrotem i razem mogłyby czmychnąć w jakąś boczną uliczkę, znikając w spowijającej miasto popołudniowej ciszy.

Wtem prawe ramię żandarma atakuje jak wąż. Palcami chwyta Shoushan za kostkę. Otwiera oczy. Dziewczynka piszczy, desperacko próbując utrzymać się na nogach. Wierzga i kopie, a talerz z pierożkami szybuje w powietrze. Mężczyzna charczącym głosem mówi coś, czego Hatoun nie rozumie, po czym otwartą dłonią uderza Shoushan w policzek. Cios jest tak silny, że dziewczynka upada na ziemię i niczym piłka toczy się kilka metrów dalej. Hatoun wybiega na ulicę tak szybko, jak tylko potrafi, chwyta przyjaciółkę za ramię, pomaga jej się podnieść i ciągnie do najbliższej bocznej uliczki.

Kiedy wyłaniają się spomiędzy budynków przecznicę dalej, ledwo łapiąc dech, słońce jest jakby jaśniejsze. I choć Shoushan pociera obolały od uderzenia policzek, znów wybucha śmiechem.

– Założę się, że ta świnia zje pierożki prosto z ulicy – mówi do Hatoun niemal radosnym tonem. – Ja bym tak zrobiła!

Pod wieczór, tuż przed zachodem słońca Helmut Krause stoi na urwistym klifie, przyglądając się przez lornetkę z porysowanymi soczewkami szarym konturom majaczących na horyzoncie potężnych brytyjskich pancerników. Przez wąską szczelinę pomiędzy chmurami przenikają promienie słońca, rozlewając nieziemską czerwoną poświatę na spokojne wody Morza Śródziemnego. Helmut wychowywał się w pobliżu Kołobrzegu. Z tego, co pamięta, wody Bałtyku nigdy nie były tak spokojne i nigdy nie przybierały tak wyciszającej, zielonobłękitnej barwy. Zastanawia się, jak by to wyglądało w obiektywie aparatu. Tęskni za swoim Ernemannem.

Stojący obok niego Erich klepie go po ramieniu.

– Dobrze, że do nas wróciłeś – mówi wesoło.

Helmut odsuwa lornetkę od oczu i w milczeniu uśmiecha się do przyjaciela. Czy aby na pewno wrócił? Jest tak słaby, że nie ma co do tego pewności. Zastanawia się, czy nogi nie odmówią mu posłuszeństwa i nie będzie musiał wrócić do łóżka polowego w Krainie Potępieńców. Mundur wisi na nim jak worek i wciąż jeszcze w pełni nie odzyskał sił po długim ataku dyzenterii. Dardanele okazały się doprawdy odrażającym miejscem. I nie chodzi tylko o to, że stracił ponad dziesięć kilogramów, a większą część swojego sześciotygodniowego pobytu w Cieśninie spędził w prymitywnym szpitalnym namiocie, leżąc na wznak i pocąc się, podczas gdy zarówno z jego ust, jak i odbytu tryskały potworności, których nie sposób opisać słowami. Problem w tym, że nawet teraz, kiedy znów jest wśród zdrowych żołnierzy, on i jego kompani żyją jak zwierzęta w norach. Z krawędzi klifu, na którym stoi, widzi plątaninę tureckich okopów przypominających labirynt podziemnych korytarzy wykopanych przez jakieś gryzonie. Tunele ciągną się od podnóża wzniesienia aż po horyzont równiny, którą przecinają rzędami zygzaków. Głęboko wykopane w suchej, jałowej ziemi rowy są opatrzone małymi drewnianymi drogowskazami. Helmut słyszał, że okopy we Francji podchodzą wodą, której zbiera się na dnie mniej więcej od trzydziestu do sześćdziesięciu centymetrów. Ale nie tutaj – tutejsze okopy są całkowicie wysuszone. Tak czy owak, żołnierze boją się wychylić, żeby zerknąć na powierzchnię, dlatego ich nieodłącznymi towarzyszami pośród ziemi i drewna są szczury i insekty.

– Kiedy przez kilka ostatnich tygodni ucinałeś sobie drzemkę, dokonaliśmy kilku ulepszeń – informuje go Erich, a on potakująco kiwa głową. Prawie w ogóle nie pamięta, jak wyglądał ten odcinek linii obrony w chwili, gdy tu dotarli, ponieważ bardzo szybko wylądował w szpitalu; cały ten okres spowija mgła. Zresztą to bez znaczenia. Teraz w okopach pojawiły się porządne schody przeciwpożarowe, a w strategicznych punktach umieszczono karabiny maszynowe wsparte o worki z piaskiem. Doliczył się dwóch baterii artylerii górskiej, trzech baterii dział polowych oraz pary haubic obsługiwanych przez grupę mężczyzn. Przednie krawędzie okopów oplata poskręcany drut kolczasty. Poza tym wie, że walczący tu żołnierze mają naprawdę silną motywację. W końcu bronią swojej ziemi ojczystej. Niektórzy z nich to dokładnie ci sami szeregowcy, którzy kilka miesięcy wcześniej odparli pierwszy atak ANZAC-u. Ich dowódca, Mustafa Kemal, powiedział im wówczas: „Nie rozkazuję wam walczyć, rozkazuję wam ginąć". Wielu faktycznie zginęło, ale jeszcze więcej przeżyło, a jego słowa stały się dla nich inspiracją. Już teraz rozkaz Kemala przeszedł do legendy. Ale prędzej czy później siedzący w swoich okopach Australijczycy i Nowozelandczycy znów przypuszczą szturm i z pewnością nie będzie to nic przyjemnego.

– Atakują tylko nocą – mówi Erich. – Tak samo jak Turcy. Nikt przy zdrowych zmysłach nie rusza się z okopów w biały dzień.

– Naprawdę?

– Naprawdę – potwierdza porucznik.

– Myślisz, że jest tam gdzieś nasz Ormianin?

– Armen?

– Tak.

221

– Przestań się tym zadręczać. Przecież nic nie mogłeś zrobić, zupełnie nic.

– Ale czy myślisz, że mu się udało?

– Mało prawdopodobne – odpowiada z lekkim rozdrażnieniem Erich, lecz po chwili odzyskuje równowagę i dodaje już zwyczajnym tonem, wskazując na karabiny maszynowe: – Nie chcę nawet sobie wyobrażać, że to ja byłem odpowiedzialny za ostrzał, który mógł go zabić.

Helmut kiwa głową. Przypomina sobie zdjęcie, które zrobił Armenowi tuż przed jego wyjazdem. Czy zaciśnięte usta i buńczuczne spojrzenie wyrażały jedynie pragnienie zemsty podyktowane nienawiścią? Czy może jednak w tym wzroku było coś więcej? Kiedy Helmut akurat nie patrzył na niego przez szkło obiektywu, kiedy siedzieli w kawiarni i rozmawiali, w jego oczach dostrzegł również głęboki smutek. Żal. Armen co najmniej raz napomknął coś o swojej własnej winie. Szkoda, że nie powiedział mu więcej. Nie ma już fotograficznych płytek, na których uwiecznił wychudzone, umierające albo nieżyjące już kobiety i dzieci w Aleppo. Zostały zniszczone. A teraz jest tu, w Cieśninie Dardanelskiej, słaby i wycieńczony po długiej walce z dyzenterią. Nic nie zdołał osiągnąć. Zupełnie nic.

– Spójrz tam – mówi Erich, wskazując w kierunku Morza Śródziemnego.

Helmut znów podnosi lornetkę do oczu. Na jednym z okrętów wojennych widzi błysk. Do jego uszu dociera świst zbliżającego się pocisku. Nie, nie jednego, ale wielu pocisków. W liczbie mnogiej. Ogień zaporowy. Wybuchowi pierwszego z nich towarzyszy ogłuszający huk. Erich znika pod gradem kamieni, rozpryskującej się na wszystkie strony ziemi i kawałków ludzkiego ciała. Helmut próbuje wykrzyczeć imię przyjaciela, gdy nagle jego również coś odrywa od ziemi. Cały świat pogrąża się w nienaturalnej ciszy. Dźwięki powracają dopiero, gdy upada na plecy. Wszystko wokół niego drży, a ziemia jest dziwnie wilgotna. Czyżby wylądował w jedynej kałuży na całym półwyspie? Odwraca głowę, szukając wzrokiem Ericha, lecz nigdzie go nie widzi. Chce wierzyć, że sturlał się do okopu, żeby się schronić, ale w głębi serca wie, że to nieprawda. Jego przyjaciel rozpłynął się w powietrzu, rozerwany na milion kawałków roztrzaskanych kości i rozdartej skóry. Teraz sam musi się gdzieś ukryć. Próbuje podeprzeć się rękami, żeby usiąść, lecz z jakiegoś powodu nie może. Przez chwilę jest całkiem zdezorientowany. Kiedy jednak spogląda w dół, wszystko staje się jasne. Widzi jedynie spoczywającą na klatce piersiowej lornetkę. Ale gdzie są jego ręce? Nie ma ich. Po prostu ich... nie ma. A ta wilgoć wokół uszu, którą początkowo wziął za kałużę? To strugi krwi sączące się z dwóch ziejących otworów, które zostały po jego ramionach. Przerażony otwiera usta, próbując krzyczeć, ale nie jest pewien, czy w tej upiornej, skąpanej w deszczu ziemi krainie bezgłośnych eksplozji rzeczywiście z jego piersi wydobył się jakikolwiek dźwięk. Jednak teraz to już nie ma znaczenia. Żadnego znaczenia. Helmut wie, że właśnie umiera, tu, na tym klifie. To naprawdę już koniec. Zaczyna się modlić: *Idę do ciebie, Panie Boże. Proszę cię, Panie, zabierz mnie stąd, zabierz mnie teraz!* – lecz już po chwili jego modlitwa staje się bezładną mieszaniną bełkotliwych sylab. Jaka jest jego ostatnia myśl, nim na zawsze traci świadomość? W głowie rozbrzmiewają mu słowa Ericha, wypowiedziane ot tak, bez większego namysłu: „Atakują tylko nocą".

Ci nieszczęśni dranie z ANZAC-u, uświadamia sobie w ostatniej przytomnej chwili, też zaraz skończą tak jak on.

Rozdział 13

Moi dziadkowie rzadko wspominali o pierwszej wojnie światowej i ludobójstwie. Tamta chwila z moim bratem, dziadkiem i ołowianym żołnierzykiem stanowiła raczej wyjątek – i z pewnością właśnie dlatego utkwiła mi w pamięci. Nigdy nie opowiadali mi swojej historii w sposób linearny czy chronologiczny. Zamiast tego zdarzało im się zupełnie nieoczekiwanie przytoczyć w rozmowie jakąś anegdotę czy fragment wspomnień, które dopiero po latach, dzięki rozmowom z ojcem, wujem i ciotką, zaczęły nabierać dla mnie sensu.

Co więcej, dopiero gdy miałam czterdzieści cztery lata, dowiedziałam się, że listy i pamiętniki mojej babci, jak również sprawozdania, które pisała dla stowarzyszenia Przyjaciele Armenii, wciąż istnieją i znajdują się w archiwach muzeum pod Bostonem, gdzie wypełniają sporych rozmiarów pudło. Nigdy o tym nie powiedziała, nawet mojemu ojcu. Dlatego dopiero teraz, sama będąc już w średnim wieku, zaczęłam mozolnie przedzierać się przez papiery, które zostawiła po sobie Elizabeth Endicott, próbując jakoś powiązać niejasne wzmianki i aluzje pamiętane z dzieciństwa – przypadkowo rzucane uwagi, jak na przykład wspomnienie dziadka o Australijczyku Taylorze wywołane widokiem ołowianego żołnierzyka – z czymś, co moja babka napisała wiele lat wcześniej.

Kolejnym dobrym przykładem jest dziwny związek pomiędzy niejadalnym mięsem a transatlantykiem zatopionym przez niemiecką łódź podwodną dziewięć miesięcy po rozpoczęciu pierwszej wojny światowej. Mięso występujące w tej opowieści to basturma. Dziadek ją uwielbiał i fakt, że babcia ją dla niego przyrządzała, stanowi dowód na to, jak wielką miłością go darzyła. Basturma – znana też jako pastirma – to ormiańska suszona wołowina, doprawiona taką ilością czosnku, że mogłaby z powodzeniem służyć za straszak na wampiry. Gdy babcia przygotowywała porcję tego smakołyku, dom dziadków cuchnął przez dobrych kilka dni i można chyba przypuszczać, że oni sami również. Wpatrywałam się w ciemne, wysuszone plastry mięsa, które babcia układała na swojej eleganckiej, niebieskiej, ceramicznej tacy od Tiffany'ego, i wyobrażałam sobie unoszące się nad nimi toksyczne opary, jak w kreskówkach o skunksie Pepé z serii „Looney Tunes".

Statek z tej opowieści to transatlantyk RMS „Lusitania", który został storpedowany przez Niemców w pobliżu wybrzeża Irlandii 7 maja 1915 roku i błyskawicznie zatonął w ciągu zaledwie osiemnastu minut. Zginęło wówczas około 1200 pasażerów i członków załogi spośród dokładnie 1959 osób, które niecały tydzień wcześniej weszły na pokład w Nowym Jorku.

Suszona wołowina i katastrofy morskie już zawsze będą mi się ze sobą kojarzyć za sprawą czegoś, co się wydarzyło, gdy miałam sześć lat. Była Niedziela Wielkanocna i siedziałam na drewnianej ławie w kuchni mojej babci, która właśnie rozkładała dolmę – liście winogron nadziewane cebulą, ryżem i porzeczkami – na jednej tacy, a plastry basturmy na drugiej. Dziadek, ojciec i ciotka też tam byli, chociaż ciotka jako jedyna pomagała gospodyni; mężczyźni tylko snuli się bez celu. W salonie siedziało więcej gości, zaś mój brat i kuzyni jak zawsze skryli się w piwnicy i grali w bilard. Wszyscy mieliśmy zgromadzić się w jadalni przy wielkanocnej kolacji najwcześniej za półtorej godziny. Bez wątpienia kuchnia pachniała suszonym mięsem i dlatego siedziałam na ławie; chciałam słuchać rozmów dorosłych, ale jednocześnie starałam się trzymać jak najdalej od lady, gdzie leżała basturma.

Krikor, bohater poniższej konwersacji, był ormiańskim przyjacielem moich dziadków, którego poznali już po osiedleniu się w Ameryce po pierwszej wojnie światowej. Jak na ironię, zważywszy na moją jawną niechęć do ludzi powtarzających stereotyp o Ormianach jako sprzedawcach dywanów, posiadał ogromny sklep z dywanami na przedmieściach Princeton w stanie New Jersey.

CIOTKA: Mamo, musisz przestać to przyrządzać. Suszona wołowina na pewno nie jest zdrowa dla taty. Przecież to trucizna.

DZIADEK: Pokarm bogów.

BABCIA: Jakoś do tej pory się trzyma.

DZIADEK: Krikor jadł to aż do śmierci przed dwoma laty.

OJCIEC (sięgając po plaster basturmy z tacy od Tiffany'ego): Jasne, ale pomyśl, jakim on był twardzielem. Nie zapominaj, że przeżył zatonięcie „Lusitanii". Był tam, prawda?

BABCIA: Krikor zawsze był niezłym gawędziarzem, jeszcze lepszym niż twój ojciec. Ale tak, był na pokładzie „Lusitanii", kiedy ją zatopiono. Mieszkał wtedy w Ameryce od jakichś dziesięciu lat i właśnie płynął z powrotem do Europy, żeby walczyć u boku Ormian w rosyjskiej armii, kiedy statek poszedł na dno.

CIOTKA: Naprawdę dopłynął do łodzi, która go uratowała?

DZIADEK: Nie, oczywiście, że nie. Ale kilka godzin dryfował, trzymając się kawałka drewna. Przynajmniej tak zawsze twierdził. To cud, że nie zamarzł na śmierć.

CIOTKA: Gdyby się wcześniej najadł basturmy, mógłby się rozgrzewać samym oddechem.

BABCIA: Pamiętam, że tamtego roku przez całą podróż statkiem byłam śmiertelnie przerażona. Z powodu „Lusitanii". Wszyscy mieliśmy to świeżo w pamięci.

OJCIEC: Niemcy nie storpedowaliby kolejnego statku. Jeśli chodzi o reputację, to była dla nich katastrofa.

BABCIA: I tak się bałam.

DZIADEK: Nonsens. W tamtych czasach nic nie było w stanie cię wystraszyć. Ryan Martin mówił, że jesteś najodważniejszą kobietą, jaką kiedykolwiek poznał.

Po tych słowach dziadek chciał ją objąć, ale ona odepchnęła go ze śmiechem.

– Nie zbliżaj się do mnie, kiedy zioniesz tą swoją basturmą. Dokonałeś wyboru i wybrałeś swoje mięso zamiast mnie. Więc musisz teraz z tym żyć, staruszku.

To jedno z moich ulubionych wspomnień dotyczących dziadków. Żadnego smutku, żadnej unoszącej się w powietrzu melancholii. Jednak nawet ta krótka wymiana zdań rodziła pytania, które miałam ciągle w głowie, w miarę jak dorastałam i dowiadywałam się coraz więcej o ich wspólnej historii. Jak Krikor w rzeczywistości zdołał przeżyć zatonięcie „Lusitanii"? Co takiego zrobiła moja babcia, że ten Ryan Martin uznał ją za tak odważną? Jeśli chodzi o tę pierwszą kwestię, to nigdy nie poznałam całej prawdy. Za to po wielu latach w końcu udało mi się uzyskać odpowiedzi na drugie z tych pytań.

Nevart wpatruje się w twarz po drugiej stronie żelaznych krat. To turecki żołnierz w żółto-brązowym mundurze. Jest bardzo młody, o czym świadczy jego delikatny wąsik. Na pierwszy rzut oka wzrok chłopaka wydaje się senny, lecz po chwili Nevart dochodzi do wniosku, że się pomyliła. Jego oczy są pełne szacunku. Oprócz kucharki, Hatoun i jej w ośrodku nie ma nikogo. Elizabeth, Alicia i lekarze są w szpitalu, a Ryan Martin, jego asystent i Silas Endicott poszli na spotkanie z gubernatorem generalnym. Przypadkiem słyszała rozmowę konsula i ojca Elizabeth, którzy się zastanawiali, w jaki sposób powinni wyrazić oburzenie tym, co się dzieje w Dajr az-Zaur, oraz faktem, że Farhat Sahin zaaranżował kradzież sporej części żywności i leków wiezionych przez nich do obozu. Ale obaj, podobnie jak Nevart, doskonale wiedzą, że *wali* nic z tym nie zrobi. Z pewnością ani nie będzie interweniował w sprawie Dajr az-Zaur, ani nie ukarze swojego fagasa. A jeśli już postanowi podjąć jakiekolwiek kroki wobec Sahina, można się spodziewać tylko pochwały.

Gdy żołnierz dostrzega Nevart spoglądającą na niego spomiędzy żelaznych prętów obok ciężkich drewnianych drzwi, grzecznie zdejmuje czapkę. Jest tuż po lunchu i o tej porze życie w mieście zwalnia tempo pod palącymi promieniami pustynnego słońca, które stoi wysoko na niebie. Hatoun, w skupieniu usiłująca rozwiązać przygotowane przez Nevart zadania, jeszcze go nie zauważyła. Uważnie wpatruje się w swoją tabliczkę, trzymając w palcach ogryzek kredy. – Zaczekaj tutaj – mówi Nevart do dziewczynki i wstaje z krzesła, czując na sobie jej wzrok. Wie, że Hatoun wodzi za nią oczami i że teraz na pewno zauważyła żołnierza. Próbuje stłumić przeszywający ją dreszcz niepokoju. Przecież na ulicach Aleppo wszędzie jest pełno tureckich żołnierzy, powtarza sobie w duchu.

Podchodząc do bramy, pyta po prostu:

– O co chodzi?

– Przepraszam bardzo. Szukam amerykańskiego dyplomaty.

– Pana Martina?

– Nie wiem, jak się nazywa.

– Jest na spotkaniu z gubernatorem.

Żołnierz przez chwilę się zastanawia.

– A kiedy wróci?

Nevart słyszy, jak Hatoun odsuwa krzesło od stołu. Chwilę później jest tuż za nią i wygląda zza jej ramienia. Czuje, jak dziewczynka chwyta ją za rękę.

– Nie wiem. Mam mu coś przekazać?

Żołnierz rozgląda się po ulicy i kręci głową.

– Nie, on mnie nie zna. Nazywam się Orhan. Przyjdę kiedy indziej – mówiąc to, kłania się lekko, z powrotem zakłada czapkę i odchodzi.

Elizabeth wrzuca ostatni z opróżnionych przez siebie basenów do blaszanego zlewu w szpitalnej łazience. Działa wedle schematu: najpierw odkłada wszystkie do zlewu, a potem czyści całą stertę. Podczas pracy prawie przez cały czas oddycha ustami. Gdy się odwraca, dostrzega przed sobą Alicję Wells i zakonnicę, którą widziała w sierocińcu, ale nie została jej oficjalnie przedstawiona.

– Elizabeth, masz chwilę? – pyta misjonarka podejrzanie przyjaznym tonem. Ostatnio stosunki między nimi znów stały się napięte i Elizabeth czuje się w ich wspólnej sypialni trochę jak w więziennej celi, w której nagle zrobiło się zbyt tłoczno.

– Tak, oczywiście – odpowiada, starając się, by jej głos brzmiał równie miło. Opłukuje ręce, po czym daje kobietom znak, by wyszły z nią na szeroki korytarz, gdzie nie czuć smrodu unoszącego się z basenów.

– Chcę, żebyś poznała siostrę Irmingardę – mówi Alicia. – Siostro, to jest Elizabeth Endicott.

– Bardzo mi miło – Elizabeth zwraca się do zakonnicy. Kobieta z twarzy przypomina żabę, ale nie sprawia wrażenia osoby nieżyczliwej. Na oko ma pięćdziesiąt lat. Elizabeth wie doskonale, po co Alicia ją tu przyprowadziła. – Widziałam siostrę w sierocińcu – dodaje. – Żałuję, że nie miałyśmy okazji porozmawiać wcześniej.

– Jak widać, obie mamy sporo na głowie. Dzień jest zbyt krótki, żebyśmy sobie mogły pozwolić na beztroskie pogawędki – mówi zakonnica tak samo chłodnym i rzeczowym tonem, jaki z reguły Elizabeth słyszy u swojego ojca. Jednak po chwili kobieta nieco łagodnieje. Chwyta jej dłoń, mocno ściska palce i dodaje: – Niech Bóg błogosławi panią i Przyjaciół Armenii. Spełniliście dobry uczynek, przyjeżdżając do Aleppo. Do Dajr az-Zaur zawieźliście wspaniałe dary.

– Dziękuję, ale w rzeczywistości było tego tyle co nic – odpowiada Elizabeth. – Potrzebowalibyśmy cudownego rozmnożenia chleba, żeby zmienić los tych ludzi. Cała ta nasza podróż okazała się niezwykle frustrująca.

– Jesteś zbyt surowa, zarówno wobec siebie, jak i ojca – stwierdza Alicia, ale z jej tonu bije chłód. – Jesteś zbyt surowa dla nas wszystkich. Owszem, straciliśmy cztery wozy. Ale lekarze ocalili niejedno życie w obozie na pustyni, tak samo jak w naszym szpitalu.

Z piersi Elizabeth dobywa się głębokie westchnienie. Ta nieistotna wymiana zdań nie ma nic wspólnego z powodem, dla którego Alicia przyprowadziła do szpitala siostrę Irmingardę. W końcu

Elizabeth, nie chcąc czekać już dłużej, postanawia sama poruszyć ten temat.

– Jak przypuszczam, chcecie porozmawiać o Hatoun.

– Tak, przedstawiłam siostrze Irmingardzie sytuację i opowiedziałam, jakie mamy problemy z tym dzieckiem – przyznaje Alicia.

– Może mi pani powiedzieć, dlaczego dziewczynka nie jest w sierocińcu? – pyta zakonnica.

– Ponieważ ma matkę, Nevart. Chyba powinna się siostra cieszyć z tego, że dziecko znalazło dom i że prawdopodobnie zostanie adoptowane. Czyż nie takie jest zadanie sierocińca? Zapewniać dzieciom opiekę, dopóki nie znajdą rodziny i prawdziwego domu?

– Zajmuje się nią ciężko doświadczona przez życie kobieta, a nie żadna matka – poprawia ją Alicia – która w dodatku sprawia wrażenie osoby ponurej i nieobecnej. Poza tym ona sama nie ma domu i raczej nie zapowiada się na to, że kiedykolwiek będzie go posiadała. Ma co jeść i gdzie mieszkać wyłącznie dzięki dobrej woli i łaskawości konsula. Jest wdową. Straciła męża. A dziecko – przykro mi, ale nie da się tego inaczej ująć – potrzebuje pomocy, której Nevart nie jest w stanie mu zapewnić. Dziewczynka ma zaburzenia psychiczne. Taka jest brutalna prawda. Dlaczego więc…

– A skąd ty możesz o tym wiedzieć! – przerywa jej Elizabeth dużo ostrzejszym tonem, niż by chciała, ale nie może już dłużej tego słuchać. – Skąd ty to możesz wiedzieć – powtarza. – A nawet jeśli rzeczywiście cierpiałaby z powodu zaburzeń psychicznych, nie miałoby to żadnego znaczenia. Jestem bardzo ciekawa, w jaki sposób pobyt w sierocińcu miałby jej pomóc. Dlaczego byłoby jej tam lepiej? Bo znalazłaby się wśród bardziej wygadanych dzieci, które bezkarnie mogłyby ją dręczyć? Bo mogłaby się poczuć samotna i zagubiona pośród tłumu innych sierot? Bo musiałaby robić uniki przed ciskanymi w jej stronę naczyniami? To masz na myśli? Bo ja osobiście nie widzę żadnego powodu, dla którego jej stan miałby się poprawić dzięki pobytowi w sierocińcu. Co więcej… – przerywa na moment, próbując odzyskać nad sobą kontrolę.

– No dalej – mówi Alicia. – Czekam.

– Wyjątkowo nieprzychylnie odnosisz się do całej tej sytuacji, a w szczególności do samej Nevart.

Misjonarka parska, potrząsając głową.

– Takie dramatyzowanie pasuje do twoich relacji z mężczyznami w Bostonie albo South Hadley – czy nawet tutaj, z tym ormiańskim inżynierem – ale jest całkiem nie na miejscu, kiedy rozmawiamy o dzieciach, zwłaszcza biorąc pod uwagę ich niepewną sytuację.

Elizabeth nie wspominała Alicii ani o swoim związku z wdowcem z Mount Holyoke, ani o Jonathanie Peckhamie. Rozmawiała z nią tylko o Armenie, ale zachowywała przy tym bardzo oficjalny ton. Najwyraźniej jednak jej ojciec napomknął coś misjonarce.

– Nie bardzo rozumiem, jaki związek mogą mieć relacje z mojej przeszłości z dyskusją na temat najbardziej odpowiedniego miejsca dla Hatoun – broni się Elizabeth.

– Wcale nie powiedziałam, że mają jakiś związek – twierdzi Alicia. – Chodziło mi tylko o to, że niepotrzebnie dramatyzujesz. I tu się właśnie nie zgadzamy: twoim zdaniem w sierocińcu aż się roi od pozbawionych jakiegokolwiek nadzoru dzikich bestii. I jesteś przekonana, że nie ma tam nikogo, kto byłby w stanie zachęcić to dziecko, żeby się otworzyło i wyjrzało ze swojej skorupy. A ja mam na ten temat zupełnie inne zdanie. Na własne oczy widziałam, ile dobrego robi siostra Irmingarda i jej współpracownicy.

– Dziękuję – mówi zakonnica. – Panno Endicott, wiem o pani złych doświadczeniach z dziećmi w Aleppo. Słyszałam o incydencie ze szklanką. Mam nadzieję, że stopa się goi.

– Tak, powoli.

– To dobrze – mówi do Elizabeth, po czym znów odwraca się do Alicii. – Nie wydaje mi się, żeby dziewczynka miała jakieś zaburzenia psychiczne. Oczywiście była u nas w sierocińcu bardzo krótko. Dzień, może dwa, jak wynika z dokumentów.

– Może i nie urodziła się z chorobą psychiczną, ale po tym, co widziała podczas marszu na pustyni, został jej głęboki uraz – upiera się Alicia.

– Niezależnie od wszystkiego – kontynuuje zakonnica, szeroko otwierając ramiona i zwracając się do obu kobiet – może skupmy się na tym, w czym obie się zgadzacie. Przybyłyście tu z tą samą misją: chronić Ormian, którzy ocaleli, zgadza się?

– Oczywiście – odpowiada chmurnie Elizabeth, tym razem zupełnie nie przejmując się swoim tonem.

– Wobec tego proszę pozwolić tym, którzy mają odpowiednie przeszkolenie, by zajęli się dzieckiem. Proszę pozwolić nam...

– Dziewczynka zostanie z Nevart – przerywa jej Elizabeth. – I nie pozwolę na nic innego. – W głosie siostry Irmingardy wyczuła protekcjonalność, mimo iż zakonnica podważyła insynuacje misjonarki, jakoby Hatoun była niedorozwinięta czy po prostu obłąkana.

– Bardzo wam dziękuję za wizytę. Alicio, zobaczymy się później w ośrodku. A teraz przepraszam, ale mam jeszcze mnóstwo pracy – kończy, odwraca się na pięcie i odchodzi, zostawiając obie kobiety w korytarzu.

Oczy Elizabeth są zmęczone od przyćmionego światła w salonie, a palec wskazujący boli ją w miejscu, gdzie przyciskała pióro. Wolałaby teraz być w swojej sypialni na piętrze, lecz gdy przebywa tam razem z Alicią – która w tej chwili śpi w swoim łóżku – czuje tylko rozdrażnienie. Tak więc ponownie ma powód, by siedzieć w salonie na parterze mimo bardzo późnej pory. Pisze do Armena, choć z każdym kolejnym listem utwierdza się w przekonaniu, że ta korespondencja bardziej przypomina jej prywatny dziennik.

Cały czas kuleję, ale lekarze powtarzają mi, że rana się zagoi, jeśli tylko zacznę oszczędzać nogę, najlepiej kładąc się do łóżka. Ale to przecież niemożliwe. Jaki byłby sens mojego pobytu w Aleppo, gdybym siedziała z założonymi rękami, skupiona wyłącznie na powrocie do zdrowia? Z pewnością nie po to przejechałam taki szmat drogi.

Jak zwykle większość tego, co pisze, dotyczy Ormian.

Nie ma żadnych niemowląt, ponieważ nigdy nie uda-
je im się przetrwać podróży przez pustynię. A jednak jakimś
cudem dwu-, może dwuipółletnie dziecko przybyło wczoraj
do miasta wraz z nową kolumną deportowanych, niesione
przez swoją dwunastoletnią siostrę. Ich matka i rodzeństwo
zmarły wiele dni (a może tygodni) wcześniej. Dwunasto-
latka trafiła do sierocińca, a maluch – dziewczynka – jest
w szpitalu. Obie przeżyją. Mówię ci o nich, ponieważ po-
chodzą z wioski w pobliżu Harput i za każdym razem, gdy
do Aleppo trafia ktoś z tej okolicy, myślę o tobie. Tak samo jest
w przypadku deportowanych z Van, choć ostatnio tacy zda-
rzają się dużo rzadziej.

Patrząc na tę małą dziewczynkę, od razu pomyślałam
o twojej zmarłej córeczce. Powiedz mi, jak ty to robisz? Jak ty
to wytrzymujesz? Żałuję, że mi o niej nie powiedziałeś przed
twoim wyjazdem z Aleppo.

Podjęłam decyzję: nie wracam do Ameryki razem z ojcem
i lekarzami. Zostaję tutaj. A to oznacza, że może się jeszcze
kiedyś zobaczymy. Mam nadzieję, że tak się stanie.

Wróć

Odrywa pióro od kartki, odkłada je na cynową podstawkę kałamarza i odchyla się do tyłu na krześle. Ostatnie słowo napisała bez
zastanowienia i teraz, gdy tak patrzy na ten jeden, samotny wyraz,
dochodzi do wniosku, że wyziera z niego tęsknota i desperacja –
że jest jak otwarte na oścież okno, przez które można dostrzec jej
rozpacz. Zastanawia się, czy nie dopisać „jak najszybciej", ale nie
jest pewna, czy to krótkie zdanie stanie się dzięki temu pełniejsze
albo bardziej poprawne.

Skoro czuje się tutaj taka samotna, to dlaczego postanowiła
zostać?

Mogłaby po prostu nic więcej nie dodawać, postawić kropkę
i tyle. Sięga po pióro, zanurza je w atramencie, jednak jej dłoń za-

trzymuje się tuż nad kartką, zanim stalówka dotyka papieru. Nie stawia kropki. Zamiast tego pisze dwa słowa: „do mnie". Przygląda się zwięzłemu, całkiem nagiemu zdaniu, tym trzem krótkim sylabom:

Wróć do mnie.

Patrząc na nie, czuje tęsknotę, a jednocześnie satysfakcję. Kiedy życie sprowadza się do opieki nad umierającymi z głodu ludźmi na placu i chorymi w szpitalu, czy naprawdę musi przestrzegać konwenansów? Odpowiedź brzmi: nie. Poza tym szczerze wątpi, że Armen przeczyta choćby jedno z słowo z tego, co dziś do niego napisała.

Chwilę po tym, jak ustaje ostrzał z brytyjskich okrętów – po dobrych pięciu godzinach nieprzerwanego, ogłuszającego huku, trwającego tak długo, że w międzyczasie zdążyło zajść słońce i na niebie rozbłysły gwiazdy – kapral idący wzdłuż okopu nalewa whisky do blaszanego kubka Armena. Dla każdego żołnierza na tym odcinku przewidziana jest kapka trunku. Następnie oficer z Auckland rozkazuje założyć bagnety, a facet stojący obok Armena – jego dłonie, widać to nawet w ciemności, są zdrętwiałe ze strachu – głośno klnie, ponieważ rozciął sobie ostrzem kciuk. Oficer przykłada gwizdek do ust i dmucha, ale dźwięk wydaje się dziwnie przytłumiony w porównaniu z bezlitosną kanonadą okrętowych dział. Mimo to Armen wie, co oznacza ten sygnał, dlatego opiera się rękami o krawędź rowu, podciąga się w górę i razem z innymi żołnierzami rusza do ataku. Biegnie w mrok, ponieważ taki otrzymał rozkaz, ale także dlatego, że wciąż pamięta o swojej żonie, o córce i starszym bracie. Dlatego, że przed nim znajdują się ludzie, którzy wymordowali jego rodzinę, a teraz próbują zmieść z powierzchni ziemi cały jego naród. Lepiej umrzeć tutaj, w walce, niż dać się zarżnąć jak owca w jakimś wąwozie nad Eufratem albo zdechnąć z głodu na syryjskiej pustyni.

Zadanie nie jest skomplikowane: mają dostać się do tureckich okopów, przejąć je, a następnie wdrapać się na szczyt zwany Chunuk Bair i utrzymać zdobyte pozycje. Może przez pierwsze pół minuty Armen łudzi się jeszcze, że to nie będzie aż takie niebezpieczne, ponieważ ogień z okrętów wymiótł z okopów wroga wszelkie ślady życia, z wyjątkiem szczurów i much, których jest o wiele za dużo, by mogło je unicestwić tych kilka marnych pocisków artyleryjskich. Po obu jego bokach biegną inni żołnierze. Padają tylko, jeśli potkną się o korzenie czy bruzdy w ziemi przecinające cały ten teren. Armen także zaczepia raz o coś butem i się przewraca, ale gdy znów się podnosi, jego głównym problemem nie jest wcale stłuczenie czy skaleczenie – naokoło panują takie ciemności, że przez chwilę nie wie, w którą stronę ma szarżować.

Jednak wszelkie wątpliwości zostają niemal natychmiast rozwiane, ponieważ otwiera do nich ogień turecki karabin maszynowy, a po jego lewej ręce mężczyźni zaczynają padać jak ścięci kosą; jedni krzyczą, inni umierają w milczeniu. W pewnym momencie Armen czuje się tak, jakby atakował w pojedynkę, biegnąc na oślep w kierunku Turków, kiedy nagle wpada głową w dół do rowu, którego nie miał szans zobaczyć w mroku. Przez chwilę nie może oddychać i zastanawia się już, czy nie został gdzieś postrzelony. Ale nie, po prostu zabrakło mu tchu, gdy runął do kanału. Z wyciągniętymi przed siebie rękami szuka krawędzi, żeby wydostać się z powrotem na powierzchnię, a jego palce natrafiają na gładkie drewno, schodki, a potem czyjąś zimną twarz pod hełmem. To trup. Turek. Bardziej z ekscytacją niż strachem Armen uświadamia sobie, że wpadł do pierwszych okopów nieprzyjaciela. W tym samym momencie obok niego wskakuje do rowu Ormianin imieniem Artak, a za nim dwóch Australijczyków oraz kapral. Ten ostatni próbuje coś powiedzieć, ale jego słowa zagłuszają odgłosy bitwy, więc zaczyna żywo gestykulować, pokazując im, że muszą iść do przodu, muszą nacierać dalej. Armen chce go zapewnić, iż sam miał taki zamiar, ale dokładnie w tej chwili noc znienacka zmienia się w dzień, ponieważ Turcy rozświetlają całe zbocze setkami rac. Żaden z żołnierzy nie śmie wystawić z okopu nawet palca, wiedząc, że za nimi Turcy dokonują masakry Australijczyków, Nowozelandczyków, Maorysów i Ormian znajdujących się nadal na stoku. Czując w sobie narastającą wściekłość, Armen odnajduje ręką jedną z bomb zrobionych z puszek po dżemie, którą dostał od Sydneya, odczepia ją od paska, podpala lont i przerzuca ponad krawędzią okopu, mniej więcej w kierunku najbliższego tureckiego karabinu maszynowego. Zastanawia się, czy te prowizoryczne bomby w ogóle działają. Kilka sekund później rozlega się niesamowicie głośna eksplozja, która obsypuje go ziemią. Najwyraźniej działają.

Rozdział 14

Wyszłam z domu przed szóstą, kiedy Bob i dzieci jeszcze spali. Musiałam wyruszyć do Bostonu tak wcześnie, ponieważ chciałam zdążyć na samolot o ósmej. Ostatnie słowa, jakie powiedział do mnie mąż poprzedniego wieczoru, brzmiały: „Wiesz, że z tej wyprawy nie wyniknie absolutnie nic dobrego, prawda?". W tym miejscu muszę jednak zaznaczyć, iż później mnie pocałował i poszliśmy spać, nie bocząc się już na siebie. Jego troska, szczera, choć wyrażona lekko, niemal mimochodem, zdradzała jakiś nieokreślony lęk. Ale rozumiał, że i tak z samego rana wyruszę do Massachusetts. Jak mogłabym teraz z tego zrezygnować? Planowałam wrócić następnego dnia, na koncert chóru szkoły podstawowej Ann z okazji zakończenia roku szkolnego. Była w szóstej klasie, co oznaczało, że to ostatnia taka okazja. Szczerze mówiąc, ten rytuał przejścia prawdopodobnie znaczył więcej dla nas niż dla niej; ona nie mogła się już doczekać pójścia do gimnazjum, tak samo jak jej starszy brat do liceum. W każdym razie sprawdziłam dokładnie rozkład i byłam pewna, iż nazajutrz o drugiej po południu będę już siedziała na widowni w szkolnej auli.

Do Harvard Peabody Museum dotarłam kilka minut przed dziesiątą i skierowałam się prosto do wystawy fotografii z okresu ludobójstwa. Od razu rozpoznałam zdjęcie, które widziałam wiele lat wcześniej, kiedy byłam na pierwszym roku studiów. Różnica polegała na tym, że tym razem pod tajemniczą kobietą widniało nazwisko: Karine Petrosian. Autorem zdjęcia był inżynier niemieckiej armii Helmut Krause. Karine siedziała pod ścianą jakiegoś budynku w Aleppo, całkiem naga. Najbardziej uderzyło mnie to, że jej całe ciało wydawało się jakby skurczone, a czarne włosy niemalże zakrywały twarz, trochę jak lwia grzywa. Z rąk zwisały jej luźne płaty skóry, a żebra i obojczyk niemal przebijały się na zewnątrz. Obok Karine stały dwie dziewczynki w długich, obszarpanych koszulach i patrzyły na nią. Obie były tak chude, że patrząc na nie matczynym okiem, niemal się rozpłakałam.

Podpis brzmiał:

Karine Petrosian, lat 25, Harput. Przybyła pieszo do Aleppo w lipcu 1915 roku. Córka, Talene, wiek nieznany, zmarła w drodze. Apostatka, która i tak została deportowana.

W tych kilku krótkich zdaniach kryła się cała masa informacji. Zakręciło mi się w głowie, nogi lekko się pode mną ugięły. Kiedy odzyskałam panowanie nad sobą, zaczęłam czytać ten podpis od nowa, i od nowa, i jeszcze raz. I choć te zdania mówiły dużo, sugerowały jednocześnie, że gdzieś na pewno da się znaleźć jeszcze więcej. Że Karine musiała opowiedzieć komuś swoją historię.

Kurator wystawy akurat tego dnia wyjechał, ale miał wrócić do Bostonu wieczorem. Kiedy wyjaśniłam, kim jestem, student oprowadzający gości po muzeum dał mi jego adres e-mailowy.

– Więc myśli pani, że ta kobieta może być pani krewną? – zapytał student, razem ze mną wpatrując się w zdjęcie Karine.

– Nie wiem. Pewnie nie. Ale…

Odwrócił się do mnie, czekając, aż dokończę.

– Ale mój dziadek też nazywał się Petrosian i przez jakiś czas mieszkał w Harput.

– I myśli pani, że to może być jego siostra?

– Albo kuzynka – powiedziałam, a on pokiwał głową.

– Albo żona – dodał, nie zdając sobie sprawy ze znaczenia swoich słów. Rzucił to swobodnym tonem, jako jeden z wielu możliwych związków. Siostra, kuzynka, żona. Jakby po prostu odhaczał kolejne możliwości w kwestionariuszu.

Wieczorem, zaraz po kolacji, napisałam list do kuratora wystawy z hotelu w Cambridge, a on niemal od razu do mnie zadzwonił. Informacje na temat Karine Petrosian pochodziły od niemieckiego inżyniera, który spisał jej krótką biografię na jednym z wielu skrawków papieru dołączonych do pudełka pełnego płytek fotograficznych. Znacznie więcej można było się jednak o niej dowiedzieć z pism młodej wolontariuszki z Bostonu współpracującej ze stowarzyszeniem Przyjaciele Armenii.

– Elizabeth Endicott? – zapytałam.

– Zgadza się – potwierdził. Nie byłam specjalnie zaskoczona.

Kurator dodał, że historia Karine Petrosian nie znajdowała się w oficjalnie opublikowanych artykułach (przy okazji zasugerował, żebym je przeczytała, i był wręcz lekko oburzony, że mimo czterdziestu kilku lat na karku do tej pory tego nie zrobiłam). Za to można było o niej przeczytać w prywatnych listach Elizabeth Endicott oraz w jej pamiętniku. Jak się okazało, wszystkie te zapiski przechowywano zaledwie osiem kilometrów stąd, w ormiańskim muzeum w Watertown.

Rano przez chwilę rozmawiałam przez telefon z Ann, która akurat jadła śniadanie. Życzyłam jej powodzenia na koncercie i zapewniłam, że zdążę wrócić na czas i nie przegapię ani minuty z jej występu.

– Dowiedziałaś się czegoś o tych zdjęciach? – zapytała nieco zaniepokojonym głosem. Wyraźnie się jej udzielił negatywny stosunek ojca do całego tego przedsięwzięcia. W tle słyszałam, jak Matthew skarży się Bobowi na swojego nauczyciela matematyki.

– Och, na razie niewiele – stwierdziłam. – Dzisiaj powinnam dowiedzieć się więcej.

– Dobrze się bawisz? – zapytała.

– Niezupełnie. Ale to wszystko jest dość fascynujące. Coraz bardziej interesuje mnie ta sprawa.

– Powiedziałaś o tym dziadkowi? – To pytanie mnie zaskoczyło. Nie wspomniałam ojcu, czym się ostatnio zajmuję. Sama sobie tłumaczyłam, że przecież nie ma sensu mu o niczym mówić, bo tak naprawdę nie wiem, dokąd mogą mnie zaprowadzić te poszukiwania. Ale patrząc na to z dzisiejszej perspektywy, musiałam chyba przypuszczać, że ojciec obawiałby się tego, czego mogłam się dowiedzieć.

– Nie – odpowiedziałam córce. – A sądzisz, że powinnam?

– Nie wiem. Może – odparła. Oczami wyobraźni widziałam ją, jak siedzi na stołku barowym z wysokim oparciem przy wyspie w kuchni i pochłania codzienną porcję swoich ulubionych płatków przed pójściem do szkoły. – Byłoby dziwnie, gdyby się okazało, że jesteśmy spokrewnieni z tą kobietą na zdjęciu.

– W jakim sensie?

– Ona jest taka…

– Dokończ – zachęcałam.

– Nie jest taka jak my. Nawet jeśli ma z nami coś wspólnego, jest inna niż my. Nie mówię, że to coś złego. Po prostu jest jak z innego świata.

Wydało mi się interesujące, że Ann mówiła o Karine w czasie teraźniejszym. Jakby ta kobieta wciąż żyła.

– Bo jest z innego świata – zgodziłam się. – To zdjęcie zrobiono prawie sto lat temu. Ale twoi przodkowie z Bostonu również bardzo się od nas różnili.

– Czy twój dziadek też był kiedyś w takim stanie? Jak ta kobieta na zdjęciu?

– Taki… wygłodzony?

– Tak. I chory. I pobity.

– Mam nadzieję, że nie. To znaczy wydaje mi się, że nie. Ale szczerze mówiąc, nie wiem.

Ann milczała przez chwilę, po czym nagle powiedziała:

– Muszę już lecieć. Zobaczymy się po koncercie?

– Jasne – zapewniłam. – Do zobaczenia.

***

Siedzisko fotela jest ze słomy, ale cała rama i oparcia wykonane są z drewna. Elizabeth siedzi wyprostowana jak struna, podczas gdy jej ojciec chodzi w tę i z powrotem pod drzwiami gabinetu Ryana Martina. W poczekalni oprócz nich nie ma nikogo.

– Za bardzo się nastawiasz na to, że on wróci – mówi Silas. – Nie chcę umniejszać znaczenia twojej… przyjaźni z Armenem, ale czy kiedykolwiek dał ci dowód tego, że odwzajemnia twoje uczucia?

Na twarzy Elizabeth pojawia się uśmiech.

– A na jakiej podstawie twierdzisz, że Armen to jedyny powód, dla którego chcę zostać w Aleppo?

Silas przystaje na moment i wlepia w nią wzrok.

– Przecież jestem obok ciebie i widzę, co się dzieje. Jesteś moją córką, moim jedynym dzieckiem. Może i mamy odmienne zdanie na temat tego, co może stanowić sens twojego życia i co da ci szczęście, ale przecież zawsze przyświecały nam te same cele.

– Jestem szczęśliwa tutaj, w Aleppo. I z pewnością moje życie ma w tej chwili więcej sensu niż kiedykolwiek w przeszłości.

– Gdy razem z Williamem i Hugh wrócimy do Ameryki, twoja sytuacja ulegnie diametralnej zmianie.

– Tak, zdaję sobie z tego sprawę. Będę za tobą tęsknić. Za matką tęsknię cały czas.

– Ale nie możesz czekać na Armena. To czysta naiwność. Przecież…

– Naiwność? – przerywa mu Elizabeth, która czuje, jakby tym słowem ojciec chciał ją skarcić. – Dlaczego? Co ty o nim wiesz? No proszę, powiedz mi, co o nim wiesz.

Z gabinetu wyłania się Ryan Martin. Elizabeth i jej ojciec spoglądają na niego zmieszani. Musiał słyszeć ich rozmowę, co sprawia, że oboje są zakłopotani. Elizabeth nie miała pojęcia, że konsul jest u siebie.

– Pozwolisz, Silasie, że coś powiem? – pyta życzliwym tonem.

Jej ojciec w milczeniu kiwa głową.

– Panno Elizabeth – zaczyna konsul – słyszałem waszą rozmowę.

– Przepraszam.

– Nie, to ja przepraszam. Nie słuchałem, o czym mówicie, ale i tak do moich uszu dotarło kilka zdań…

– Proszę kontynuować.

– Ja również się zastanawiam, czy nie za bardzo liczy pani na rychły powrót Armena.

Elizabeth potrząsa głową.

– Wiem, że może zginąć w Cieśninie Dardanelskiej. Doskonale zdaję sobie z tego sprawę.

– Ale pani ojciec chyba nie to miał na myśli, prawda, Silasie?

– W rzeczy samej, nie chodziło mi wcale o rzeź dokonywaną na półwyspie.

– W takim razie o co? – pyta Elizabeth.

– Jeśli Armen wstąpił do armii brytyjskiej – wyjaśnia konsul – przestał być obywatelem Turcji. Aleppo – jak zresztą cała Syria i Palestyna – to teraz terytorium wroga. Brytyjski żołnierz nie może ot tak wsiąść do pierwszego lepszego powozu czy pociągu i spokojnie wrócić sobie do Aleppo. W chwili, gdy się zaciągnął, przekreślił możliwość powrotu.

Elizabeth patrzy na niego w osłupieniu. Jakim cudem mogła o tym nie pomyśleć? Brytyjski żołnierz nie spędza urlopu w Aleppo – równie dobrze mógłby się wybrać na wyjazd rekreacyjny do Berlina. Nie pamięta, kiedy ostatnio czuła się taka… naiwna. Jednak po chwili przypomina sobie wszystkie listy, które dostała od Armena. Może i jest młoda, ale na pewno nie pomyliła się co do jego uczuć.

Kiedy podnosi wzrok na obu mężczyzn, żaden nie odwzajemnia jej spojrzenia. Ojciec spogląda w dół na zegarek, który w pewnym momencie wyciągnął z kieszeni. Natomiast Ryan Martin tępo wpatruje się w książki stojące na wbudowanej w ścianę biblioteczce. Elizabeth wstaje, po czym lekkim skinieniem głowy żegna ojca i konsula.

– Dziękuję. A teraz pozwólcie, że pójdę się przebrać. Muszę wracać do szpitala. Zrobiłam sobie wystarczająco długą przerwę.

***

Kilka godzin później Ryan Martin jest już prawie pod podwójnymi, frontowymi drzwiami konsulatu, po kolacji spędzonej w miłym towarzystwie dwóch szwajcarskich dyplomatów, gdy nagle dostrzega cień padający na ścianę tuż obok wejścia. Czuje, jak włosy na karku stają mu dęba. Jednak nie jest jeszcze tak późno, na ulicy wciąż panuje ruch. Za plecami słyszy stukot kopyt na bruku – to para koni ciągnie elegancki powóz jakiegoś przedsiębiorcy; na rogu ulicy jest kawiarnia – lampy na stolikach wciąż się palą, a siedzący na zewnątrz goście kończą posiłki. Gdy powóz przejeżdża obok niego, konsul dumnie prostuje ramiona, powtarzając sobie, że pomimo przemocy, z jaką można się zetknąć w tym mieście, jak dotąd nikt ani go nie okradł, ani na niego nie napadł. Poza tym to bezpieczna ulica.

Kiedy zbliża się do drzwi, spostrzega, że to cień tureckiego szeregowca. Już chce coś powiedzieć, ale żołnierz nie daje mu dojść do słowa.

– Efendi – mówi, kłaniając się.

– Dobry wieczór – odpowiada Ryan, wciąż nie tracąc czujności. Odnosi jednak wrażenie, że już gdzieś widział twarz tego żołnierza. Tylko gdzie? Choć bardzo się stara, nie może sobie przypomnieć.

– To pan jest amerykańskim ambasadorem, prawda?

– Tylko konsulem – poprawia go Ryan. – Ambasador rezyduje w Konstantynopolu. Nazywam się Ryan Donald Martin.

– A ja jestem Orhan.

– W czym mogę ci pomóc, Orhanie?

Żołnierz konspiracyjnie rozgląda się na boki. Ryan spokojnie czeka na dalszy rozwój wypadków. Wreszcie Orhan zwraca się do niego:

– Mogę panu powiedzieć, gdzie są zdjęcia Ormianek – w tym momencie dyplomata natychmiast sobie przypomina, skąd zna twarz tego młodzieńca: to jeden z żołnierzy, których spotkał w pokoju niemieckich inżynierów w dniu, kiedy turecki major skonfiskował płytki fotograficzne.

– To one nie zostały zniszczone? – pyta zdumiony. Oczyma wyobraźni widzi skrzynię gdzieś na podłodze w jednej z tureckich kwater oficerskich albo w kącie gabinetu jakiegoś tureckiego urzędnika.

– Nie – odpowiada Orhan, zaskoczony, a jednocześnie jakby trochę urażony.

Ryan się zastanawia, czy nie powinien był jakoś inaczej sformułować pytania. Czyżby niechcący zmusił tego młodego szeregowca, żeby się przyznał do niewypełnienia rozkazu? Dlatego szybko dodaje:

– Nawet nie wiesz, jak bardzo się cieszę, że nadal są całe. Dziękuję, że mi o tym powiedziałeś, Orhanie.

– Wiem, że panu na nich zależy.

Ryan potwierdza skinieniem głowy. *A więc po to do mnie przyszedł. Jeśli chcę się dowiedzieć, gdzie są, muszę mu dać łapówkę*, myśli konsul. Na jego ustach odruchowo pojawia się lekki, ironiczny uśmiech. Jakoś nie bardzo sobie wyobraża, żeby jakakolwiek kwota pieniędzy zaoferowana żołnierzowi stanowiła opłacalną inwestycję. Płytki albo są w posiadaniu jakiegoś urzędnika, który nie ma najmniejszego zamiaru się ich pozbywać, albo ten chłopak kłamie, a płytki zostały dawno zniszczone. Po tym, jak został potraktowany przez Farhata Sahina, Ryan sobie poprzysiągł, że już nigdy nie uwierzy żadnemu Turkowi na słowo. Stojący przed nim żołnierz pewnie sobie przypomniał, jak konsul chciał kupić te płytki od majora i teraz zamierza zarobić trochę grosza, twierdząc, że wie, gdzie są ukryte.

– Ile? – pyta jedynie z ciekawości.

Turek zerka na niego całkiem zdezorientowany. W tym momencie przypomina trochę ucznia usiłującego odpowiedzieć na pytanie, na które nie zna odpowiedzi.

– Ile? – powtarza konsul rozdrażnionym tonem, zdradzając poirytowanie całą tą sytuacją. – Ile chcesz za nie pieniędzy?

Szeregowiec, wciąż nieco zbity z tropu, odpowiada niepewnie:

– Nie chcę tych płytek. Chcę, żeby pan je wziął. Proszę. Miałem je zniszczyć, ale nie mogłem tego zrobić. Więc je ukryłem. Przez wiele godzin modliłem się, prosząc Boga, by mi poradził, co mam z nimi począć. I wreszcie zostałem wysłuchany. Oddaj je Amerykaninowi – brzmiała odpowiedź – on będzie wiedział, co z nimi zrobić.

– Naprawdę chcesz mi je oddać?

Orhan mówi konsulowi o starym klasztorze na wschodnich obrzeżach Aleppo. O samotnym, wysokim drzewie z majestatycznymi konarami. O twarzy dziewicy na korze jego pnia.

– Jak głęboko zakopana jest skrzynia? – pyta Ryan. Rodzący się w nim entuzjazm zostaje zduszony niemal w zarodku, gdy sobie uświadamia, że pod ziemią płytki fotograficzne mogły ulec zniszczeniu. Zupełnie nie zna się na fotografii, ale nie sądzi, by głęboka dziura w ziemi stanowiła idealne miejsce na przechowywanie tego typu materiałów. W odpowiedzi na jego pytanie żołnierz wyciąga dłoń i trzyma ją na wysokości niecałego metra od ziemi.

– Zabierzesz mnie tam?

Zamiast udzielić konkretnej odpowiedzi, Orhan znów zaczyna opisywać walący się klasztor, tym razem wolniej i bardziej szczegółowo. Skupia się na topografii terenu, mówi też o niemal cudownym wizerunku dziewczęcej twarzy na pniu drzewa. Chwilę później, Ryan nawet nie wie kiedy, chłopak znika. Jeszcze przez parę sekund widzi, jak szybkim krokiem podąża ulicą, mija kawiarnię, po czym rozpływa się w ciemności.

Shoushan bierze Hatoun za rękę i prowadzi ją uliczką, która zwęża się ku końcowi. Gdy docierają do ślepego zaułka, pokazuje jej wąskie okno. Zamiast szyby między framugami tkwi podarty papier olejowy, a spomiędzy szczelin wydobywają się niebieskawoszare strużki dymu. Shoushan udaje, że pali sziszę: rękoma wykonuje gesty, jakby trzymała wąż, zaś ustami wciąga powietrze i długo wstrzymuje oddech. Przewraca oczami, wesoło chichocze i nagle, zanim do Hatoun dociera, co planuje jej przyjaciółka, Shoushan unosi ją wysoko, tak żeby mogła zajrzeć do środka przez dziury w podartym papierze. Hatoun widzi kilku starszych mężczyzn siedzących na podłodze. Mają przyprószone siwizną albo całkiem śnieżnobiałe brody. Niektórzy drzemią z głowami opartymi o ściany, inni wdychają dym ze swoich sziszy. Dziwi ją, że prawie nikt się tutaj nie odzywa. To miejsce zupełnie nie przypomina kawiarni, gdzie mężczyźni prowadzą zażarte dyskusje, przekomarzają się, śmieją. Słyszała, jak rozmawiają o wojnie, o rządzie, a nawet o problemie Ormian. Ale tutaj, w tej maleńkiej, pogrążonej w cieniu sali panuje grobowa cisza. Każdy z przebywających tu gości jest zatopiony we własnym świecie.

Nagle jakiś młody mężczyzna rozsuwa zasłony i bacznie przygląda się swoim klientom. Wygląda na znudzonego, aż do chwili, gdy dostrzega w oknie twarz Hatoun kryjącą się za papierową szybą. W jego oczach kipi gniew. Ciężkim krokiem podchodzi do okna i wyciąga nóż z pochwy przytroczonej do szlufki jego workowatych spodni. Nie mówiąc Shoushan, co zobaczyła w środku, Hatoun wyrywa się z jej uścisku, zeskakuje na ziemię, chwyta ją za rękę i wyprowadza z ciemnego zaułka z powrotem na szerokie, zalane słońcem ulice miasta.

Hatoun wie, że za dwa dni Amerykanie wyjeżdżają z Aleppo – przynajmniej mężczyźni. Pan Endicott i dwóch lekarzy. Wracają do Stanów Zjednoczonych. Z kolei panna Wells wyjeżdża na amerykańską misję do Damaszku, ale nie wiadomo, na jak długo. Być może jedzie tam tylko z krótką wizytą.

Za to Elizabeth powiedziała, że zostaje w Aleppo, i amerykański książę chyba nie ma nic przeciwko temu. Być może jej i Nevart też pozwoli zostać. Ma taką nadzieję. W tym mieście jest tyle rzeczy, które ją przerażają, choć z drugiej strony naprawdę wiele ją fascynuje. I wygląda na to, że dopóki nocami ma przy sobie Nevart, a Shoushan za dnia, nie podzieli losu swojej rodziny ani dziewczynki o blond włosach z tej dziwacznej książki dla dzieci.

Sięga do kieszonki luźnej koszuli i wyciąga głowę Anniki. Całuje ją w czoło, w myślach nadając jej nowe imię: Alicja.

Po bitwie duża część roślinności została doszczętnie wypalona, ale ogień prawie już dogasa. Armen kuca i stwierdza, że ziemia jest ciepła, a wszystko wokół – od pustych hełmów po głazy i resztki drzew poszarpanych przez pociski – pokrywa warstwa ulotnego i delikatnego w dotyku popiołu. Zauważa złamany bagnet, także cały w popiele, i rozgląda się po tureckich okopach, które udało im się zdobyć. Chociaż ostrzał z brytyjskich drednotów bardzo poorał ziemię na szczycie wzgórza, nadal wyraźnie widać, gdzie znajdowały się kanały używane przez wrogie wojsko. Ponieważ okopy zbudowano tak, aby biegły zygzakiem, a nie w prostych rzędach, Armen przypuszcza, że żaden turecki żołnierz nie widział swoich towarzyszy oddalonych o więcej niż osiem czy dziesięć metrów – z tego samego powodu Australijczycy i Nowozelandczycy nie byli w stanie ostrzelać żadnego dłuższego odcinka linii obrony. Ściany są umocnione drewnianymi belkami i workami z piaskiem, a na ziemi leżą wąskie kładki z desek, umieszczone trzydzieści centymetrów nad dnem kanału i wypełniającym je błotem. Wzdłuż krawędzi rowu są także usypane z ziemi parapety, a wśród rumowiska widać co najmniej trzy karabiny wyposażone w peryskopy.

Armen znajduje kolejnego trupa, na wpół pogrzebanego pod stanowiskiem strzelniczym. Krew żołnierza zmieniła w tym miejscu ziemię w błoto. Chwyta Turka za buty i wyciąga go na drewnianą platformę, roztrzaskaną na kawałki przez bomby. Chociaż wokół ust i nosa ma obwiązany szalik, odór zwłok jest nie do zniesienia. Spogląda na twarz mężczyzny, na jego puste, ale wciąż otwarte oczy i pozlepiane brudem włosy, i zauważa długą ranę na jego szyi. Odłamek pocisku wyciął głęboką szramę od jednego końca żuchwy do drugiego. Jeśli ten żołnierz nie zginął od razu od wybuchu, z pewnością bardzo szybko się wykrwawił.

Tak jak Nezimi.

Armen, nie miałem wyboru – tłumaczył się. – *Gdybym mógł je ochronić, zrobiłbym to. Przecież wiesz.*

Kłamał jak z nut. Był przerażony – Armen dobrze pamiętał drżenie jego głosu.

Żeby ocalić naszą córkę – przypomniał mu wtedy – *moja żona zrobiła wszystko, czego chciałeś. Wyrzekła się swojego Boga. Oddała siebie i nasze dziecko w twoje ręce, licząc na twoją ochronę. A ty co zrobiłeś? Nic!*

Wziąłem je do siebie. Próbowałem – upierał się Nezimi. *Zapro-ponowałem, że się z nią ożenię! Wiesz, że nawrócenie kobiety można zatwierdzić tylko poprzez ślub.*

Przez dłuższą chwilę Armen rozmyślał nad tym jednym zdaniem i w końcu jego znaczenie stało się dla niego jasne. Od samego początku Nezimi zakładał, że Armen nigdy nie wróci do Harput, nawet po zakończeniu wojny. Że albo zginie podczas walk w Van, albo zostanie zamordowany razem z innymi Ormianami w jakimś jarze czy korycie rzecznym niedaleko granic miasta. Dlatego też miał czelność zaoferować Karine małżeństwo. Czy starał się ją uwieść? Możliwe. Niewykluczone, że także ją zgwałcił albo przynajmniej próbował.

Byłeś moim przyjacielem – odparł po prostu Armen, ale w tamtym momencie Turek sięgał już do szuflady biurka po swój wojskowy rewolwer.

Za plecami słyszy głosy Australijczyków. Nowe rozkazy. Istnieje duże prawdopodobieństwo, że Turcy przejdą do kontrataku, dlatego trzeba zawczasu przygotować okopy na szturm z przeciwnego kierunku. Armen robi więc to samo co inni stojący nieopodal żołnierze ANZAC-u... Podnosi ciało zabitego Turka i przerzuca przez tylną krawędź okopu zwaną zapleczem. A potem układa je pod ścianą jak worek z piaskiem.

Z okna sypialni, którą dzieli z Alicią Wells, mimo późnej pory Elizabeth dostrzega światło w gabinecie konsula mieszczącym się na parterze, po przeciwległej stronie dziedzińca. To jedyna część ośrodka, w której zainstalowano prąd. Ale ona sama dobrze się czuje pośród olejnych lamp i świec. W końcu w internacie Mount Holyoke nie mieli elektryczności.

W łóżku obok misjonarka oddycha spokojnie; Alicia zawsze śpi twardym, głębokim snem. Elizabeth się zastanawia, jakie obrazy wypełniają sny tej kobiety. Czy pojawiają się w nich mężczyźni? Mąż? Kochanek? Czy śni o ciemnookich ormiańskich dzieciach i matkach niebędących w stanie wykarmić własną piersią swoich umierających z głodu niemowląt?

Zdejmuje szlafrok z wieszaka na drzwiach i bezgłośnie schodzi na dół po schodach. Mija recepcję, bibliotekę i korytarz prowadzący do kuchni. Gdy dociera do skrzydła, w którym mieści się gabinet Ryana Martina, przystaje na moment, lecz po chwili prostuje ramiona i podchodzi do drzwi. Są lekko uchylone, ale nie widzi konsula za biurkiem. Delikatnie puka.

– Proszę – mruczy pod nosem. Jego głos jest odrobinę zachrypnięty. Na widok Elizabeth podnosi się z krzesła, ale zobaczywszy, że jest ubrana w koszulę nocną i szlafrok, natychmiast odwraca wzrok. Co prawda on sam zdjął marynarkę, wciąż jednak ma na sobie kamizelkę. Elizabeth jest zaskoczona, że swoim nocnym strojem wprawiła go w zakłopotanie, zwłaszcza po tym wszystkim, co razem przeszli w Dajr az-Zaur.

– Jest późno, a pani jeszcze nie śpi – mówi do niej, odkładając pióro na tacę. W jego głosie słychać przyjazną nutę.

– Nie mogę zasnąć – wyjaśnia. – Tyle rzeczy spędza mi sen z powiek.

– Jak nam wszystkim – stwierdza konsul. – Chodzi o powrót pani ojca do Ameryki?

– Nie. Martwię się o Nevart i Hatoun.

Ryan w milczeniu pociera skronie, wpatrując się w papiery na swoim biurku.

– Przepraszam, że panu przeszkodziłam.

Z piersi konsula dobywa się ciężkie westchnienie.

– Nie ma za co przepraszać. Pisałem właśnie do ambasadora Morgenthau. I prawdę mówiąc, przyda mi się chwila przerwy.

– No tak, ale jest już późno.

– Nevart i Hatoun… – powtarza. – Boi się pani, że teraz, kiedy misja dobiegła końca i większość grupy wróciła do Ameryki, każę je stąd odesłać?

Oczywiście właśnie z tego powodu tutaj przyszła: chce się dowiedzieć, czy konsul pozwoli im zostać w ośrodku, czy będzie chciał się ich pozbyć. Kiedy jednak zwraca się do niej w tak bezpośrednich słowach, Elizabeth sobie uświadamia, że jej obawy były bezpodstawne. Odesłanie ich graniczyłoby z okrucieństwem, do którego absolutnie nie jest zdolny.

– Nie ukrywam, że faktycznie interesują mnie pańskie plany w tej kwestii – odpowiada Elizabeth, pełna obaw, czy przypadkiem go nie uraziła.

– Naród ormiański ginie – mówi konsul. – Cały ormiański naród ginie. Rozmiary tego kataklizmu są wręcz… biblijne.

– Wspominał pan o tym Alicii? Na pewno spodobałoby się jej to biblijne odniesienie – zauważa Elizabeth. Nie spodziewała się, że zastanie go w tak podłym nastroju. Ma nadzieję, że ten mały żarcik choć odrobinę go rozweseli.

Ale on zdaje się jej w ogóle nie słyszeć.

– O przejawach tak wielkiego barbarzyństwa można tylko przeczytać w książkach. Przynajmniej do tej pory tak było. Nie wiem już, co robić. Usiłuję to jakoś powstrzymać, ale moje wysiłki spełzają na niczym.

Elizabeth myśli o Niemcach spotkanych w Aleppo: o zakonnicach, misjonarkach i o dwóch pracujących dla wojska inżynierach. O Helmucie i Erichu. Ciekawe, gdzie teraz są.

– Myśli pan, że i my przystąpimy do tej wojny? – pyta go.

– Jeśli potrwa wystarczająco długo… Jeśli potrwa wystarczająco długo, wciągnie wszystkie kraje tego świata. Jak jakiś przeklęty wir.

– Przykro byłoby patrzeć, jak Amerykanie walczą przeciwko Niemcom – stwierdza Elizabeth.

– Nie mogę pojąć, dlaczego Niemcy ciągle pozostają w sojuszu z Turcją. Żaden europejski kraj nie byłby zdolny do popełniania takich zbrodni, jakich bezkarnie dopuszczają się Turcy. – Konsul podnosi pióro z tacy, moczy końcówkę w atramencie i podkreśla coś, co przed chwilą napisał. – Może pani być spokojna – dodaje po chwili.

– Nevart i Hatoun zostaną w ośrodku. Pani ojciec i doktor Forbes niepotrzebnie się martwią. Ormianki nie sprawiają żadnego kłopotu. W niczym mi nie przeszkadzają, ledwo je zauważam. Poza tym…

– Tak?

Konsul posyła jej smutny, zrezygnowany uśmiech.

– Patrząc na to, co się tutaj dzieje, być może to właśnie one dwie będą musiały odtworzyć całą swoją rasę.

Przez moment Elizabeth się zastanawia, czy powiedzieć mu o tym, że Nevart prawdopodobnie jest bezpłodna, ale postanawia zachować tę wiedzę dla siebie.

– Zapewniam pana, Nevart będzie panu bardzo wdzięczna.

– To nic takiego – mówi konsul, machając ręką. – Wziąwszy pod uwagę całą tę odbywającą się na naszych oczach rzeź, to naprawdę nic wielkiego.

Rozdział 15

Którejś nocy po powrocie z Bostonu sprawdziłam przed snem skrzynkę e-mailową. Było tuż po jedenastej i zamierzałam właśnie wyłączyć komputer. W domu panowała cisza, ale za oknem słyszałam szum wiosennego wiatru. W skrzynce czekało trochę niegroźnego spamu, w tym wiadomość od Bloomingdale'a z załączonym kalendarzem na bieżący miesiąc. I ten pospolity widok kartki z kalendarza – siedem kolumn i pięć rzędów kwadratowych okienek – wystarczył, aby nagle w mojej głowie zrodziło się nieodparte pytanie, a żołądek podszedł do gardła, jakbym siedziała w samolocie, który nagle w wyniku turbulencji obniżył lot o osiemset metrów. Pytanie było równie proste, co tragiczne w swojej wymowie: o ile godzin Armen rozminął się w Aleppo z Karine?

Właśnie w tamtej chwili uświadomiłam sobie, że była to kwestia godzin. Nie dni i z pewnością nie tygodni. W końcu Helmut Krause najprawdopodobniej sfotografował Karine Petrosian już po tym, jak Armen rozpoczął swoją długą wędrówkę na południe. Gdyby znalazł ją przed odejściem Armena, powiedziałby swojemu przyjacielowi, że w mieście pojawiła się kobieta, która może być jego żoną. Nie wiedziałam wprawdzie dokładnie, którego lipca Armen wyruszył do Egiptu, ale mogłam zawęzić tę datę do trzech dni, opierając się na jego pierwszym liście do Elizabeth. Pamiętałam ponadto, że niedługo po tym, jak Armen opuścił Aleppo, aparat Helmuta Krausego został zniszczony przez żandarmów. Zdjęcie Karine musiało zatem powstać w tym wąskim okienku pomiędzy wyjazdem Armena do Egiptu a roztrzaskaniem Ernemanna na placu pod cytadelą. Równie dobrze mogła też znajdować się w grupie przybyłej na plac rankiem tego samego dnia, kiedy konwój, z którym przyszła Nevart, ruszył na południowy wschód do Dajr az-Zaur.

– Kochanie, idziesz do łóżka?

Obróciłam się na krześle i zobaczyłam w drzwiach Boba w koszulce marynarki wojennej i spodniach od dresu, które służyły mu za piżamę. Był zaspany i miał rozczochrane włosy; gdy tak stał oparty o futrynę, mrużąc oczy w świetle bibliotecznej lampy, wyglądał trochę jak mały chłopiec.

– Tak, idę – odparłam. Jeszcze przez chwilę patrzyłam, jak szurając nogami, niczym lunatyk, z powrotem wlecze się korytarzem i powoli wdrapuje po schodach na górę.

Ponownie spojrzałam na ekran komputera i usunęłam reklamę od Bloomingdale'a. Nie mogłam na nią dłużej patrzeć przez ten kalendarz. Kalendarze są okrutne i niewzruszone jak kosmos. Czas, pomyślałam, daje nam nadzieję. A nie powinien. Czas jest obojętny.

Wiedziałam, że jeżeli tej nocy w ogóle uda mi się zasnąć, będę spała niespokojnie, nawiedzana przez bardzo intensywne sny.

Kiedy byłam mała, bardzo lubiłam jeździć z matką do lodziarni w Westport, w dość napuszonym hrabstwie Fairfield w stanie Connecticut. Wtedy miasteczko było mniejsze niż dzisiaj, ciut mniej zamożne i na pewno tak bardzo nie kojarzyło się z Marthą Stewart. Razem z matką i bratem wpadaliśmy tam latem w drodze powrotnej z plaży na Sherwood Island. Byliśmy wtedy świeżo po drugiej albo trzeciej klasie. Ale jeszcze bardziej niż lodziarnię w Westport uwielbiałam mieszczący się piętro niżej sklep z tytoniem i akcesoriami dla palaczy. Właśnie tak. Mojej matce też się tam podobało. Wszyscy troje z dużą przyjemnością pałaszowaliśmy lody, przeglądając fluorescencyjne plakaty – psychodeliczne ilustracje do kamasutry, Jimi Hendrix (już wówczas z aureolą wokół głowy), ci od hasła „Keep on Truckin'" – a także podziwiając lampy typu „lava", zapalniczki, artystycznie zapakowane bibułki do skręcania papierosów i całe półki zastawione kadziełkami. Często w pokoju na tyłach sklepu, oddzielonym od głównego pomieszczenia niesamowicie kolorową zasłoną z koralików, migotała lampa stroboskopowa, oświetlając wiszące na ścianach, wyjątkowo hipnotyczne plakaty: schody prowadzące donikąd, wirujące geometryczne wzory, splątane konary wielkiego drzewa przechodzące w rozwichrzone włosy kobiety. Cały ten mały świat został starannie zaprojektowany tak, by oszołomić zmysł wzroku, węchu i słuchu. Byłam tym miejscem zafascynowana.

Jednak najbardziej ze wszystkiego frapowały mnie szklane gabloty stojące przy kasie, w których leżały lufki, fajki wodne i uchwyty do skrętów. Te przedmioty budziły moje wielkie zainteresowanie, ponieważ, o dziwo, przypominały mi najbardziej osobliwe obiekty, jakie dało się znaleźć w domu moich dziadków. Jak to możliwe, że rodzice mojego ojca tak beztrosko obnosili się z posiadaniem zakazanych zabawek, które sprzedawano hippisom w sklepach takich jak ten? W salonie w Pelham stały trzy fajki wodne, określane też czasem jako nargile albo szisze. Wyobraźcie sobie przepięknie ozdobioną fajkę wodną z elastycznym wężem. Wiedziałam, że należały do mojego dziadka, chociaż podobno przestał z nich korzystać jeszcze przed moimi narodzinami. Najwyższa z nargili stała na stoliku przy wykuszowym oknie w salonie, niemalże jak dzieło sztuki na postumencie. Pozostałe dwie trzymano za szkłem na półce w serwantce. Każda wyglądała trochę jak czarodziejska lampa; u dołu miała pojemnik na wodę, a u góry miseczkę na tytoń. Albo haszysz. Albo opium. Podstawa najwyższej sziszy stojącej w oknie przedstawiała skąpo ubraną dziewczynę z haremu; jej stanik i szarawary były niebieskie jak jaja drozda, a na brzegach miały złocenia. Rodzice utrzymywali, że to prawdziwe, czternastokaratowe złoto, co niewątpliwie podsycało aurę tajemniczości otaczającej ten przedmiot. Kilka razy mój brat i ja braliśmy do ust węże wszystkich trzech nargili, nie zważając na to, że ustniki były gorzkie od wielu lat użytkowania i od wszystkich niedozwolonych substancji, jakie przez nie przechodziły – tak samo jak niektóre dzieci (no dobrze, możecie zaliczyć mnie i brata do tej grupy) przetrząsają rano pozostałości dionizyjskich przyjęć swoich rodziców, żeby opróżnić niedopite kieliszki z resztek czerwonego wina albo whisky.

Pewnego razu, jeszcze w czasach dzieciństwa, zapytałam matkę o te nargile. Było to zaraz po świętach Bożego Narodzenia, które spędziliśmy w domu dziadków; mój brat jak zawsze pożerał wzrokiem dziewczynę z haremu na największej fajce, a ja wraz z kuzynami pocierałam podstawy tych mniejszych, jakbyśmy autentycznie oczekiwali, że z środka wyskoczy dżin.

– Czy dziadek i babcia naprawdę używali ich zamiast papierosów? – zapytałam.

– Podobno. Ale głównie twój dziadek, i to niezbyt często. Babcia robiła to chyba tylko po to, żeby doprowadzić do szału swojego ojca – odpowiedziała matka. Ona, jak już wspominałam, paliła papierosy Eve. W poranki po przyjęciach w domu moich rodziców zawsze wiedziałam, która niedopita szklanka z whisky należała do matki – ta, gdzie na powierzchni pływał (i powoli się rozpadał) niedopałek papierosa Eve. Na filtrze często można było dostrzec ślady jej szminki.

– Widziałaś kiedyś, jak pali?

– Gdy zaręczyliśmy się z twoim ojcem, raz w mojej obecności zapalił. Myślę, że chciał mnie trochę zszokować.

– Której fajki wtedy użył?

– Och, zawsze używał Anahid.

Nie wiedziałam, co oznacza to słowo, więc chyba musiałam posłać matce pytające spojrzenie, bo zaraz wyjaśniła:

– To ta fajka na stole przy oknie w salonie. Anahid to żeńskie imię. Ormiańskie. Tak właśnie nazywaliśmy tę fajkę.

– Z powodu tej tancerki?

– Tak. Ale lepiej nie używaj tego określenia przy dziadkach. To żart. Twój ojciec razem z ciotką i wujkiem nadali fajce to przezwisko, kiedy był chyba jeszcze w liceum.

Możliwe, że właśnie wzmianka o liceum przywiodła mi na myśl hippisowski sklep, który odwiedzaliśmy latem.

– Wiem, że w tym sklepie w Westport, tym przy lodziarni, sprzedają różne rzeczy dla ludzi, którzy palą marihuanę. Czy dziadek i babcia palili w tej fajce marihuanę?

Matka odpowiedziała pewnie, bez zająknięcia.

– Nie, nie sądzę, żeby kiedykolwiek używali Anahid do palenia marihuany.

Mimo to, nawet jako dziecko, wyczułam w jej odpowiedzi wyćwiczoną precyzję, która sugerowała, że formalnie rzecz biorąc, mówi prawdę, ale w rzeczywistości wcale nie mówi prawdy. Podobnego rozróżnienia mógłby dokonać jakiś urzędujący prezydent, rozkładając na czynniki pierwsze definicję „stosunku seksualnego" podczas przesłuchania przed wielką ławą przysięgłych.

Po latach, kiedy wiedziałam już trochę więcej o narkotykach i całej otaczającej je kulturze, zapytałam matkę, czy jej teściowie kiedykolwiek używali Anahid do palenia haszyszu albo opium. Zmywała akurat naczynia po kolacji, a ja dotrzymywałam jej towarzystwa w kuchni, bez większego przekonania próbując odrabiać zadanie domowe z matematyki. Jej odpowiedź po raz kolejny dała mi do myślenia.

– Opium? Dobry Boże, skąd! Twój dziadek był inżynierem. Pracował przy budowie linii kolejowych. Skąd niby miałby wziąć opium?

Jednak mojej uwadze nie uszedł fakt, że wykluczyła jedynie możliwość palenia opium – nie haszyszu. Chciałam dalej drążyć temat, ale wtedy do kuchni wszedł ojciec, niosąc szklanki, które zapomniałam przynieść z jadalni. Wstawił je do zlewu i pocałował matkę w kark, a ona powiedziała do mnie:

– Jak ci się podoba nowy nauczyciel matematyki?

Zrozumiałam, że woli zmienić temat, być może ze względu na obecność ojca. Postanowiłam pójść jej na rękę, po części dlatego, że w swoim odczuciu uzyskałam już odpowiedź.

***

Elizabeth patrzy na dwóch tragarzy, którzy ładują kufry i walizy na wóz zaprzężony w woły przed budynkiem amerykańskiego konsulatu. Jest zdenerwowana, a jednocześnie czuje radość. Kłębiące się w niej sprzeczne emocje płyną z jednego źródła: zostaje w Aleppo prawie całkiem sama i od tej chwili jest zdana tylko na siebie. Oczywiście Ryan Martin przysiągł jej ojcu, że będzie miał na nią oko, ale przecież Elizabeth nie jest dzieckiem i konsul doskonale o tym wie. Poza tym ma na głowie swoje własne problemy i obowiązki. Zresztą jest tu jeszcze dr Akcam, który też będzie się o nią troszczył, najlepiej jak potrafi. I Nevart. Mimo to z chwilą, gdy dziś po południu pociąg do Damaszku z czterema amerykańskimi pasażerami opuści Aleppo, zyska – to słowo rozbrzmiewa w jej głowie niczym echo – niezależność. Kiedy powtarza je w myślach, podoba jej się jego brzmienie.

– A jeśli Ryana akurat nie będzie w pobliżu, wiesz, gdzie jest urząd telegraficzny, tak? – upewnia się Silas Endicott. Już to z nim omawiała. Przeprowadzili kilka długich rozmów na temat pieniędzy, komunikowania się i bezpieczeństwa. Elizabeth jest nawet trochę wzruszona jego troską.

– Tak, ojcze – odpowiada, uśmiechając się. Gdy spogląda za siebie, dostrzega Williama Forbesa stojącego w cieniu wielkich, podwójnych drzwi, lecz nie jest w stanie dojrzeć wyrazu pogrążonej w mroku twarzy lekarza. Jedyne, co widzi, to jego całkiem nieruchoma sylwetka.

– Naprawdę nie masz się o co martwić – zapewnia ojca.

– Ale i tak się martwię, nie mówiąc już o twojej matce, która umiera ze strachu. Tak bardzo się o ciebie boi.

– Szczerze w to wątpię. Nic oprócz zdrowia jej psów nie jest w stanie wzbudzić w matce podobnych emocji. Ja albo ty? O nas się raczej nie martwi – żartuje Elizabeth, mając nadzieję, że uda jej się przywrócić ojcu spokój ducha.

Na progu pojawia się Forbes i staje obok Silasa Endicotta.

– Kiedy zostanie pani sama, proszę uważać na to, z kim nawiązuje pani nowe przyjaźnie – mówi do Elizabeth.

– Zawsze ostrożnie dobierałam sobie przyjaciół – odpowiada, nie do końca wiedząc, co sądzić o tej nieproszonej radzie.

Forbes unosi brew i uśmiecha się pogardliwie.

– Wygląda na to, że gustuje pani w przybłędach i mahometanach.

Elizabeth spokojnie przyjmuje jego uwagę. Wie, że Forbes nie aprobuje obecności Nevart i Hatoun w ośrodku. Zarówno on, jak i jej ojciec są wręcz zbulwersowani faktem, iż Ryan Martin pozwolił zostać dwóm deportowanym Ormiankom na terenie konsulatu. Jednak do tej pory nie zdawała sobie sprawy, z jak głęboką rezerwą Forbes podchodzi do doktora Akcama i jak negatywnie odnosi się do jej przyjaźni z Turkiem. Trudno ocenić, ile w tym zwykłej zazdrości, a ile pogardy wobec jego tureckiego pochodzenia.

– Podejrzewam, że nie będę miała zbyt wiele wolnego czasu. Zamierzam dalej informować na bieżąco Przyjaciół Armenii o wszystkim, co tu robimy. Będę też kontynuować pracę w szpitalu.

– Mam dla pani dobrą radę.

– A czy ja prosiłam o radę?

– Niech pani trzyma z chrześcijanami.

Elizabeth mogłaby mu powiedzieć to i owo, ale nie chce denerwować ojca w chwili wyjazdu niepotrzebną sprzeczką z Forbesem. Już i tak zdążyli sobie wystarczająco nawtykać. Jednak takiej bigoterii nie może pozostawić bez komentarza, dlatego mówi:

– Kto nie podróżuje, nie zna wartości człowieka.

Forbes marszczy brew.

– Przypuszczam, że to jeszcze jedno z tych bezsensownych przysłów, w których ostatnio tak się pani lubuje.

– Owszem. Doktor Akcam nauczył mnie, jak to powiedzieć po turecku.

– No, to chyba należą mu się brawa.

– Moim zdaniem wiele mądrości jest w tym przysłowiu.

Jeden z tragarzy podchodzi do Forbesa i pyta, czy ma umieścić jego skórzaną torbę lekarską z tyłu wozu, czy woli mieć ją przy sobie. Forbes bierze od niego torbę i zwraca się do Silasa:

– Oczywiście w tym miejscu nic nie jeździ zgodnie z rozkładem jazdy, ale znając nasze szczęście, tym razem pociąg się nie spóźni i jeśli się zaraz nie ruszymy, to odjedzie nam sprzed nosa. Powinniśmy się zbierać. Idę poszukać Hugh.

Forbes z powrotem wchodzi do środka, bez słowa mijając Elizabeth. Silas Endicott odwraca się do córki. Spoglądając mu w twarz, Elizabeth widzi, jak bardzo zmieniło go to miejsce: jego oczy są lekko wilgotne.

W szpitalu Nevart bada jednego z leżących tam chłopców, słuchając bicia jego serca przy użyciu stetoskopu, który zawsze kojarzy jej się ze zmarłym mężem. Badany przez nią chłopiec ma wydęty z głodu brzuch, a jego twarz wygląda, jakby ktoś postanowił wyrzeźbić na niej rysy zagniewanego starca. Ale gdy siada na łóżku i zdejmuje luźną koszulę, żeby odsłonić klatkę piersiową, jest raczej w dobrym humorze. Powiedział, że ma dziewięć lat, ale Nevart mu nie wierzy – jak na jej oko ma ze dwanaście, a może nawet trzynaście. Co prawda ciała wielu zagłodzonych dzieci wyglądają na dużo starsze – obwisła skóra, wystające kości, ekstremalne wręcz osłabienie – ale ten chłopiec z pewnością ma sylwetkę nastolatka, a na jego piersi widać delikatne zalążki włosów.

– Z twoim sercem wszystko w porządku – mówi, podnosząc się i wyciągając słuchawki z uszu. Chłopiec chwyta głowicę stetoskopu i zaczyna nią figlarnie wywijać. Nevart bierze go za rękę, prostuje mu palce i udaje, że czyta z jego dłoni, jakby to była książka.

– Wygląda na to, że czeka cię długie, bardzo długie życie.

– Umie pani wróżyć z ręki? – pyta, a ona znów jest zaskoczona dojrzałością jego głosu. Ton, jakim zadał pytanie, był niemal… kokieteryjny.

– Nie ukończyłam żadnych oficjalnych kursów w tej dziedzinie – odpowiada – ale twoja linia życia jest długa jak rzeka. – W rzeczywistości nie ma bladego pojęcia o liniach życia. Po prostu się wygłupiała. Nie przywiązuje zbyt wielkiej wagi do chiromancji.

Tak czy owak, jego serce faktycznie wydaje się silne. Tego akurat sobie nie wymyśliła.

Na korytarzu wpada na Sayieda Akcama, który w jednej ręce trzyma skórzany segregator, a w drugiej otwartą butelkę jodyny. Nevart wskazuje na leżącego w łóżku chłopca i pyta lekarza:

– Jak pan myśli, ile to dziecko może mieć lat?

– Mówi, że ma dziewięć.

– I co, wierzy mu pan?

– Ależ skąd – uśmiecha się lekarz. – Moim zdaniem ma czternaście, może nawet piętnaście lat.

Nevart już chce się zapytać, po co nastolatek miałby kłamać, gdy nagle dociera do niej powód tego kłamstwa: kiedy chłopiec wyjdzie ze szpitala, nie będzie miał dokąd pójść. Może jak inni bezdomni wałęsać się po ulicach Aleppo albo trafić do obozu przesiedleńczego. Żadna z tych dwóch opcji nie daje zbyt wiele szans na przetrwanie, z czego on doskonale zdaje sobie sprawę. Jego jedyna nadzieja to sierociniec, jednak żeby się tam dostać, musi sobie odjąć kilka lat.

– Ale do wysokich raczej nie należy, a do tego jest wątły – kontynuuje Akcam. – I potrafi to wykorzystać. No i, jak widać, ma szczęście. W konwojach rzadko można się natknąć na chłopców w tym wieku. Zazwyczaj są mordowani razem z dorosłymi mężczyznami. Jeśli wystarczająco długo uda mu się przetrwać w sierocińcu, może doczeka końca wojny. – Lekarz otwiera segregator, przewraca strony, aż trafia na tę, której szukał, po czym wskazuje palcem jedną linijkę. Obok imienia, nazwiska i miejsca urodzenia widnieje data jego narodzin wpisana przez Akcama – dokument potwierdza, że chłopiec ma dziewięć lat. Gdy Nevart podnosi wzrok znad segregatora, lekarz posyła jej konspiracyjny uśmiech. W jego oczach, choć to do niego zupełnie niepodobne, dostrzega szelmowski błysk.

Hatoun podąża za Shoushan przy akompaniamencie hałaśliwej muzyki janczarskiej, zwanej także muzyką sułtanów. Dziewczynki pędzą jedną z wąskich alejek, które zbiegają się na placu u podnóża cytadeli. Hatoun próbuje trzymać przyjaciółkę za rękę, kurczowo łapiąc się jej palców, ale Shoushan mknie niczym zając. Gna przed siebie w podskokach, zupełnie nie zważając na przeszkody: stopnie wiodące na werandy, śmieci, a nawet ludzi. W pewnym momencie staje się już tylko migoczącą plamą materiału, która to pojawia się, to znów znika. Wreszcie wybiegają na plac, gdzie gra turecka kapela wojskowa. Widząc, że członkowie orkiestry to żołnierze, Hatoun natychmiast się zatrzymuje. Jeden z nich ma powieszony na szyi ciężki bęben, natomiast reszta gra na klarnetach, talerzach i tradycyjnych tureckich dzwonkach – najpiękniejszych, jakie kiedykolwiek widziała. Kapela liczy siedmiu muzyków. Dookoła nich ustawiło się pięćdziesiąt, może sześćdziesiąt osób, głównie mężczyzn, samych Turków. Niektórzy klaszczą, ale większość tylko się uśmiecha i kiwa głowami.

Shoushan wskakuje na bruk i zaczyna tańczyć jak opętana pomiędzy muzykami i tłumem gapiów, od czasu do czasu próbując przywołać przyjaciółkę skinieniem głowy. Hatoun patrzy na nią zachwycona, lecz w głębi serca wie, że dziewczynka balansuje na krawędzi niebezpieczeństwa i że ściąga na siebie zbyt wiele uwagi. Jednak muzycy wydają się rozbawieni, zwłaszcza gdy Shoushan próbuje naśladować taniec brzucha, co w jej przypadku jest nie lada wyzwaniem, ponieważ zupełnie takowego nie posiada. Zgromadzona wokół widownia również dobrze się bawi, obserwując jej dzikie harce. W pewnej chwili z tłumu wyłania się zwalisty mężczyzna w średnim wieku. Ma na sobie zachodni garnitur, eleganckie buty, a jego głowę zdobi fez. Towarzyszą mu dwaj osobnicy, nieco szczuplejsi, ale z pewnością silniejsi od niego. Hatoun się zastanawia, czy to jego ochroniarze, czy może jacyś asystenci. Oni również ubrani są po europejsku. Starszy mężczyzna przez dłuższą chwilę przygląda się Shoushan, a ona, czując na sobie jego wzrok, zaczyna tańczyć jeszcze bardziej sugestywnie, skąpana w blasku jego uwagi. Nagle – a wszysto dzieje się tak szybko, że Hatoun przez chwilę sama nie wie, czego jest świadkiem – jeden z dwóch młodszych mężczyzn chwyta Shoushan od tyłu i zaczyna ją nieść, przedzierając się przez tłum. Dziewczynka krzyczy, żeby ją puścił, żeby z powrotem postawił ją na ziemię. Jej wrzaski są tak głośne, że przebijają się przez jazgot bębnów, talerzy i dzwonków, ale nikt nawet nie próbuje zatrzymać tych mężczyzn. Wygląda to tak, jakby porwanie dziecka, podobnie jak muzyka, było elementem widowiska. Hatoun odruchowo puszcza się pędem za swoją przyjaciółką, słysząc za plecami śmiechy gapiów – bawi ich zarówno durna sierota, która dała się zgarnąć z ulicy, jak i durna sierota, która teraz za nią goni. Hatoun rozpycha się łokciami, torując sobie drogę przez tłum. Wreszcie dostrzega porywaczy i przyjaciółkę, która nadal piszczy, bezskutecznie młócąc rękami powietrze. Są już mniej więcej w połowie placu, gdzie Hatoun wtulała się w Nevart na samym początku ich pobytu w Aleppo. Teraz biegnie jeszcze szybciej niż kilka minut temu, gdy starała się dotrzymać kroku mknącej jak wicher przyjaciółce. Kiedy wreszcie ich dogania, słyszy, jak Shoushan woła jej imię, choć przypomina to raczej żałosne zawodzenie. Próbuje ją wyszarpnąć z ramion mężczyzny, ciągnąc za kościste nogi i sukienkę. Facet ma najwyżej dwadzieścia lat, myśli Hatoun, gdy nagle podstarzały dryblas mówi coś, czego nie ona rozumie, po czym jego drugi asystent uderza ją w twarz. Cios jest tak silny – na dwóch palcach ma szerokie, ciężkie sygnety – że jej głowa aż odskakuje do tyłu. W tej samej sekundzie czuje przeszywający ból i ogłuszona pada na bruk. Usiłuje wstać, próbując podeprzeć się rękoma, ale tak bardzo kręci jej się w głowie, że nogi się pod nią uginają. Spogląda w górę, lecz wszystko jest nieostre, zamazane. Za zasłoną mgły widzi, jak jej przyjaciółka, zanosząc się płaczem, znika razem z mężczyznami w jednej z wąskich uliczek, pulsujących życiem niczym krew w żyłach tego potwornego miasta na skraju pustyni.

Armen próbuje oddychać przez usta i niechcący połyka ciepłą, mokrą ziemię, która przykleja mu się do warg i języka. Lekko odchyla głowę i spluwa, a błoto cieknie mu po brodzie. Przez jakiś czas zapewne oddychał tylko przez nos, choć teraz, gdy już odzyskał przytomność, wie, że nie będzie to przyjemne, ponieważ oznacza także wciąganie w nozdrza odoru ziemi i gnijącego mięsa. Z oddali (a może jednak z bliska) dociera do niego również zapach dymu. Próbuje otworzyć oczy, ale natychmiast zasypuje je boleśnie kłujący piasek. I nawet w tej krótkiej chwili, gdy rozchylił powieki, nie był pewien, czy widzi coś więcej niż tylko zamglone, niewyraźne światło. Czy to możliwe, że oślepł? Może właśnie tak. Może Turcy po prostu załatwili go gazem bojowym. Czytał o gazie użytym pod Ypres. Dochodzi jednak do wniosku, że to nie ślepota, że chyba dzieje się coś bardziej skomplikowanego. Stara się to zrozumieć, lecz jego umysł działa bardzo ociężale, jakby ten sam ciężar, który naciska na klatkę piersiową, utrudniał mu także myślenie. Gdzieś w oddali słyszy głosy Australijczyków i Nowozelandczyków, co wydaje mu się dziwne, ponieważ ma w pamięci mglisty obraz ludzi krzyczących po turecku. Żołnierzy. Stara się zrozumieć docierającą do jego uszu angielską mowę, ale rozmówcy albo zdążyli już umilknąć, albo przenieśli się dalej i znaleźli poza zasięgiem jego słuchu.

Próbuje się podnieść, ale nie jest w stanie. Przygniata go zbyt duża ilość ziemi i zbyt dużo… czegoś jeszcze. Może nieznacznie poruszać palcami, szczególnie prawej ręki, więc zaczyna przekopywać się przez ziemię i wolno przesuwać dłoń w stronę tułowia, żeby spróbować ustalić, co na nim leży. Nagle jego palce na coś natrafiają i cały się wzdraga, ponieważ czuje pod ręką czyjeś ubranie, czyjeś ramię, czyjś brzuch. Na pewno nie jego własne. Przesuwa dłonią wzdłuż trupa (zakładając, że to trup, a nie ktoś, kto wciąż żyje, tak samo jak on), odgarniając na bok ziemię. Teraz rozumie, dlaczego był w stanie oddychać – drugie ciało leży prostopadle do niego, plecami na jego piersiach, dzięki czemu wokół jego twarzy pozostał kawałek pustej przestrzeni. Odnajduje palcami głowę trupa (teraz już rzeczywiście wygląda na to, że ma do czynienia z trupem) i jego drugą rękę. Ciało jest w jednym kawałku.

Cmoka ustami. Czuje potworne pragnienie, ma wysuszone, podrażnione gardło. Zapach dymu staje się wyraźniejszy i Armen się zastanawia, co właściwie może się palić. Nie słychać strzałów, wybuchów, żadnych oznak walki. Czy to polowa kuchnia? Z pewnością śmierdzi spalonym mięsem.

Bez wątpienia odbyła się tu jakaś bitwa. Powoli zaczyna sobie coś przypominać, jakby budził się z głębokiego snu. Znajdował się w zdobytych tureckich okopach. Było ciemno, ale nie zdążył jeszcze nic zjeść, ponieważ musieli przestawić platformy strzelnicze tak, by zwrócić je w przeciwnym kierunku. A potem... nic.

Ale coś się przecież potem wydarzyło. Czy zostali ostrzelani? Czy zaatakowała ich piechota? Naprawdę nie potrafi sobie przypomnieć.

Armen ma poczucie, że jest biały dzień – w końcu kiedy na moment otworzył oczy, świat nie tonął w mroku. Może jeśli prawą ręką zepchnie zwłoki, będzie mógł zrzucić z siebie choć trochę ziemi.

Po raz pierwszy przychodzi mu na myśl, że może jest ciężko ranny. Coś mu się stało w prawą nogę. Kiedy próbuje poruszyć stopą albo wyprostować kolano, przeszywa go ból sięgający od kostki aż po kark. Krzywiąc się, przypomina sobie wilgoć, jaką czuł, gdy przesuwał ręką po ziemi i leżących na nim zwłokach. Można tylko mieć nadzieję, że krew, która zrosiła grunt, wypłynęła z ciała zabitego żołnierza, ale zważywszy na targający nim spazmatyczny ból, ma co do tego poważne wątpliwości.

Niezależnie od wszystkiego, trzeba zacząć się wygrzebywać na powierzchnię. Musi zrzucić z siebie te zwłoki. To zupełnie jak...

To zupełnie jak z Nezimim. Tamtego dnia w biurze administratora w Harput.

Byłeś moim przyjacielem – powiedział do niego Armen. Turek od razu zrozumiał, dokąd zmierza ta rozmowa. Zaczął otwierać szufladę po prawej stronie biurka, żeby wyciągnąć z niej pistolet. Armen, nie czekając ani chwili, z całej siły pchnął biurko na urzędnika, przewracając go razem z krzesłem na ścianę. Przeskoczył przez powalony mebel i rzucił się na niego, ale Nezimi był silny i szybki, dzięki czemu zdołał się podnieść i ściągnąć Armena na podłogę, przygniatając kolanem jego klatkę piersiową.

Ciężar, który czuł na sobie teraz, przypominał mu tamtą chwilę. Ale nie do końca, tamto odczucie było bardziej bolesne: twarde kolano wciśnięte w jego mostek. Teraz jest tylko... pogrzebany. Pogrzebany. Czy ktoś uznał go za martwego i wrzucił do tego rowu? Jakiś turecki szeregowiec? Armenowi przechodzi przez myśl, że dym może oznaczać stos pogrzebowy. Ktoś pali ciała zabitych. Ale słyszał przecież ludzi mówiących po angielsku. A zatem mógł go tu też wrzucić jakiś Australijczyk, mylnie biorąc go za wrogiego żołnierza. A może leżał na ziemi tak długo, że Turcy zakopali go w tym dole, a od tego czasu Australijczycy zdążyli zdobyć tę część wzgórza.

Zresztą skąd może wiedzieć, czy to na pewno masowa mogiła? Przecież w pierwszym odruchu pomyślał, że leży w okopie.

Ale w końcu to wszystko jest bez znaczenia. Jeśli chce przeżyć, musi się stąd wydostać. Wolną ręką zaczyna więc spychać z siebie trupa – w pamięci znów odżywa starcie z Nezimim i moment, gdy usiłował zrzucić z siebie siedzącego na nim urzędnika – z każdym kolejnym ruchem przesuwając go o jeden, najwyżej dwa centymetry. Mimo że sypie się na niego ziemia, nie poddaje się. Wreszcie zwłoki leżą już nie na nim, lecz obok niego. Dopiero wtedy odpoczywa i nasłuchuje.

Po raz kolejny słyszy żołnierzy mówiących po angielsku. Wrócili? A może przez cały czas tu byli?

Przypomina sobie przepełnione furią oczy Nezimiego. Może to właśnie dlatego, stwierdza Armen, on ciągle pozostaje przy życiu, a człowiek, który go zdradził, nie żyje. Nezimi miał tamtego dnia dobry powód, żeby czuć się winnym albo przerażonym, ale nie wściekłym. To on – Armen – miał pełne prawo wpaść w szał. To jego żona i córka zostały wysłane na pustynię na pewną śmierć przez tego urzędasa, który przyrzekał, że będzie je chronić. To jego żona i córka straciły życie. Jakimś cudem Armen zdołał zepchnąć z siebie Nezimiego. Zerwał się na nogi szybciej niż przeciwnik i kopnął go mocno w brodę, zanim drań zdążył się podnieść. Być może właśnie wtedy uszkodził mu kręgosłup. Ale tego Armen już nigdy się nie dowie, ponieważ w następnej sekundzie zerwał ze ściany gabinetu ceremonialny bułat i poderżnął zdrajcy gardło.

Spodziewał się, że znów poczuje podobną furię tutaj, w Dardanelach. Czy nie po to właśnie się zaciągnął? Ale ta wojna nigdy nie była dla niego sprawą osobistą. Ani razu nie doświadczył emocji choćby w najmniejszym stopniu zbliżonych do tamtej nienawiści.

Zapach dymu sprawia, że Armen wraca do rzeczywistości i zaczyna podciągać się prawą ręką, wczepiając się palcami w ziemię. Używa łokci, żeby wydźwignąć swoje ciało z dołu, uparcie, centymetr po centymetrze, posuwając się w górę. Nagle czuje, że jego palce dotarły na powierzchnię. Poruszają się jak myszy uciekające ze szczytu kopca.

– A co to, do cholery? – rozlega się nad nim czyjś głos.

– Brian, co się dzieje? – dołącza drugi.

Głosy są już teraz wyraźne. Obaj mężczyźni mówią z australijskim akcentem.

– Patrz! O kurwa, to czyjaś ręka!

Armen czuje nad sobą drżenie gruntu, gdy żołnierze biegną w jego stronę. Obaj zaczynają odgarniać ziemię własnymi rękami i już po chwili widzi blask słońca i czuje na skórze podmuch wiatru. To tak wspaniałe uczucie, że niemal się krztusi, próbując za głęboko wciągać w płuca powietrze.

– Dobry Boże, to któryś z naszych – mówi jeden z żołnierzy, gdy razem z kolegą chwytają Armena pod ręce i wyciągają go z dziury w ziemi. Obaj są bez koszul. Następnie klękają przy nim i przyglądają mu się badawczo. Ten drugi dostrzega jego nogę i rozległą czerwoną plamę na prawym boku koszuli.

– Wygląda na to, że jedziesz do Aleksandrii, chłopie! – mówi Australijczyk. – Do Egiptu! Wiesz, prawda? Ta rana to twój bilet powrotny. Wyrwiesz się z tego zasranego półwyspu!

Armen zastanawia się nad jego słowami. Oddycha ciężko i chrapliwie. Ponad ramieniem australijskiego żołnierza widzi ognisko i dwóch innych ludzi z maskami na twarzach, którzy wrzucają martwego tureckiego szeregowca do ognia.

***

Ryan Martin stoi obok swojego asystenta, Davida Heberta, z rękami wspartymi na biodrach i przygląda się murom opuszczonego klasztoru. O tej porze dnia, gdy słońce zanurza się w piaskach pustyni, toną w czerwieni. David wbił łopatę w ziemię i teraz obydwiema rękami opiera się na rączce, jakby to był laska. Orhan kazał Ryanowi szukać samotnej sosny, która ma mniej więcej dwadzieścia pięć metrów wysokości, a na jej pniu widnieje twarz dziewicy.

– Ciekawe, czy ta dziewczyna jest szczęśliwa z powodu swojego dziewictwa, czy może raczej staropanieństwa? – zastanawia się David. – Szczerze mówiąc, wydaje się rozdrażniona swoim kłopotliwym położeniem.

– Moim zdaniem możemy śmiało założyć, że określenie „dziewica" zostało tu raczej użyte jako synonim dla słów „piękna i młoda" – odpowiada konsul.

– Tak czy siak, na pewno nie jest zadowolona z faktu, iż została uwięziona w drzewie. Myślę, że powinniśmy się rozglądać za panną, która patrzy na świat z nachmurzoną miną.

Ryan widzi dziki sosnowy zagajnik pod jedną ze ścian i rząd cyprysów pod drugą. Rusza na obchód. Tuż za rogiem znajduje się niższe, bardziej przysadziste skrzydło zrujnowanej budowli, które – sądząc po jego konstrukcji i gruzach komina – musiało być kiedyś refektarzem, czyli jadalnią klasztoru. Ryan podchodzi bliżej i staje na niewielkim wzgórku, skąd widać wysoką, samotną sosnę.

– Widzę drzewo! – krzyczy do Davida. – Rośnie po tej stronie.

– No i jak, jest ładna i młoda? Skoro mamy kopać doły w tym upale, to chcę mieć przynajmniej na co popatrzeć podczas pracy. Chcę widzieć młodą, ładną dziewczynę i, zapewniam pana, wcale nie musi być dziewicą – mówi bardziej do siebie niż do konsula. Wyciąga łopatę z ziemi i rusza w kierunku Ryana.

– A więc to jest to drzewo? – pyta, gdy dociera na górę i staje obok niego.

Gałęzie zaczynają się jakieś półtora metra nad ziemią. Ryan

dostrzega wyraźnie ślady po niższych konarach, które z czasem musiały uschnąć i odpaść.

– Możliwe – mówi do Davida – ale nie chcę, żebyśmy sobie robili zbytnią nadzieję. – Powoli obchodzi pień dookoła. Na jednym fragmencie kory ktoś z wybujałą wyobraźnią faktycznie mógłby dojrzeć twarz: dwie narośle, kikut uschniętej gałęzi i poziome pęknięcie odrobinę przypominające enigmatyczny uśmiech Mony Lisy. Jednak Ryanowi wszystko to wydaje się mocno naciągane i po chwili namysłu zaczyna wątpić, czy jest w ogóle sens kopać w tym miejscu.

Za plecami słyszy głos Davida.

– Nie mam pojęcia, czy jest dziewicą, ale chętnie zaprosiłbym ją na herbatę.

Konsul odwraca się do swojego asystenta.

– Naprawdę widzisz tu jakąś twarz? – pyta, wskazując na fragment pnia z dwoma zgrubieniami.

– Nie, nie tutaj – odpowiada David i wskazuje ręką na prawo, jakieś trzydzieści centymetrów niżej. – Tam. Dotknąłbym jej palcem, żeby panu pokazać, ale obawiam się, że mogłaby to uznać za zbytnią poufałość. Poza tym palce w oku to nic przyjemnego.

Ryan wpatruje się we wskazane przez Davida miejsce, ale nic nie widzi.

– Czy ty przypadkiem nie robisz mnie w konia?

– Skądże znowu.

– Ale tak szczerze, z ręką na sercu, ty coś tu widzisz?

– A pan, ale tak szczerze, z ręką na sercu, nic tu nie widzi?

– Nie, zupełnie nic – przyznaje Ryan. – Ale jeśli jesteś przekonany, że powinniśmy tu kopać, wchodzę w to.

– Czy ten pański Turek powiedział, jak głęboko zakopał pudło?

– Metr, może metr dwadzieścia.

– No dobra – mówi David, po czym wbija łopatę w skrawek ziemi tuż pod twarzą na pniu sosny – twarzą, którą on sam podobno tutaj dostrzegł. Kopie miarowo, a jego ruchy są silne i zdecydowane. Gdy dół ma około metra głębokości, zaczyna powoli go poszerzać, zataczając coraz szersze kręgi, niczym kamień rzucony na spokojną taflę jeziora. Z początku ziemia jest dość piaszczysta, ale na głębokości pół metra robi się ciemniejsza i wilgotna, a łopata zaczyna uderzać o kamienie wielkości piłki baseballowej. Patrząc na dwa kopce ziemi na powierzchni, Ryan stwierdza, że wyglądają, jakby pochodziły z dwóch różnych krańców kuli ziemskiej.

– Chcesz sobie zrobić przerwę? – pyta Davida. – Może odpocznij chwilę, a w tym czasie ja trochę pokopię, co?

Ale asystent potrząsa głową.

– Chyba coś znalazłem.

– Mówisz poważnie?

David rzuca łopatę i klęka. Następnie pochyla się do przodu i zaczyna grzebać w ziemi swoimi długimi palcami. Ryan przyłącza się do niego i niemal natychmiast wyczuwa pod ręką kawałek w miarę gładkiego, płaskiego drewna. Serce bije mu coraz szybciej. Obaj odgarniają rękami ziemię. Ruchy konsula stają się coraz bardziej gorączkowe. Kopią zapamiętale do chwili, gdy ich oczom ukazują się rogi skrzyni. Ryan wstaje i chwyta łopatę. Robi to w takim pośpiechu, że David w ostatniej chwili zabiera ręce – niemal w tej samej sekundzie konsul wbija ostrze szpadla w jedną ze ścian, podważając nim skrzynię i niemalże przewracając ją na bok. Wówczas David łapie za przechylony bok i wyciąga ją z dołu. Skrzynka jest kwadratowa, a każdy bok mierzy około pół metra. Ryan od razu ją rozpoznaje: dokładnie tę samą skrzynię widział tamtego popołudnia, gdy tureccy żołnierze wynosili ją z pokoju inżynierów. Nie jest w stanie przeczytać wszystkich niemieckich słów wytłoczonych na wieku, ale rozumie na tyle dużo, by mieć pewność, że w takiej właśnie skrzyni przechowuje się płytki fotograficzne, z których korzystał Helmut, robiąc zdjęcia swoim aparatem. I bardzo prawdopodobne, że po wykonaniu fotografii inżynier umieścił je tam z powrotem, żeby móc je wywołać po powrocie do Niemiec.

– Otwieramy?

Ryan zdecydowanie potrząsa głową.

– Nie, w żadnym wypadku. Przynajmniej nie na zewnątrz. W środku na pewno jest niewywołana klisza. Podejrzewam, że

Helmut szczelnie zapakował każdą kasetkę z płytkami, ale jeśli nie, podnosząc wieko, natychmiast zniszczymy cały materiał.

– Jak pan myśli, ile zdjęć może się zmieścić w skrzyni tych rozmiarów?

Ryan próbuje szybko to przeliczyć i od tych szacunków aż kręci mu się w głowie. Niemcy używali skrzynkowego aparatu fotograficznego, do którego wchodzi kasetka z dwunastoma płytkami. Każda płytka jest wielkości dużej karty do gry. Bez wątpienia wewnątrz skrzynki znajduje się także jeden woreczek (może dwa) do zmieniania płytek i metalowe osłonki, w których się je trzyma. A wszystko to oznacza, że dostał od losu znacznie więcej, niż się spodziewał.

– To tylko przybliżone obliczenia – zaczyna konsul – ale, szacując tak na oko, w skrzyni było osiemnaście kasetek, co daje nieco ponad dwieście zdjęć. Wiemy, że jedna kasetka została zniszczona, kiedy ci brutale roztrzaskali aparat, natomiast o tym, z ilu kasetek Niemcy zrobili użytek, a ile zostało niewykorzystanych, dowiemy się dopiero po otwarciu skrzyni.

W oddali Ryan słyszy nawoływania muezina i jego oczy zwracają się w kierunku minaretu w meczecie po tej stronie miasta. Niedaleko świątyni jest uliczka wiodąca wprost na główny plac, gdzie żandarmi przyprowadzają deportowanych zaraz po przybyciu do Aleppo. Myśli o Nevart i Hatoun. To właśnie na tym skwerze Elizabeth Endicott po raz pierwszy zajmowała się konającymi Ormianami, którzy zdołali przetrwać marsz przez pustynię.

– Trzeba by się pomodlić, co? – chichocze David.

Ryan wlepia w niego wzrok.

– Przepraszam – mówi asystent. – Nie chciałem pana urazić.

Ryan jest tak rozemocjonowany faktem odnalezienia skrzyni, że ledwo docierają do niego słowa Davida. Zerka na ruiny klasztoru i, puszczając mimo uszu cyniczną uwagę swojego asystenta, pada na kolana pod drzewem, na którym może jest twarz dziewicy, a może wcale jej tam nie ma – i zaczyna dziękować swojemu Bogu.

Część Trzecia

Rozdział 16

Peter Vartanian okazał się znacznie młodszy, niż się spodziewałam, i zdecydowanie przystojniejszy. Gdy poprzedniego wieczoru zadzwoniłam do niego z mojego hotelu w Cambridge, zarówno z uwagi na jego akcent, jak i wyważony sposób mówienia wyobrażałam sobie raczej człowieka około siedemdziesiątki. W rzeczywistości mógł mieć najwyżej trzydzieści lat, a do tego dobrze ponad metr osiemdziesiąt wzrostu. Patrzył na mnie z wysoka, gdy podawaliśmy sobie ręce w holu muzeum w Watertown. Ubrany był w granatowy kardigan zamiast marynarki, a połączenie długiego, rozpinanego swetra i cieniutkiego krawata sprawiało, że wydawał się jeszcze wyższy. Jak wielu Ormian zajmujących się naszą historią, miał smutny uśmiech i zapadnięte oczy, skryte za okularami bez oprawek. W jego sposobie bycia było coś europejskiego, ale gdy popijaliśmy razem kawę, dowiedziałam się, że tak naprawdę pochodzi z Libanu – to kolejny kraj, w którym powstała diaspora mojego narodu. („Mój naród". Ciekawe, że użyłam takiego sformułowania: „mój naród". Najwyraźniej znacznie silniej zachłysnęłam się historią mojej rodziny, niż mogłam przypuszczać na samym początku moich badań, zwłaszcza zważywszy na to, jak bardzo zawsze szczyciłam się swoim pisarskim cynizmem.)

Przeszliśmy do sali konferencyjnej na drugim piętrze muzeum, gdzie okna zostały szczelnie zasłonięte, aby nie wpuścić do środka promieni porannego słońca. Od razu zrozumiałam, że zrobiono to w celu ochrony archiwalnych materiałów, które mój gospodarz umieścił w pudle wystawionym na końcu długiego, mahoniowego stołu. Przygotował także kawę i zastawę dla nas dwojga – uroczy gest, który skojarzył mi się z tradycyjną gościnnością rodem ze starego świata. Filiżanki stały na spodkach, a śmietanka i cukier podane zostały w dzbanuszku i miseczce, a nie w plastikowych pojemnikach czy w papierku.

– Porcelana? – zapytałam, wskazując na filiżanki.

Uśmiechnął się.

– Imitacja porcelany z serii Florentine. Z zakładu Barstow Pottery w Trenton w stanie New Jersey. Ma wartość jedynie sentymentalną.

– To nie moja sprawa, ale dlaczego filiżanki i spodki z Trenton w New Jersey mają wartość sentymentalną dla człowieka z Bejrutu?

– Rodzina mojej żony pochodzi z Trenton. Jej pradziadkowie byli właścicielami zakładu Barstow.

– Ormianie?

Pokiwał głową.

– Przyjechali tu po ludobójstwie dokonanym przez Turków?

– Tak – potwierdził. – Na Ellis Island ich nazwisko zostało zamerykanizowane i choć trudno w to uwierzyć, skrócone do Barstemenian. A kiedy pradziadek mojej żony założył firmę, jeszcze bardziej skrócił nazwisko i trochę je przerobił. Widział nazwę Barstow na mapie Trasy 66 i uznał, że brzmiałoby to mniej egzotycznie. Bardziej po amerykańsku.

– Nie chciał wydawać się egzotyczny?

– Czasami egzotyka jest dobra, a czasami niekoniecznie.

Zainteresował go fakt, że byłam w tym muzeum podczas studiów, ale najwyraźniej nie przyszło mi do głowy, żeby przejrzeć papiery mojej babci.

– Nie wiedziałam, że tu są – odparłam cicho i na pewno brzmiało to tak, jakbym się przed nim tłumaczyła. Jakbym zaniedbała jakiś ważny obowiązek.

– Pani dziadkowie nigdy o tym nie wspominali? – zapytał. Zauważyłam, że ma na palcu szeroką obrączkę z inskrypcją napisaną po ormiańsku. Ten alfabet był dla mnie kompletnie niezrozumiały.

– Na pewno nie przy mnie – odpowiedziałam. – Mój ojciec też nigdy nic nie powiedział.

Vartanian napił się kawy i z lekkim uśmiechem stwierdził:

– Chyba mogłem się tego spodziewać.

– Pan czytał te papiery? – wskazałam ręką na karton. – Sporo tego jest.

– Czytałem. Oczywiście nie każde słowo. Jest tu publiczna korespondencja z towarzystwem Przyjaciele Armenii, a także wiele prywatnych listów, które pisała do pani dziadka, kiedy służył w brytyjskiej armii, oraz do pani prababci w Bostonie. I trochę listów do współlokatorki z Mount Holyoke. Ludzie pisali wtedy listy tak samo często, jak my dzisiaj tweetujemy i piszemy sms-y. Tylko bardziej się do tego przykładali. No i zazwyczaj zachowywali otrzymywaną korespondencję…

– Spodziewam się, że Elizabeth zachowała swoją.

– Bardzo dużą część. Ale to pudło to na pewno nie jest kompletny zbiór. Musiało być jeszcze wiele listów, które Elizabeth napisała do pani dziadka, a które prawdopodobnie nigdy do niego nie dotarły albo zaginęły, gdy został ranny. Wyobrażam sobie, że szły z Aleppo do Kairu, potem do Port Saidu i Gallipoli. I z powrotem do Kairu albo Aleksandrii – tam, gdzie pani dziadek leżał w szpitalu. Nie brakowało miejsc, w których mogły po drodze się zagubić.

– Te listy są aż tak interesujące?

– Nie, oczywiście, że nie. Większość w ogóle nie jest ciekawa. Ale niektóre owszem. Właśnie piszę pracę na Uniwersytecie Clark na temat roli, jaką w ludobójstwie Ormian odegrało Aleppo. Listy pani babci okazały się niezwykle cennym materiałem źródłowym.

Wstałam i dolałam sobie ciepłej kawy z dzbanka.

– Proszę mi coś powiedzieć.

Rozłożył ręce.

– Słucham.

– Dlaczego zakładał pan, że moi dziadkowie nigdy nie wspominali o tych papierach?

Vartanian przez dłuższą chwilę milczał jak grób. Potem podniósł się z krzesła i podszedł do kartonu. Zdjął wieko, wziął do ręki brązową teczkę, przekartkował zawartość i wyciągnął kserokopię starego czarno-białego zdjęcia.

– Wszystko zaczyna się od tego – powiedział, wręczając mi portret Karine Petrosian, ten sam, z powodu którego znalazłam się teraz w Bostonie.

Armen obserwuje pielęgniarkę, która właśnie zmieniła opatrunki na brzuchu żołnierza w śpiączce leżącego na sąsiednim łóżku. Kobieta odsuwa się od niego, kręcąc głową i lekko nadymając policzki. Jej zielone oczy zawsze wydawały się zatroskane, ale Armen czuje, że tym razem widoczny w nich niepokój jest uzasadniony. Ten żołnierz umiera. Nie ma co do tego wątpliwości. Odkąd Armen został przeniesiony na ten oddział, nieco ponad dwa tygodnie temu, jeszcze nie był świadkiem niczyjej śmierci. Tutaj kładzie się żołnierzy, którzy są na najlepszej drodze do wyzdrowienia i albo mają niedługo wracać do okopów, albo zostać zwolnieni ze służby, w zależności od tego, jak ciężkie odnieśli obrażenia. Pacjenci jedzą i grają w karty, niektórzy flirtują z pielęgniarkami. Ostatnio jednak doszło do kolejnej próby przebicia się wojsk brytyjskich w głąb półwyspu Gallipoli i dwa dni temu do portu przybił statek szpitalny wypełniony po brzegi rannymi i okaleczonymi żołnierzami, dlatego teraz najcięższe przypadki znalazły się nawet w tej, zazwyczaj mniej makabrycznej części szpitala. Jeden Australijczyk stwierdził, że płynący niedaleko stąd Nil powinien tak naprawdę nazywać się Styks. Poprzedniej nocy głosy mężczyzn przegrywających w remika zagłuszały jęki tych, których wnętrzności zmieniły się w bezkształtną miazgę, a dusza uchodziła razem z krwią.

Nadeszła już jesień, ale tu, w Aleksandrii nie było tego widać tak jak w Harput czy Van. Rankiem rozeszły się pogłoski, że po tej ostatniej nieudanej ofensywie Brytyjczycy zastanawiają się nad wycofaniem wojsk z Gallipoli. Po prostu się spakują i odpłyną. Armen nie był pewny, co to oznaczałoby dla niego. Jeśli nie trafi z powrotem do Cieśniny Dardanelskiej, to czy wyślą go do Francji, żeby walczył z Niemcami? Wcale nie chciał uczestniczyć w tamtej wojnie, zresztą nie wiedział nawet do końca, o co ją toczono. Zaciągnął się do armii wyłącznie z przyczyn osobistych i interesował go jedynie jego własny zakątek globu. A rzeź, jaka dokonywała się teraz w północno-zachodniej Europie? Dla niego równie dobrze mogłoby się to dziać na księżycu. I prawdę mówiąc, jego nienawiść już dawno się wypaliła. Nie sprawiła mu żadnej przyjemności niewielka rola, jaką odegrał w szturmowaniu nic nieznaczącej plaży i wzgórza w Cieśninie Dardanelskiej. Nie dawała mu żadnej satysfakcji myśl, że być może pozbawił męża lub syna jakąś nieznaną mu kobietę czy też osierocił jakieś dziecko. Całą żądzę krwi zaspokoił już kilka miesięcy temu, zabijając drobnego urzędnika w Harput – Nezimiego.

Niemniej jest już prawie zdrowy – z pewnością czuje się o wiele lepiej niż przed miesiącem – więc decyzja o jego dalszym losie zostanie podjęta niedługo. Złamanie nie okazało się poważne; w końcu chłopcy cały czas łamią sobie kości. Przez pierwsze tygodnie lekarze trzymali go w drugim skrzydle szpitala raczej z obawy, że w jego ranach może się rozwinąć gangrena i zakażenie.

Siada na łóżku i sięga po laskę wiszącą na poręczy. Dwa dni temu zdjęto mu z nogi szyny i bandaże. Odczuł ogromną ulgę, mogąc znów chodzić bez pomocy zdezelowanych kul. Usunięto mu już także szwy. Nie jest nawet pewny, czy będzie potrzebował dzisiaj laski. Wczoraj opierał się na niej głównie ciężar jego samotności.

– Lepiej się pan czuje, prawda?

Armen odwraca głowę i widzi walijską pielęgniarkę o twarzy upstrzonej piegami i włosach przypominających nieco włosy Elizabeth.

– Tak – przyznaje. – Dziękuję. – Dostrzega w jej rękach plik listów, gruby jak Biblia, obwiązany dwukrotnie sznurkiem.

– Proszę zobaczyć, co tu mam – mówi pielęgniarka wesoło. – Lepiej niż w Boxing Day*, nie?

Armen nie ma bladego pojęcia, co ma na myśli, ale odpowiada jej uprzejmym uśmiechem – poza tym dociera do niego, że to on jest adresatem tego stosu korespondencji, a na całym świecie tylko jedna osoba mogłaby napisać do niego list. Prawie zdążył już stracić nadzieję. Wstaje z łóżka tak szybko, że nogi nieomal odmawiają mu posłuszeństwa, ale chwyta się poręczy i bierze od pielęgniarki gruby plik mniej więcej w taki sposób, w jaki człowiek umierający z głodu złapałby kawałek chleba. Przypomina sobie wszystkie listy napisane do Elizabeth w tym miesiącu – zarówno te z Aleksandrii, jak i te, które pisał na klifach i w okopach na Gallipoli, zachodząc w głowę, czy kiedykolwiek dotrą do Aleppo. Ciekawe, czy ona tam w ogóle jeszcze jest.

– Wygląda na to, że są od tej Amerykanki – dodaje pielęgniarka, ponieważ wspominał jej już o Elizabeth. – Chyba że zna pan jakieś inne Amerykanki w Syrii.

– Nie.

– Kto by pomyślał, przez całe tygodnie cisza, a potem nagle tyle słów, że można by wypełnić małą książkę! – Na jej ustach pojawia się uśmiech, gdy zostawia mu pocztę, lecz niemal natychmiast znika z jej twarzy, gdyż żołnierz na sąsiednim łóżku zaczyna się trząść w gwałtownych konwulsjach. Pielęgniarka biegnie do niego i woła lekarza. Niestety w ciągu kilku sekund pacjent umiera. Armen nie jest pewny, ale wydaje mu się, że przez całe dwa dni pobytu w szpitalu w Aleksandrii ten żołnierz ani razu nie odzyskał przytomności.

Nevart spogląda na lekkie, przezroczyste chmury nad pustynią i na rozciągający się ponad nimi chabrowy bezkres. Czy na niebie nad

---

* *Boxing Day* – święto obchodzone w Wielkiej Brytanii 26 grudnia (dzień po Bożym Narodzeniu) lub na następny dzień powszedni po świętach, jeżeli 26 grudnia wypada w sobotę lub niedzielę. Tradycyjnie to właśnie tego dnia wszyscy obdarowują się prezentami zapakowanymi w pudła (ang. *box* oznacza *pudełko*, stąd geneza tej nazwy).

Adaną kiedykolwiek widziała takie obłoki? Może. Prawdopodobnie tak. Chmury nad Londynem to co innego, ale Adana ma z Aleppo o wiele więcej wspólnego niż, przynajmniej jeszcze do niedawna, gotowa była przyznać. Razem z Hatoun siedzą na dziedzińcu. Nevart zaplata dziewczynce warkocz. Myślami, ku własnemu zdziwieniu, wraca do Adany. Rzadko jej się to zdarza. Znacznie częściej wspomina marsz przez pustynię. No i od czasu do czasu rozmyśla o bogactwie Amerykanów, które niewątpliwie musi się kryć za ich hojnością. Oczyma wyobraźni widzi Boston, a jej wizja głównie opiera się na wspomnieniach Londynu, tej zdumiewającej metropolii nad Tamizą.

Zauważyła, że w ciągu ostatniego tygodnia – a może trwa to nawet dłużej – Hatoun rzadziej znika z ośrodka. Oczywiście nadal czasami gdzieś przepada, ale raczej na krótko. Piętnaście minut jednego dnia, pół godziny drugiego. W niektóre popołudnia w ogóle nigdzie się nie rusza. Wygląda na ulicę przez żelazne kraty po obu stronach ciężkich drzwi albo z okna na piętrze przygląda się rozległej panoramie miasta. Trwa to jednak tylko chwilę, bo zaraz wraca do ocienionego stołu na dziedzińcu, żeby dokończyć równania z liczydłem, albo z powrotem wchodzi do budynku, gdzie w kuchni, bibliotece lub w recepcji odrabia lekcje z czytania i pisania. Nevart chce wierzyć, że to jej „udomowienie" – ta niewielka, lecz zauważalna zmiana – jest rezultatem kazań, jakie nieustannie prawiła dziewczynce na temat niebezpieczeństw czyhających za murami konsulatu. Jednak zachowanie Hatoun wskazuje na to, iż za tą nagłą utratą zainteresowania wyprawami do najciemniejszych zakamarków Aleppo kryje się coś więcej niż tylko chęć zastosowania się do próśb, nakazów i zakazów, które Nevart powtarzała jej codziennie niczym mantrę. Kobieta ma przeczucie, że coś się wydarzyło, ale za każdym razem, gdy próbuje z niej wyciągnąć choćby tylko ogólny zarys tego, co zaszło – przyczynę tej niespodziewanej zmiany – Hatoun jak zwykle unika odpowiedzi.

Gdy kończy pleść dziewczynce warkocz, frontowe drzwi ośrodka otwierają się na oścież i na dziedziniec wchodzi Elizabeth. Pomimo cienia, który rzuca na jej twarz rondo słomkowego kapelusza, na jej ustach widać szeroki uśmiech. Siada w pustym fotelu naprzeciwko Hatoun i Nevart.

– Zaprawdę, Bóg jest z cierpliwymi – wygłasza to zdanie najpierw po turecku, potem po ormiańsku, a na koniec po angielsku.

– Z każdym dniem mówi pani coraz płynniej – zauważa Nevart.

– Wiem. I może trochę za bardzo szczycę się tym moim osiągnięciem, ale naprawdę jestem zadowolona.

– Rozumiem, że to doktor Akcam nauczył panią tego przysłowia?

– Zgadza się.

– Jeszcze chwila i przejdzie pani na islam – dodaje Nevart żartobliwym tonem.

– To raczej mało prawdopodobne. Prędzej na unitarianizm. Myślę, że mój radykalizm dalej nie sięga. W każdym razie podoba mi się to, jak Koran zachęca do cierpliwości. Ta sentencja przypomina mi, że mogę zrobić tylko tyle, ile mogę, nic więcej. Mój ojciec też mógłby wziąć sobie tę radę do serca.

– Świetnie sobie pani bez niego radzi – stwierdza Nevart. Prawdę powiedziawszy, uważa, że młoda Amerykanka wręcz rozkwita, gdy nie unosi się nad nią cień ojca. Silas miał dobre intencje, lecz zbyt przyzwyczaił się do stawiania na swoim, często jego życzliwość przeobrażała się w buńczuczność, a słowa zaczynały przypominać groźby. Jednak Nevart dobrze wie, iż Elizabeth została tu przede wszystkim dla mężczyzny, który prawdopodobnie nigdy nie wróci do Aleppo. Ale będąc na jej miejscu, zrobiłaby to samo. Bo czy kobieta w ogóle mogłaby postąpić inaczej? Gdyby nie miała stuprocentowej pewności, że jej mąż, wraz z innymi wykształconymi mężczyznami z Adany, został rozstrzelany serią z karabinu maszynowego – gdyby żandarmi nie zmusili jej i pozostałych wdów do przemaszerowania gęsiego nad wąwozem, do którego wcześniej zapędzili mężczyzn, żeby ułatwić sobie przeprowadzenie egzekucji – z pewnością nadal by na niego czekała.

– Tęsknię za ojcem. I za matką, ale… – przerywa Elizabeth.

Nevart patrzy na nią w skupieniu.

– Ale nie jestem tu nieszczęśliwa – kończy Amerykanka, a ona przez chwilę zastanawia się nad sensem tego krótkiego zdania.

– Czy to oznacza, że jest pani szczęśliwa? – pyta wreszcie.

Elizabeth potrząsa głową.

– W tym miejscu to niemożliwe, przy całym tym głodzie i chorobach. Podłości. Poniżeniu. Fala ludzkiego bólu i nieszczęścia smaga nas bezlitośnie, niczym wzburzone bałwany. Mimo to lubię moją pracę. Robię coś, co ma znaczenie. Poza tym poznałam wielu wspaniałych ludzi. Ciebie, doktora Akcama, Ryana. I oczywiście ciebie, mała Hatoun. – Elizabeth się pochyla, bladymi palcami gładzi dziewczynkę po policzku i całuje ją w czoło. Hatoun, jak zwykle, sprawia wrażenie zdystansowanej i zupełnie obojętnej na ten czuły gest.

Nagle Amerykanka się prostuje i wbija wzrok w narożnik dziedzińca, dokładnie tam, gdzie kończą się płyty, za którymi rosną palmy daktylowe. Gleba w tym miejscu jest piaszczysta, przynajmniej na powierzchni. Piasek nie jest tak drobny jak ten na Cape Cod, ale o tej porze dnia wydaje się równie biały. Przypomina sobie zamki z piasku, które dawno temu budowała na plaży. Hatoun z pewnością też wznosiła czasem piaskowe budowle. Może w Adanie? Chyba każde dziecko choć raz w życiu próbowało tworzyć takie konstrukcje. W kuchni znajdą wszystkie potrzebne narzędzia: garnek, łyżeczki do kawy, łyżki stołowe, czarki, widelce. No i wodę.

– Chciałabym zbudować zamek z piasku – mówi do Hatoun, uśmiechając się. – Nigdy nie byłam w tym zbyt dobra, więc chyba będę potrzebować kogoś do pomocy. Pomożesz mi?

Tym razem dziewczynka kiwa głową i Elizabeth po raz pierwszy widzi iskierkę w tych ciemnych, pełnych wyrazu oczach.

Jedyne miejsca, w których można wywołać obrazy z płytek fotograficznych, to ciemnie w siedzibach gazet oraz kwaterze głównej IV Korpusu tureckiej armii. Oczywiście żadna z tych opcji nie wchodzi w grę. Ryan sobie przypomina, jak nakłaniał niemieckiego inżyniera, by przekazał mu materiał fotograficzny, który następnie zamierzał wywieźć z Syrii. Teraz jednak, gdy wreszcie udało mu się zdobyć płytki, dociera do niego, jak trudne zadanie przed nim stoi. Istnieje duże prawdopodobieństwo, że jeśli będzie próbował je wysłać normalną pocztą, skrzynia zostanie otwarta, przeszukana, a jej zawartość zniszczona. Mógłby również posłużyć się kurierem, ale rezultat byłby pewnie taki sam, a w dodatku naraziłby jeszcze życie posłańca. Oczywiście mógłby też spróbować osobiście przewieźć płytki przez granicę. Jednak od chwili wybuchu wojny w zeszłym roku nie opuszczał Imperium Osmańskiego, a od dyplomatów, którzy podróżowali w tym czasie, dowiedział się, że ich bagaże były dokładnie sprawdzane na granicy – i to tyle, jeśli chodzi o kurtuazję i protokół dyplomatyczny.

Tak czy owak, musi znaleźć jakiś sposób, by przetransportować płytki do Egiptu. Albo lepiej do Wielkiej Brytanii. Albo Francji. Albo najlepiej do Ameryki. Mówi ludziom o tym, co widzi na co dzień w Aleppo, o tym, czego doświadczył w Dajr az-Zaur, ale odnosi wrażenie, iż skala rzezi, o której opowiada, jest dla nich czymś absolutnie niewyobrażalnym. Uważają, że przesadza. Że od czasów wojny amerykańsko-hiszpańskiej jego dyplomatyczna egzystencja jest zbyt oderwana od rzeczywistości, w związku z czym jego wrażliwość nie wytrzymuje konfrontacji z realiami współczesnego konfliktu. Widzi to w ich spojrzeniach. Tak, ich twarze i pojednawczy, pełen współczucia ton mówią jedno: *To musi być straszne. Ale przecież nie może być gorzej niż w okopach, gdzie ci biedni chłopcy przechodzą prawdziwe piekło.*

Tymczasem skrzynia z płytkami stoi na podłodze obok biurka w jego gabinecie. Jest już po północy, a niebo tętni życiem, roziskrzone blaskiem gwiezdnych konstelacji. Konsul zapala papierosa i wpatruje się w skrzynkę. Zastanawia się, co powinien zrobić. Bo jest rzeczą oczywistą, że coś z tym musi zrobić.

Od dwóch tygodni do Aleppo nie przybył ani jeden, nawet najmniejszy konwój. Czy to oznacza, że rząd natrafił na jakąś przeszkodę, w wyniku której wstrzymano deportacje? A może po prostu nie ma już żadnych Ormian, których można by jeszcze wypędzić i zagłodzić na śmierć.

Armen siedzi na nabrzeżu ze zwieszonymi w dół nogami, ledwie zwracając uwagę na rosłych dokerów, którzy przechodzą kilka kroków od niego z wielkimi skrzyniami i pudłami. Zapach ryb kojarzy mu się z plażami w Dardanelach, ale poza tym Morze Śródziemne w tym miejscu w niczym nie przypomina tamtego morza za wąskim półwyspem, gdzie żył i walczył przez całą końcówkę lata. Aleksandria to prężnie rozwijający się port i choć widok okrętów wojennych stojących w zatoce nie różni się zbytnio od tego, co widywał na Gallipoli, za jego plecami – po drugiej stronie ulicy biegnącej wzdłuż nabrzeża, gdzie siedzi z listami od Elizabeth – rozciąga się miasto nieporównanie większe od Aleppo, którego granice sięgają daleko w głąb lądu. Woda jest tu czarna od ropy naftowej i pokryta białą pianą, a niebo znaczą trujące smugi spalin wydobywających się z kominów kilku widocznych przed nim statków.

Czytał te listy w kółko, właściwie bez przerwy, odkąd tylko trafiły w jego ręce na początku tygodnia. Wodził palcem po literach i próbował odszukać najmniejszy ślad jej zapachu zachowanego na papierze. Teraz z walącym sercem i głową szumiącą od wspomnień i tęsknoty wpatruje się uporczywie w jedno króciutkie zdanie, które wyszło spod jej ręki: *Wróć do mnie.* Elizabeth ciągle jest w Aleppo. A przynajmniej była w chwili pisania tego listu. Napisała, że nie wraca do Ameryki z ojcem i resztą grupy. Wspomniała też o własnej kontuzji: *Cały czas kuleję, ale lekarze powtarzają mi, że rana się zagoi, jeśli tylko zacznę oszczędzać nogę.* W Gallipoli, a także tutaj, w Aleksandrii, Armen się napatrzył, jak wygląda gangrena, amputowanie kończyn i śmierć z powodu przeróżnych infekcji. Również w jego wypadku lekarze bardziej obawiali się gangreny niż czegokolwiek innego. Przed oczami stają mu uśpieni chloroformem mężczyźni przypominający trupy, których widział na stołach operacyjnych w szpitalu polowym na plaży, gdy odcinano im ręce czy nogi. Pamięta prymitywne piły do kości; ich ostrza, maczane w wiadrach z alkoholem, były tępe jak krawędź puszki. Z kolei w Egipcie oglądał żołnierzy kuśtykających po ulicach o kulach i laskach, z trudem wspinających się po schodach, z jedną nogawką zawiązaną na supeł w miejscu, gdzie kiedyś znajdowało się kolano. Obserwował mężczyzn na wózkach inwalidzkich, którzy stracili obie nogi. Kto wie, może Elizabeth także amputowali nogę w szpitalu w Aleppo.

Nie, jej nie. To niemożliwe.

Ale przecież oczywiście mogło tak się stać. Sam najlepiej wie, jak szybko życie potrafi się rozpaść na kawałki. Jak nagle można utracić wszystko.

Za jego plecami rozlega się czyjś śmiech i Armen podnosi wzrok znad trzymanego w rękach listu. Z rybnego targowiska, które mieści się w śnieżnobiałym budynku na końcu molo, wyłania się para młodych ludzi z jasnymi włosami, najprawdopodobniej Brytyjczyków. Armen podejrzewa, że ona jest pielęgniarką, a on dyplomatą – w każdym razie jest stanowczo za dobrze ubrany jak na żołnierza. Ona śmieje się z czegoś, co on właśnie powiedział, a z obojga wręcz emanuje nadzieja i pewność siebie. Wiedzą, że mogą być spokojni o swoją przyszłość – zarówno tę za kilka minut, w łóżku stojącym w pokoju z zaciągniętymi żaluzjami, przez które prześlizgują się promienie słońca, tworząc na ścianach świetliste wzory, jak i tę za kilkadziesiąt lat, w wiejskim domu w stylu tudorskim gdzieś pod Londynem, z gromadką wnuków u ich stóp. Mężczyzna obejmuje kobietę i przyciąga ją bliżej do siebie.

Armen wstaje i przyciska do piersi paczkę listów od Elizabeth. Czuje ukłucie bólu w nodze, tam gdzie miał założone szwy. Próbuje przekonać samego siebie, że jej ojciec nigdy by nie wyjechał, gdyby w stopie rozwinęła się gangrena. Przypomina sobie, że w listach wspominała o dwóch amerykańskich lekarzach pracujących w ośrodku. Na pewno wszystko z nią dobrze.

Na pewno.

A co jeśli tak nie jest? Może ostatecznie jej ojciec wcale nie wyjechał, ponieważ córka była ciężko ranna. Armen nie dostał przecież żadnych listów nadanych już po planowanej dacie wyjazdu Silasa do Ameryki. Doszedł do niego tylko ten, w którym Elizabeth pisze o nadchodzącym wyjeździe ojca.

Idąc wzdłuż nabrzeża, a potem kierując się z powrotem do szpitala – już prawie nie utyka na jedną nogę – Armen stwierdza, że nie ma znaczenia, czy ze stopą Elizabeth wszystko w porządku. Nie ma znaczenia, czy została w ośrodku sama. Nie pojedzie walczyć do Francji. Nie będzie czekać, aż postanowią wysłać go na kolejny front. Wraca do Aleppo.

Karine Petrosian na kolanach szoruje podłogę w gabinecie niemieckiego konsula. Wcześniej wysprzątała już kuchnię i recepcję. Jej ruchy są ospałe, a myśli krążą niewyraźnie wokół kształtów tworzonych przez cienie padające na drewniane deski podłogi i na masywne pękate biurko. Uważa, żeby niechcący nie potrącić wspaniałego gramofonu z dzikimi różami wyrzeźbionymi na ścianach skrzyni. Wie, że konsul dostał go w prezencie od tutejszego gubernatora generalnego.

Pod opuszkami palców wyczuwa nagle drżenie podłogi spowodowane czyimiś krokami w korytarzu i po chwili słyszy za sobą głosy dwóch niemieckich asystentów Ulricha Langego. Choć już i tak jest na ziemi, gdy ją mijają, jeszcze niżej pochyla głowę, ale oni nie zwracają na nią większej uwagi.

– Co za szkoda – mówi jeden z nich i zręcznie omijając Karine, kładzie na biurku Langego jakąś kartkę. – Turcy potrzebują każdego inżyniera, jakiego możemy im posłać.

– „Szkoda" to mało powiedziane – odpowiada drugi. – To straszna tragedia. Znałem ich obu, a zwłaszcza Helmuta. Miał paskudną bliznę, której wcale nie dorobił się na wojnie. Naprawdę ich lubiłem.

– Cóż, sami się o to prosili. Nie rozumiem, skąd wzięła się w nich ta potrzeba fotografowania Ormian. Jestem pewny, że to ten ich przyjaciel, ten ormiański inżynier, Armen, ich do tego namówił. To przez niego stracili życie. Odpowiada za ich śmierć w równej mierze jak brytyjskie wojsko.

– Jest ciągle tutaj?

– W Aleppo? Nie mam pojęcia. Może Ryan Martin coś wie. On też ma jakiś… jakiś swój plan.

Właśnie przechodzą obok niej, kiedy nagle, wiedziona instynktem, podnosi się z podłogi, blokując im przejście. Mężczyźni się zatrzymują.

– O co chodzi? – pyta niższy. Karine wie, że ma na imię Paul. Dzwoni jej w uszach. To głosy umarłych, które odzywają się w jej głowie. Mija dobrych kilka chwil, zanim udaje jej się znaleźć odpowiednie słowa i ułożyć pytanie.

– Pewnie nie mówi po niemiecku – stwierdza współpracownik Paula, Oskar.

– Mówię – wydusza ochrypłym głosem Karine. – Trochę.

Mimo to Paul i tak postanawia przejść na turecki.

– O co chodzi? – powtarza swoje pytanie w innym języku. Karine próbuje odzyskać panowanie nad sobą, ale cała się trzęsie.

– No mówże – rozkazuje Niemiec.

– Naprawdę nie mamy na to czasu – stwierdza zniecierpliwiony Oskar. – Idziemy.

Ale Karine nie może pozwolić im odejść. Jeszcze nie.

– Wspominał pan o ormiańskim inżynierze – odzywa się w końcu drżącym głosem. – Mówił pan, że ma na imię Armen.

– Tak.

– Zna pan jego nazwisko?

– Nie, przykro mi – odpowiada. A potem, być może dlatego, że jej twarz przypomina teatralną maskę, na której malują się cierpienie i rozpacz, dodaje: – Spróbuj zapytać amerykańskiego konsula, Ryana Donalda Martina. Kto wie, może on będzie ci umiał podać pełne nazwisko tego Ormianina. – Po tych słowach obaj Niemcy znikają za drzwiami gabinetu. Karine słyszy jeszcze, jak jeden z nich mówi do drugiego:

– Ciekawe, czemu o to pytała. Może miała brata albo kuzyna o imieniu Armen.

Karine osuwa się z powrotem na drewnianą podłogę i siada, obejmując głowę rękami. Stara się zachować spokój, ale serce wali jej jak młotem. Ma nieodparte wrażenie, że gdzieś głęboko w jej trzewiach coś powoli wraca do życia.

Rozdział 17

Trzecie najbardziej śmiercionośne trzęsienie ziemi, jakie odnotowano w historii ludzkości, miało miejsce w Aleppo dziewiątego sierpnia 1138 roku. Nigdy nie poznamy dokładnie jego skali, ale wiemy, że było potężne. Zginęło wówczas – i pamiętajmy, iż zdarzyło się to niemal dziewięćset lat temu, więc tę liczbę należy traktować tak samo jak stare ceny i wartości walut – dwieście trzydzieści tysięcy osób. Aleppo było w tamtym czasie drugim największym miastem w Syrii. Budynki rozpadały się jak kruche ciastka, a kamienie spadały na ulicę jak ogromne gradowe kule. Według jednego z naocznych świadków ściany cytadeli wyglądały tak, jakby się roztapiały. To samo dotyczy fortecy wzniesionej przez krzyżowców w Harim. A muzułmański fort w Al-Atarib? Doszczętnie zrównany z ziemią. Według ówczesnych relacji nawet mieszkańcy Damaszku poczuli, jak grunt drży pod ich stopami, a Damaszek i Aleppo są od siebie oddalone o trzysta pięćdziesiąt kilometrów.

Peter Vartanian opowiadał mi o tym trzęsieniu ziemi, gdy zbierałam się do wyjścia z muzeum, zaopatrzona w kserokopie niemal stu stron korespondencji, wpisów w prywatnych pamiętnikach i biuletynach informacyjnych. Jak mniemam, poruszył ten temat dlatego, że tak dużo czasu spędziliśmy, rozmawiając o Aleppo. Ale ten kataklizm mógł mu też przyjść do głowy z uwagi na liczbę ofiar. Próbował umieścić masakrę półtora miliona ludzi w jakimś kontekście: wyobraźmy sobie na przykład trzęsienie ziemi, które zabija niemal ćwierć miliona ludzi. Niewyobrażalna tragedia. A jednak to tylko jedna szósta liczby ofiar zmasowanego ludobójstwa Ormian. Być może to właśnie ta ukryta refleksja, którą podszyta była jego opowieść.

Kiedy znalazłam się na tylnym siedzeniu taksówki wiozącej mnie z powrotem na lotnisko w Bostonie, nagle wybuchłam płaczem. Kierowca odwrócił się do mnie na światłach, a ja podniosłam ręce, próbowałam się uśmiechnąć i pociągając nosem, wybąkałam, że nic mi nie jest. A potem znowu się rozryczałam. Przepłakałam całą drogę do terminala, płakałam na pokładzie samolotu i we własnym samochodzie, jadąc do szkoły mojej córki. Podczas koncertu Ann stałam u boku Boba w ciemnościach na tyłach auli i w dalszym ciągu zalewałam się łzami. Zastępca dyrektora i kobieta obsługująca konsoletę na pewno myśleli, że płaczę, ponieważ nasza córka wkrótce kończy podstawówkę i przenosi się do gimnazjum. Oboje uważali, że to przeurocze.

Tylko Bob podejrzewał, jaka jest prawda, i rozumiał, że w rzeczywistości płakałam nad swoimi dziadkami. Płakałam nad Karine i nad maleńką dziewczynką o imieniu Talene, której nie dane było dożyć swoich pierwszych urodzin. Opłakiwałam śmierć półtora miliona ludzi i zniszczenie całej cywilizacji na terenach wschodniej Turcji, cywilizacji, po której została jedynie góra kości wśród piasków Dajr az-Zaur.

Ale przede wszystkim płakałam z powodu cierpień, jakich doznali w życiu Armen i Elizabeth, oraz sekretów, które zabrali ze sobą do grobu.

Elizabeth siedzi naprzeciwko Sayieda Akcama, który sięga po blaszany dzbanek i dolewa do jej filiżanki świeżą porcję kawy. Jego gabinet to w rzeczywistości oddzielony zasłoną kącik na oddziale dziecięcym. Na szczęście jest tu okno – co prawda wąskie, a do tego wychodzi na zachód, ale o tej porze dnia wpadające przez nie promienie słońca rozjaśniają tę maleńką klitkę.

Elizabeth zajęło kilka tygodni przyzwyczajenie się do syryjskiej kawy – o wiele mocniejszej i ciemniejszej od tej, którą pijała w Bostonie – ale teraz sobie nie wyobraża, że mogłaby wrócić do amerykańskiej wersji tego napoju. Zeszłej nocy Nevart pokazała jej, jak się pali sziszę, która stała w selamliku niczym pieczołowicie przechowywane arcydzieło sztuki ceramicznej. Kiedy pozostali mieszkańcy ośrodka poszli spać, nabiły ją tytoniem i zabrały się do palenia niczym dwie zbuntowane nastolatki. W Ameryce nigdy w życiu nie zapaliła nawet papierosa.

– Dużo łatwiej przychodzi nam przekazywanie dobrych wieści niż złych – mówi Akcam, popijając kawę. – Kiedy musimy poinformować kogoś o czymś złym, szukamy innych słów – tłumaczy jej sposób podejścia do pacjenta. Jednak Elizabeth zdaje sobie sprawę, że tak naprawdę jego słowa obejmują dużo szerszy kontekst niż tylko praca lekarza. – Potrzeba eufemizmu – ciągnie dalej Akcam – byłaby jeszcze silniejsza, gdyby te dzieci miały rodziców albo gdyby te kobiety miały mężów, braci czy siostry. Udzielamy wymijających odpowiedzi, mając na względzie przede wszystkim dobro rodziny. Musimy jakoś złagodzić cios zadany złą informacją.

Gestem ręki wskazuje na rzędy łóżek po drugiej stronie zasłony.

– Tutaj stopniowo przygotowujemy się do śmierci. I to wpływa na nasz język. Tak samo jest na pustyni.

– Ale nie zawsze – wtrąca Elizabeth, pamiętając, jak zginęły matka i siostra Hatoun. – Czasami śmierć przychodzi znienacka, gdy mordują je podczas marszu.

– To prawda – przyznaje jej rację – i niewykluczone, że mają więcej szczęścia niż moi pacjenci. – Elizabeth ma wrażenie, że zaraz usłyszy od niego kolejną sentencję z Koranu, lecz w tym momencie zza zasłony dobiega ich płacz małej dziewczynki. To pewnie ta siedmiolatka z Van – podejrzewa Elizabeth – która była tu kilka miesięcy temu, a potem trafiła do sierocińca. Do szpitala wróciła zeszłej nocy, ponieważ od trzech dni zwraca wszelkie pokarmy.

Z piersi Akcama dobywa się ciężkie westchnienie. Z rezygnacją marszczy gęste brwi i wstaje z krzesła. Elizabeth rusza za nim na oddział.

***

Hatoun nie zna kobiety, która w samo południe pojawia się po drugiej stronie żelaznej kraty graniczącej z okazałymi drzwiami konsulatu. Dziewczynka stoi na dziedzińcu, trzymając w ręce jasnowłosą główkę Alicji, i przygląda się nieznajomej. Na pierwszy rzut oka widać, że to Ormianka – a przynajmniej Hatoun odnosi takie wrażenie. Jej skóra jest tak samo obwisła jak u Nevart, ale ta kobieta nie przypomina chodzących szkieletów, które Hatoun pamięta z ostatnich dni marszu przez pustynię czy z okresu spędzonego na placu pod cytadelą. Ma gęste, lśniące czarne włosy, świeżo wyszczotkowane.

– Dzień dobry – mówi do Hatoun. Gdy dziewczynka nic nie odpowiada, kobieta kontynuuje: – Szukam jednego mężczyzny. Nazywa się Ryan Donald Martin. Jest tutaj?

Hatoun potrząsa głową. Amerykański książę i jego asystent gdzieś wyszli. W tej chwili na terenie ośrodka oprócz niej przebywa tylko Nevart i kucharka. Dziewczynka się zastanawia, czy nie pójść po swoją opiekunkę, lecz w tym momencie kobieta stwierdza:

– Wrócę później. A tobie jak na imię?

– Hatoun.

– A jej? – pyta, wskazując na głowę lalki.

– Alicja.

Nieznajoma uśmiecha się krzywo. Przez ułamek sekundy grymas na twarzy kobiety przypomina dziewczynce uśmiech zaginionej przyjaciółki – w kącikach ust, tak samo jak u Shoushan, dostrzega czającą się obsesję, może nawet szaleństwo. Jednak z jej twarzy bije też jakieś matczyne ciepło, co sprawia, że Hatoun myśli o swojej matce. I o Nevart, zwłaszcza w chwili, gdy klęka i obejmuje ją ramionami, kiedy ona wraca do ośrodka z kolejnej eskapady po mieście.

– Ja się nazywam Karine – mówi kobieta. – Hatoun i Alicja to piękne imiona. – Spogląda na dziedziniec i widzi resztki zamku z piasku wznoszącego się pod daktylowcami. – Ty to zbudowałaś?

Dziewczynka potwierdza skinieniem głowy. Żałuje, że zamek

całkiem oklapł pod wpływem nocnej rosy i żaru lejącego się z nieba. Jeszcze przed kilkoma dniami wyglądał dużo lepiej niż dziś. Doprawdy nic nie trwa wiecznie.

– Robi wrażenie – mówi Karine. W odpowiedzi Hatoun mruczy coś pod nosem, pewna, że jej rozmówczyni po prostu chciała być miła. Ormianka się odwraca i odchodzi zalaną słońcem ulicą.

Podczas kolacji Elizabeth nie mówi Nevart o kolejnej dziewczynce, która dziś po południu zmarła w szpitalu. Nie mówi też Hatoun o kolejnej zakonnicy z sierocińca, która zjawiła się dziś na oddziale i wypytywała o nią. Siedząc pomiędzy nimi i zajadając pilaw z ryżem i jagnięciną, stara się sugestywnie opisać fantasmagoryczne odcienie fioletu, żółci i czerwieni, jakie można zobaczyć jesienią, spoglądając na korony drzew, gdy wyjedzie się z Bostonu i ruszy w stronę Concord. Próbuje ubrać w słowa magię ciepłych, słodkich oparów unoszących się wiosną nad cukrownią i opisać uczucie, jakie jej towarzyszyło, gdy na jej oczach roślinny sok zmieniał się w gęsty syrop. Ani słowem nie wspomina natomiast o tym, że cukrownia należała do rodziny profesora z Mount Holyoke, z którym coś ją łączyło. Stara się o nim nie myśleć. Ale dziś chce mówić o domu, bo – jak stwierdzili dziś z doktorem Akcamem – czasami człowiek po prostu nie może pozwolić sobie na całkowitą szczerość.

Zastanawia się, co by pomyślała jej matka, gdyby przywiozła ze sobą do Bostonu Nevart i Hatoun. Gdyby przyniosła do domu sziszę i zaczęła palić tytoń w jej obecności. Niewykluczone, że kwestia fajki wodnej i tytoniu okazałaby się dla matki dużo bardziej kłopotliwa niż dwie „egzotyczne" cudzoziemki ocalone z ruin Imperium Osmańskiego. Mało tego, może całkiem dobrze by się bawiła w ich towarzystwie, podobnie jak w towarzystwie swoich psów. Niezależnie od wszystkiego ten problem nie daje Elizabeth spokoju. W którymś momencie w końcu wykupi bilet powrotny do Ameryki. Co się wtedy stanie z tymi dwiema Ormiankami? Przecież nie mogą wiecznie mieszkać w konsulacie.

Tymczasem mijają kolejne dni, a ona nie dostaje żadnych listów od Armena. Obawa, że przed powrotem do Ameryki już nigdy go nie zobaczy, staje się coraz bardziej realna. Elizabeth wzdraga się na samą myśl o jego śmierci. A jednak spędziła z nim tak mało czasu, i to już tak dawno temu, że dziś jej się wydaje, jakby to wszystko działo się we śnie, jakby to wcale nie był linearny ciąg zdarzeń. Ma wrażenie, iż którejś nocy wymyśliła go sobie, a potem udawała, że stoją razem na szczycie cytadeli albo spacerują po bazarze. Rzuca przelotne spojrzenie w kierunku schodów wiodących na pierwsze piętro i przypomina sobie tamten poranek, gdy nagle zaskoczył ją swoją obecnością, wyłaniając się z cienia. Chciałaby, żeby…

Sama do końca nie wie, czego by chciała. Wie tylko, że zakochała się w Armenie tak, jak nigdy dotąd nie zakochała się w żadnym mężczyźnie. Podobnie jest z jej miłością do Hatoun. Żadnej bratanicy czy siostrzenicy nie byłaby w stanie pokochać tak mocno, jak pokochała tę dziewczynkę. A uczuciami, jakie żywi do Nevart, chyba nigdy nie byłaby w stanie obdarować rodzonej siostry.

Nagle, zupełnie niespodziewanie – a przynajmniej trudno byłoby się tego spodziewać, ponieważ dziewczynka tak rzadko się odzywa – Hatoun wypowiada jedno krótkie zdanie:

– Ktoś tu dzisiaj był.

Obie kobiety jednocześnie spoglądają w jej stronę.

– Proszę – zaczyna Elizabeth, starając się opanować drżenie głosu wywołane ukłuciem lęku – powiedz nam coś więcej.

– Kobieta.

– Zapukała do drzwi?

– Patrzyła przez kraty.

– Turczynka? Ormianka? Europejka?

– Ormianka. Chciała się zobaczyć z amerykańskim księciem – mówi dziewczynka, większość swoich odpowiedzi kierując do złotowłosej główki, która leży na stole obok jej talerza.

– Powiedziała, dlaczego chce się widzieć z panem Martinem? – dopytuje Nevart.

Hatoun potrząsa głową.

– Pewnie się dowiedziała, że razem z Hatoun mieszkamy w konsulacie i też chciałaby się tu schronić – stwierdza Nevart, wzdychając głęboko. – Przepraszam, naprawdę przepraszam.

– Nie masz za co przepraszać – zapewnia ją Elizabeth. – Jeśli faktycznie po to tu przyszła, trudno – po czym odwraca się do Hatoun i dodaje: – Jak przyjdzie następnym razem, przyślij ją do mnie. Nie ma sensu zawracać głowy panu Martinowi, o ile nie dzieje się coś naprawdę poważnego.

Karine leży nieruchoma jak rzeźba na szczycie grobowca, próbując uspokoić się na tyle, żeby usnąć. Ale nie jest w stanie uciszyć kłębiących się w jej głowie myśli. Nie wie na pewno, czy jej mąż żyje, ale nagle znów ma nadzieję. Może właśnie dlatego los oszczędził jej przejścia przez obóz w Dajr az-Zaur, może dlatego zakonnica, której imienia Karine już nie pamięta, załatwiła jej pracę w niemieckim konsulacie – aby mogła przeżyć i ponownie połączyć się z Armenem. Wyobraża sobie, jak się spotykają, niczym dwa trupy przywrócone do życia, jak dostają drugą szansę. Wyobraża sobie, że Armen bierze ją w ramiona i podnosi z ziemi, tak jak tamtego dnia w Van, gdy poprosił ją o rękę. Oplata dłońmi jego szyję, a on całuje ją w usta.

Powtarza sobie, że chyba za bardzo się zagalopowała. Armen do tej pory mógł już opuścić Aleppo. Prawdopodobnie tak właśnie zrobił. Nie należy jednak zapominać, że Aleppo to duże miasto i zawsze istnieje możliwość – zwłaszcza wziąwszy pod uwagę, jak mały stał się ostatnio jej świat i jak niewiele czasu spędza na czymkolwiek poza sprzątaniem siedziby niemieckiego konsulatu i opłakiwaniem Talene (jak również Armena) w tym ciasnym pokoiku – że jej mąż wciąż jest gdzieś w pobliżu. Tak czy inaczej, ten człowiek, Ryan Donald Martin, może coś wiedzieć. Albo ktoś inny w amerykańskim konsulacie.

Znów odzywa się ten wyimaginowany ból, który zapewne już zawsze będzie czuła w miejscu, gdzie jej ramię łączy się z klatką piersiową – w miejscu, gdzie całymi dniami przyciskała do ciała swoje dziecko. Tuliła małą Talene w ramionach, nie pozwalając jej zabrać żadnej z pozostałych kobiet. Wszystkie uznały, że zwariowała i nie dociera do niej śmierć dziecka. Ale ona wiedziała. Po prostu nie chciała się z nią rozstać. Teraz ponownie słyszy echo ich próśb, co jakiś czas przerywanych krzykami żandarmów, dlatego unosi obie dłonie i ucisza wszystkie głosy. Odpycha je daleko od siebie. Potem opuszcza ręce i ogromnym wysiłkiem woli zmusza się, by znów skupić myśli tylko na Armenie. Wyobraża sobie ich łóżko w Harput i jezioro w Van, które w odpowiednim świetle wydawało się tonią bez dna. Oddycha powoli, głęboko i ostrożnie obraca w myślach słowo „przyszłość". Próbuje tchnąć w nie życie, jakby rozdmuchiwała płatki kwiatów na wietrze.

Kiedy w końcu udaje jej się zasnąć, w pokoju jest już niemal widno.

Armen słyszał pogłoski o planowanej ofensywie Brytyjczyków na pustyni synajskiej i w Palestynie. Walki mogą się rozpocząć za tydzień albo równie dobrze za miesiąc. Dlatego teraz, w pachnącym nowością mundurze, krąży po targowisku w poszukiwaniu ubrań, w których mógłby uchodzić za muzułmanina i które dałyby mu choć niewielką szansę na ponowne przekroczenie szerokiego oceanu piasku leżącego pomiędzy jedną cywilizacją a drugą. Ma nadzieję, że uda mu się wyruszyć do Aleppo już jutro, ponieważ w każdej chwili powinni go wypisać ze szpitala, a znacznie trudniej byłoby mu zdezerterować z wojskowych koszar niż z mało zdyscyplinowanego świata rannych, którzy wracają do zdrowia, i symulantów uchylających się od służby.

W pewnym momencie dostrzega wśród straganów poznanego w szpitalu Australijczyka o imieniu Adrian. Jak na osobę chodzącą o lasce porusza się zaskakująco żwawo. Tak samo jak Armen miał niesamowite szczęście – kule, które go dosięgły, rozpruły mięśnie i tkankę tłuszczową w jego nodze, jedynie ocierając się o kości. Jak sam opowiadał, wyglądało to strasznie, ale czołgając się z powrotem za linie obrony ANZAC-u, przeczuwał już, że jego rany nie są poważne i będzie miał mniej więcej miesiąc odpoczynku w Egipcie.

– Szukasz czegoś szczególnego? – pyta Adrian swoim donośnym, dobrodusznym głosem.

Armen postanawia skłamać.

– Nie. Chodzę tu tak tylko dla zabicia czasu – mówi.

– Uwielbiam tę nudę. Uwielbiam. Mówię ci, mógłbym już do końca życia grać w remika z tymi nieszczęsnymi kalekami w szpitalu. W ogóle mi się nie spieszy, żeby wracać. Pojadę oczywiście, kiedy nadejdzie czas. Ale wcale mi się nie spieszy.

Na pobliskim stoisku jakiś facet sprzedaje czapki z jagnięcej skóry. Obok niego młody chłopak handluje szalikami. Armen zapamiętuje to miejsce, ale nie zatrzymuje się i idzie dalej. Wróci tu, kiedy już rozstanie się z Adrianem.

Kiedy Karine nie opróżnia nocników, nie szoruje podłóg i nie zmienia pościeli na łóżkach Niemców, modli się. Teraz, gdy już wie, że istnieje szansa na to, że jej mąż ciągle żyje, modli się niemal przez cały czas. W końcu ilu może być ormiańskich inżynierów o imieniu Armen? Zastanawia się, czy nie spróbować uzyskać więcej informacji od niemieckiego konsula Ulricha Langego, chociaż z drugiej strony wyraźnie widać, że jego dwaj asystenci wiedzą o tej sprawie bardzo mało, a do tego obaj bez wątpienia obwiniają Ormianina za śmierć ich dwóch przyjaciół. Tak więc ostatecznie Karine odrzuca ten pomysł – nie ma śmiałości, by zwrócić się do konsula. Poza tym ona sama poczuła niespodziewany żal na wieść, że niemieccy fotografowie zginęli. Pamięta, jak zaraz po przybyciu do Aleppo pozwoliła im zrobić sobie zdjęcie. Zapytali ją, a ona się zgodziła. Wzruszyła kościstymi ramionami i wymamrotała, że nie ma nic przeciwko. Odpowiedziała na kilka pytań o swoją przeszłość. Wspomnienie tamtej chwili wydaje się już dziś równie mgliste jak wszystko inne, co wydarzyło się w tych pierwszych dniach, które spędziła w mieście. Spodziewała się wtedy, że umrze w ciągu kilku najbliższych godzin.

A jednak przeżyła. Znalazła się w grupie kobiet, które trafiły do szpitala. Gdyby nie to, umarłaby na miejskim placu albo została zapędzona jeszcze dalej na pustynię.

Próbuje sobie przypomnieć jak najwięcej szczegółów dotyczących tego dnia, gdy niemieccy inżynierowie zrobili jej zdjęcie. Pamięta szorstką ścianę cytadeli, pod którą ją posadzili. Chropowate kamienie wbijające się jej w kręgosłup. Smugę cienia w miejscu, gdzie osunęła się na ziemię. Miała tak zdarte gardło, że mogła mówić tylko szeptem. Stopy, których najmniejsze kości popękały od wielokilometrowego marszu przez pustynię, były zbroczone krwią, spuchnięte i pokryte ranami. Ale ci dwaj Niemcy okazali jej współczucie i życzliwość, a ona doszła do wniosku, że zostawiając po sobie obraz cierpienia, nada sens własnej śmierci. Może niezbyt głęboki, ale zawsze jakiś. Być może ktoś kiedyś zobaczy tę fotografię i patrząc na jej wychudzone ciało, na jej poniżenie, zrozumie, co Turcy zrobili na pustyni. I nawet jeśli z tego zdjęcia nikt się nie dowie o śmierci Talene, przyjemniej odczyta smutek, w którym już na zawsze, jak przypuszczała, pogrąży się jej naród. Zdjęcie nie będzie również stanowić dowodu obciążającego Turka, który twierdził, że jest przyjacielem jej męża, a potem, gdy wyrzekła się swojej wiary, nalegał, by została jego żoną. (Jak mógł poprosić ją o rękę, nie wiedząc, czy Armen kiedykolwiek wróci do Harput? Kiedy odrzuciła jego propozycję, zgwałcił ją jako pierwszy, ale nie ostatni.) Jednak niezależnie od wszystkiego, wiedziała, że każdy, kto je obejrzy, będzie miał wyobrażenie o męczarniach, jakich doświadczyła od chwili, gdy razem ze swoją maleńką córeczką została wypędzona na to jałowe pustkowie, z jednym kocem, którym opatulona była Talene, i z jednym ubraniem na grzbiecie. Jej wizerunek stanie się świadectwem, z którego wagi doskonale zdawała sobie sprawę.

Dopóki nie miała żadnych wieści o Armenie, starała się nie myśleć ani o nim, ani o ich córeczce. I nie chodziło wcale o to, że przez te wspomnienia rany goiłyby się znacznie dłużej. Nie, po prostu rozpamiętywanie tego, co jej odebrano, sprawiało ból, którego nie była w stanie znieść. A jednak powoli wracała do zdrowia. Stopy się wyleczyły i nieznacznie przybrała na wadze. Przez większość czasu leżała w szpitalnym łóżku, pogrążona w bezgranicznej obojętności. Chwilami żałowała, że nie uległa całkowitemu załamaniu psychicznemu, które na zawsze oderwałoby ją od przeszłości. Ale tak się nie stało.

Tak się nie stało być może także dlatego, że Bóg jednak istniał. Może oszczędził ją, bo oszczędził też Armena. Myślała, że zginął podczas walk w Van albo został zamordowany przez jedną z tych band, które siekierami i bagnetami masakrowały mężczyzn w Harput. Ale może wcale do tego nie doszło. Może było im pisane, że się odnajdą i zaczną wszystko od początku. Że będą mieli następne dziecko. Że założą rodzinę. Czy była zbyt naiwna? Nie. Wcale nie.

Jutro wróci do konsulatu. Jeżeli będzie trzeba, to pójdzie tam też pojutrze, i następnego dnia. Pójdzie i zaczeka. Albo, jeśli zbierze się na odwagę i zapyta, gdzie jest konsul, to może spróbuje go odszukać, niezależnie od tego, gdzie akurat będzie przebywał. Nie, nie zabraknie jej odwagi. Znajdzie tego Ryana Donalda Martina i zapyta o swojego męża.

Tym razem to chłopiec zerka na dziedziniec przez kraty obok podwójnych drzwi do konsulatu i wpatruje się w Hatoun. Jest od niej chyba trochę starszy – ma dziewięć, może dziesięć lat, ale tak naprawdę trudno powiedzieć, patrząc na jego drobne, wychudzone ciało. Równie dobrze może mieć dwanaście, trzynaście lat. Albo siedem. Gdy tak przed nią stoi, Hatoun widzi tylko ogromne uszy, oczy i kościste palce, które są tak brudne i cienkie, że przypominają jej ogołocone z liści zimowe gałązki. Nie zna tego dziecka i nigdy wcześniej nie widziała go na ulicy.

– Od kilku tygodni nie widziałem Shoushan. A ty? – pyta chłopiec i dopiero słysząc jego głos, Hatoun jest w stanie bardziej precyzyjnie określić jego wiek – musi być od niej starszy o kilka lat. W odpowiedzi przecząco kręci głową. Nie, nie widziała Shoushan.

Jej przyjaciółki już dawno nie ma. I żadne dziecko, które bawiło się z nią na ulicy czy na placu obok cytadeli, nigdy więcej jej nie zobaczy.

– Powiedziała mi, że mieszkasz tutaj – ciągnie chłopiec, wskazując na obszerny dziedziniec za jej plecami i eleganckie białe budynki z ozdobnymi okiennicami. Gdy Hatoun odpowiada milczeniem, chłopiec uśmiecha się i dodaje: – Nie lubisz rozmawiać. O tym też mi mówiła.

Na stole w patio stoi miska pełna fig. Hatoun najpierw zerka w tamtym kierunku, po czym w podskokach podbiega do stołu, zabiera salaterkę i wraca z nią pod żelazną kratę. Następnie daje chłopcu znak, żeby złączył dłonie, ale on zamiast tego chwyta tymi swoimi szponiastymi palcami brzegi koszuli, tworząc w ten sposób niewielką nieckę, do której dziewczynka wrzuca przez kraty całe garście fig.

Kiedy kończy, wpatrują się w siebie przez dłuższą chwilę.

– Idę do sierocińca – mówi wreszcie chłopiec. – Na ulicach zrobiło się zbyt niebezpiecznie. Zbyt strasznie. Nie tylko Shoushan ostatnio zniknęła. W sierocińcu nie może być gorzej, nie?

Hatoun bierze głęboki oddech w nadziei, że znajdzie w sobie na tyle odwagi, by się do niego odezwać – żeby opowiedzieć mu o porwaniu Shoushan, które widziała na własne oczy i na które nikt z dorosłych nie zareagował. A niektórzy nawet się śmiali. Mogłaby mu też opowiedzieć o swoim krótkim pobycie w sierocińcu i zapewnić, że nie jest tam aż tak źle. Owszem, będzie musiał zrezygnować z wolności, ale dostanie jedzenie i rzeczywiście będzie bezpieczniejszy niż na ulicy. Już otwiera usta, ale w tym momencie chłopiec dodaje:

– Jednak wolałbym być w takim miejscu jak to. Pozwolą ci tu zostać?

Pozwolą ci tu zostać? Te słowa odbijają się w jej głowie niczym echo, kiedy zaczyna myśleć o tym, że przecież nie będzie tu mieszkać wiecznie. Nevart nigdy jej nie odeśle. Nigdy. Tak samo Elizabeth. Ale Elizabeth kiedyś wyjedzie z powrotem do Ameryki. Poza tym Hatoun doskonale wie, że zakonnica z sierocińca o nią wypytywała. Na dodatek panna Wells w końcu wróci z Damaszku. I co wtedy? Co się z nią stanie? Z nią i z Nevart?

– Jeśli spotkasz Shoushan, przekaż jej pozdrowienia od Atoma – mówi chłopiec. – A jeśli odeślą cię do sierocińca, będę pamiętał o tych figach. Będę miał na ciebie oko, zgoda?

– Zgoda – odpowiada cicho.

Atom uśmiecha się do niej.

– Widzisz? Jednak umiesz mówić. Nie było tak źle, prawda? – po czym odwraca się i odchodzi, a ona zostaje sama na dziedzińcu, po drugiej stronie krat. Na pewno nie chciał jej zdenerwować, ale wskrzeszając wspomnienia o Shoushan, a jednocześnie dając jej do zrozumienia, że być może pewnego dnia będzie potrzebować jego opieki w sierocińcu, wywołał w niej niepokój. Hatoun odkłada pustą miskę na stół i wbiega do głównego budynku, żeby poszukać Nevart.

Rozdział 18

Pamiętacie tamtego słynnego ormiańskiego szachistę? Tigrana Vartanovicha Petrosiana, znanego także jako „Żelazny Tigran"? Mój brat, Greg, to jeden z tych szachowych maniaków, którzy grają przez Internet z innymi maniakami z całego świata. Jak sam przyznaje, na jakimś głębszym, podświadomym poziomie do zainteresowania się szachami mógł go zainspirować fakt, że Tigran nosił takie samo nazwisko jak my. Jednak zajął się tym na poważnie dopiero grubo po trzydziestce, dobre trzy dekady po tym, jak Tigran był na samym szczycie, więc mógł to być zwykły zbieg okoliczności. Niemniej, gdy poprosiłam Grega, by opowiedział mi trochę o wielkim ormiańskim mistrzu szachowym, zastanowił się przez chwilę, po czym wyjawił mi, że Żelazny Tigran zyskał taki przydomek, ponieważ w swojej grze koncentrował się głównie na obronie. Nie należał do graczy, którzy dużo ryzykują, był za to nieustępliwy. Cierpliwie czekał, aż przeciwnik popełni jeden, decydujący błąd.

Tak więc wygląda na to, że Tigran bardzo się różnił od naszego dziadka. Armen często podejmował wielkie ryzyko i nie jestem pewna, czy kiedykolwiek planował więcej niż jeden ruch do przodu.

Ponadto był mordercą. Dowiedziałam się o tym dopiero jako dojrzała kobieta, będąc już w średnim wieku, i nawet teraz nie umiem stwierdzić, na ile mój ojciec był świadom tego faktu. Szczerze mówiąc, nie wydaje mi się, żeby zbyt dużo wiedział na ten temat. Najprawdopodobniej postrzegał swojego ojca jako żołnierza, jednego z bohaterskich obrońców Van, który wstąpił na ochotnika do AN-ZAC-u. Jako wojaka z Gallipoli. Z pewnością rozumiał, że ojciec zabijał ludzi, ale – o czym prawdopodobnie był głęboko przekonany – robił to przy użyciu karabinu, z dużej odległości. Patrzył na niego tak, jak my wszyscy patrzymy na mężczyzn, którzy walczyli w większości wojen dwudziestego wieku: wykonywali paskudną, ale niestety konieczną robotę, a potem wracali do domu, znajdowali jakieś normalne zajęcie i zakładali rodzinę. Większości z nich (choć na pewno nie wszystkim) udawało się stłumić w sobie przynajmniej najbardziej widoczne objawy stresu pourazowego. (Ja na ich miejscu chyba byłabym wrakiem człowieka i chyba do końca życia siedziałabym przy stole w kuchni, bliska katatonii.) W związku z powyższym mój ojciec szanował prywatność Armena i nie zmuszał go do wywlekania na wierzch traumatycznych szczegółów z 1915 roku. Dopóki sama mu tego nie powiedziałam, nie wiedział, że jego ojciec zamordował urzędnika państwowego w Harput, który dawniej był jego przyjacielem, albo że zabił dwójkę tureckich oficjeli w pociągu. W obu przypadkach działał w obronie własnej, co nie zmienia faktu, że były to brutalne akty przemocy, podszyte osobistą zemstą.

Również ode mnie się dowiedział, że Armen podczas swojej desperackiej podróży na północ przez pustynię synajską zaprzyjaźnił się z trzema starymi Beduinami. Okazali się niezwykle serdeczni i przez cztery dni chronili go i dzielili się z nim jedzeniem, aż znalazł się daleko za linią Turków i mógł potajemnie wśliznąć się na pokład pociągu jadącego do Aleppo. Jak sam później wyjawił Elizabeth, o mały włos w ogóle by się im nie pokazał, ponieważ się bał, że go zastrzelą, gdy tylko wyłoni się zza wydm przy ich małym obozie. Ostatecznie zdecydował jednak, że mimo długich strzelb, które trzymali cały czas przy sobie, musi zaryzykować, wyjść z kryjówki i poprosić ich o pomoc. Ta decyzja okazała się jak najbardziej trafiona.

No dobrze, ale czy mój ojciec wiedział, że zanim Armen Petrosian poznał w Aleppo kobietę z Bostonu, w 1915 roku stracił żonę i córkę? Tak, sam to potwierdził. Jednak kiedy byłam mała, ani on, ani matka nie chcieli mi mówić o tym okresie historii naszej rodziny. Toteż razem z bratem dorastaliśmy w przekonaniu, że Elizabeth Endicott, nasza babcia, była pierwszą i jedyną żoną Armena.

– Przez cały czas się spodziewałem, że zginę, a jednocześnie byłem pewny, że nie zginę. Wiem, że to bez sensu – mówi Armen siedzącemu obok Beduinowi, po którym w ogóle nie widać jego zaawansowanego wieku. Obaj wpatrują się w iskry wzbijające się znad ogniska w rozgwieżdżone niebo. Beduini zapewnili go, że jutro dotrą do linii kolejowej i resztę podróży do Aleppo będzie mógł już odbyć pociągiem.

– Wcale nie bez sensu – odpowiada starszy mężczyzna.

– Najgorzej było tamtego dnia, kiedy was spotkałem. Byłem już niemalże gotowy dać za wygraną. Pogodzić się ze swoim losem i zdać się na jego łaskę.

Tym razem Beduin milczy, czekając na dalszy ciąg.

– Właściwie zdałbym się po prostu na łaskę pustyni. Los to nieodpowiednie słowo. Zbyt mało precyzyjne. Ale zobaczyłem coś na pustyni. To była fatamorgana, wydała mi się dość złowieszcza. Wziąłem to za zły omen i uznałem, że już po mnie. Pustynia zwyciężyła i nigdy nie uda mi się wrócić do Aleppo.

– Jeżeli postrzegasz pustynię jako swojego przeciwnika, przegrasz. Nikt nie pokona pustyni. Nikt nie powinien nawet próbować.

– Zgadzam się.

Jeden z pozostałych Beduinów odłamuje palcami kawałek ciepłej *bazlamy* i zaczyna go wolno przeżuwać. Kiedy kończy, odzywa się do Armena:

– Co to był za miraż?

Armen się zastanawia, w jaki sposób opisać Beduinom coś równie niedorzecznego, jak zamek z piasku. Sam pomysł wydaje się przecież absurdalny. Jak brzmiało to powiedzenie, którego używał brytyjski sierżant podczas szkolenia w Egipcie? To tak, jakby wozić węgiel do Newcastle. Mimo to opowiada im swoją wizję.

– Widziałem na horyzoncie, na wydmach, grupę bawiących się kobiet i dzieci. Matki z córkami budowały zamek z piasku. Był bardzo misternie wykonany. Z takiego piasku jak ten nie dałoby się wykonać czegoś równie ozdobnego. Było ich co najmniej dwanaście – oczywiście osób, nie zamków. Wśród tych kobiet znajdowała się moja żona.

– Mówiłeś, że nie żyje.

– To prawda – potwierdza Armen. – Z kolei jedna z dziewczynek to była moja córka, a przecież to absurd, bo nawet gdyby żyła, miałaby zaledwie półtora roku. Jednak w tej wizji wyglądała na pięć albo sześć lat. Ona i jej matka zobaczyły mnie i zaczęły do mnie machać, więc pobiegłem w ich stronę.

– I co tam było naprawdę? Co znalazłeś, gdy dobiegłeś na miejsce?

Armen kręci głową i milczy przez chwilę.

– Drzewo. Samotne, martwe, kolczaste drzewo.

Starszy z Beduinów popija herbatę.

– Najczęściej – stwierdza, wzruszając ramionami – po prostu nic tam nie ma.

Hatoun wdycha zapach jaśminu, który Elizabeth przyniosła dziś do selamliku w rezydencji amerykańskiego księcia. Kwiaty, bielsze od obłoków, stoją w wazonie z wyrzeźbionymi po bokach cherubinkami. Trudno uwierzyć, że o tej porze roku można znaleźć jaśmin, ale dla tych Amerykanów chyba nie ma rzeczy niemożliwych. Dziewczynka zamyka oczy i wtula twarz w bukiet, zatracając się w woni kwiatów, w ich kształtnych płatkach, w ich prostej, czystej bieli. I nagle, nie wiedząc kiedy, przenosi się do sypialni swoich rodziców. Na toaletce mamy stoi flakon z perfumami o zapachu jaśminu, zatykany perłowym korkiem. Mama przygotowuje się do wieczornego wyjścia – razem z ojcem wybierają się do eleganckiej restauracji. Przymierza właśnie lawendową szarfę, żeby sprawdzić, czy będzie pasować do sukni. Hatoun i jej siostra zostają w domu.

Dziewczynki biorą flakon, rozpylają perfumy w powietrzu i pozwalają się otulić jaśminowej mgle. Hatoun przypomina sobie szeroką, masywną biblioteczkę po drugiej stronie sypialni, na której stoją książki historyczne ojca. Trzy środkowe półki lekko uginają się pod ciężarem przeszłości.

Kilka miesięcy później – a może to były tygodnie? – do ich domu przyszli żandarmi z bandą oprychów, wyrzucili wszystkie książki przez okno, a potem wzięli siekiery i porąbali biblioteczkę. Jeden z nich zgarnął ramieniem wszystkie flakony z perfumami i zaniósł je na dół, śmiejąc się przy tym i wołając do swojego kolegi, że taki stos pięknych zapachów bez wątpienia zapewni im dziś w nocy miłe towarzystwo.

Hatoun podnosi głowę znad bukietu, z powrotem siada na otomanie i wpatruje się w kwiat jaśminu. Przed oczyma staje jej obraz ojca: widzi tył jego głowy, szerokie ramiona jednego z szarych, zachodnich garniturów, kołnierzyk, prążki, lecz niezależnie od tego, jak bardzo się stara, nie może sobie przypomnieć jego twarzy.

Nad ranem padało i jeszcze przez całe popołudnie w powietrzu czuło się wilgoć. Niebo ani na chwilę się nie przejaśniło. Ulice są zimne, śliskie i ciemne od deszczu.

Ale Armen rozkoszuje się chłodnym półmrokiem, gdy o zmierzchu wysiada z pociągu na stacji w Aleppo. W torbie przewieszonej przez ramię ma tylko listy od Elizabeth i służbowy rewolwer. Rzuca okiem na grupę tureckich żołnierzy, którzy stoją obok swoich plecaków i karabinów i palą papierosy. Wygląda na to, że zupełnie nie interesuje ich jeszcze jeden Beduin w długiej, białej, bawełnianej koszuli i prążkowanym płaszczu bez rękawów. Chustę na jego głowie przytrzymuje opaska zrobiona z wielbłądziej wełny i cienkiego drutu. W Van czy Harput zbliża się zima, być może nawet leży tam już śnieg. Ale tutaj, choć jest chłodniej niż w Egipcie, to zupełnie co innego niż w północno-wschodniej części Turcji. I pewnie, jak mniema, zupełnie co innego niż w Bostonie.

Zaraz po wyjściu z pociągu zauważa, jak niewiele zmienił się dworzec od jego wyjazdu latem. Ale właściwie dlaczego miałby się zmienić? W ciągu tych długich miesięcy, kiedy znajdował się daleko stąd, z pewnością on sam stał się kimś innym. Ale Aleppo? Ludzie przychodzą i odchodzą, lecz ulice i budynki – w tym potężna, górująca nad wszystkim cytadela – trwają niezmiennie przez całe wieki. One także marnieją, ale trwa to nieskończenie długo. Ktoś mu kiedyś mówił, że kilkaset lat temu miało tu miejsce niszczycielskie trzęsienie ziemi. Armen w to nie wątpi, ale trudno mu sobie nawet coś takiego wyobrazić.

Ponownie, jak burza piaskowa, wzbiera w nim strach, że Elizabeth zdążyła już opuścić Syrię. Próbuje jednak odsunąć od siebie tę myśl. Kurczowo chwyta się nadziei, że po tym wszystkim, co przeszedł i co utracił, ani Bóg, ani los nie odebrałby mu Elizabeth. Dlatego rusza przed siebie, kierując się prosto do amerykańskiego ośrodka. Zanim pociąg zatrzymał się w Aleppo, Armen się zastanawiał, czy nie znaleźć najpierw jakiegoś miejsca, gdzie mógłby przystrzyc brodę i zmyć z siebie przynajmniej te najgorsze ślady długiej i wyczerpującej podróży. Ale teraz, gdy znalazł się już niemal u celu, nie chce czekać ani chwili dłużej. Czuje, że oszaleje, jeśli jej natychmiast nie zobaczy, nie obejmie i nie upewni się, że pozostała tak samo niezmieniona jak te ulice.

Sayied Akcam wpatruje się w stojące przed nim butelki z lekami, jak gdyby to były dzikie, rzadko spotykane kwiaty dżungli, które jakimś cudem zakwitły na skraju pustyni. Nie ma pojęcia, skąd Ryan Martin wytrzasnął takie ilości aspiryny i morfiny.

– To nie od bostończyków, prawda? – pyta Nevart, która właśnie przytaszczyła do szpitala dwa pudła leków.

– Podejrzewam, że zostały kupione za zebrane przez nich pieniądze – odpowiada, przyglądając się niemieckiemu napisowi na etykietce buteleczki z aspiryną i starannie namalowanemu wianuszkowi bluszczu, który oplata największe słowo niczym korona – ale nie mam pojęcia, kogo pan Martin musiał przekupić, żeby je dostać.

– Allachowi niech będą dzięki za łapówki – mówi, uśmiechając się. – Albo, jeśli mam być bardziej precyzyjny, Allachowi niech będą dzięki za to, że otworzył czyjś umysł i portfel, by wesprzeć nas w tej niedoli. – Akcam się przeciąga i rozmasowuje sobie ramię. – Wiesz, prędzej czy później Amerykanie staną wreszcie po stronie Brytyjczyków.

– Słyszał pan jakieś wieści? – pyta Nevart, nie do końca wiedząc, co go nagle skłoniło do snucia podobnych domysłów.

– Właściwie żadnych. Wiem tylko tyle, ile wyczytałem z gazet i sam wywnioskowałem z rozmów ze znajomymi Amerykanami i Brytyjczykami. Nevart, ty przecież mieszkałaś w Londynie. Wiesz, jacy są ci ludzie.

– I obawia się pan, że panna Endicott, pan Martin i pozostali pracownicy konsulatu będą musieli opuścić Aleppo?

Akcam wsuwa klucz do zamka w gablotce wbudowanej w ścianę, otwiera drzwiczki i ostrożnie ustawia na półkach fiolki z morfiną.

– Kiedy to się stanie – mówi, nie podnosząc na nią wzroku – będziecie musiały znaleźć jakieś inne lokum i może…

– Hatoun panicznie się boi sierocińca – Nevart wchodzi mu w słowo.

– Jak wszystkie dzieci. Ale niektórzy traktują to miejsce – i tu się mylą – jak… jak szpital dla umysłowo chorych.

– Tak czy owak… – zaczyna Nevart, ale Akcam odwraca się do niej i delikatnie unosi palec do ust, dając jej znak, żeby umilkła.

– Ty i Hatoun będziecie musiały znaleźć jakieś mieszkanie – powtarza. – Rozmawiałem już z żoną. Chętnie przyjmiemy was pod swój dach. Nasze dzieci są już dorosłe – przerywa na moment, figlarnie unosi brew i zaczyna trzepotać rękoma, jakby to były skrzydła. *Ptaki opuściły gniazdo.* – Oczywiście muszę cię ostrzec, że mamy dość skromne warunki. Nasz dom w niczym nie przypomina pałacu, w którym teraz mieszkacie. Ale znajdzie się dla was miejsce, a ty nadal będziesz mogła pracować w szpitalu.

Nevart wpatruje się w niego, zastanawiając się nad sensownością tego gestu dobroci. Czy rzeczywiście wciąż będzie tu potrzebna, kiedy władze imperium zakończą deportacje i rzeź Ormian?

– Obawiam się, że szpitalne łóżka już wkrótce zapełnią się tureckimi żołnierzami i cywilami – stwierdza lekarz, jakby czytał jej w myślach. – Brytyjczycy znów zaatakują, tym razem w Palestynie. Przejdą przez Mezopotamię. Wszyscy chorzy i ranni będą musieli gdzieś się podziać.

Nevart myśli o Hatoun, o ciężko doświadczonej przez los, milczącej Hatoun. Powinna być teraz w ośrodku, ale to wcale nie takie pewne, mimo że dziewczynka ograniczyła ostatnio swoje eskapady. Patrząc na Akcama, wraca pamięcią do swojego dawnego domu w Adanie. Przypomina sobie gabinet męża, który mieścił się na tej samej ulicy. Jest głęboko wdzięczna lekarzowi za jego wielkoduszność, lecz mimo to czuje w sercu ukłucie. Czy już zawsze będzie zdana na łaskę i dobrą wolę innych ludzi?

Dochodząc do konsulatu, Elizabeth mija kobietę, chyba Ormiankę, i grzecznie jej się kłania. Gdy podnosi głowę, ich oczy spotykają się na krótką chwilę, lecz kobieta niemal natychmiast opuszcza wzrok. Elizabeth przechodzi na drugą stronę ulicy i nagle, niczym rażona piorunem, zamiera w bezruchu. Mężczyzna czekający cierpliwie pod wielkimi, ciężkimi drzwiami, które z obu stron otacza krata z kutego żelaza, zrzuca nakrycie głowy, a ona natychmiast go rozpoznaje. Pomimo beduińskiego stroju i brody nie ma żadnych wątpliwości. Pomimo zapadającego zmierzchu i nisko wiszących nad miastem chmur, które spowijają ulicę mrokiem, nie ma żadnych wątpliwości. Zrywa się więc z miejsca i biegnie do niego, całkowicie zapominając o zmęczeniu. I zupełnie nie dba o to, czy pozwalając sobie na taki wybuch emocji, nie przekracza właśnie granic przyzwoitości. Po prostu rzuca mu się na szyję i z całych sił obejmuje go ramionami. On przyciska ją do siebie, a ona czuje, jak jej stopy odrywają się od ziemi i nagle szybuje w górę. Zamknięta w jego uścisku, wiruje,

wiruje i wiruje w powietrzu, zataczając szerokie kręgi, a delikatne fale powietrza muskają jej buty, pończochy i pną się coraz wyżej, aż docierają między uda. Gdy wreszcie stawia ją na ziemi, dotyka palcami jego twarzy. Ma miękką brodę, lecz kości policzkowe są twarde jak skała. Elizabeth patrzy w jego wielkie, wilgotne oczy tak, jak nigdy dotąd nie patrzyła w oczy żadnego mężczyzny.

– Dobry Boże, to ty – mówi wreszcie. – To naprawdę ty. – Nawet nie próbuje powstrzymać łez, kiedy potrząsa głową i uśmiecha się do niego. Zamyka oczy i kładzie głowę na jego piersi, podczas gdy całym jej ciałem wstrząsa szloch.

Po drugiej stronie ulicy inna kobieta – Ormianka – czuje, jak nogi się pod nią uginają, i osuwa się na ziemię po ścianie budynku, który stoi za jej plecami. Właśnie przyszła z niemieckiego konsulatu, licząc na to, że zastanie Ryana Donalda Martina na terenie amerykańskiego ośrodka. I tak oto stała się świadkiem tego spotkania, doznając nie mniejszego szoku niż Amerykanka na widok mężczyzny, którego tożsamość skrywała beduińska chusta. Nie odnajduje w sobie najmniejszej nawet iskry pragnienia, by się ujawnić i stanąć twarzą w twarz z tą kobietą i tym mężczyzną. Przecież powinna być martwa. Jak wszyscy Ormianie. Powinny z niej zostać tylko kości, jak z jej maleńkiej córeczki, z jej rodziców, z brata i siostry. Powinna była umrzeć jak wszyscy inni, których wypędzono z ormiańskich enklaw – z Harput, z Adany, z Van – razem z babkami, matkami, dziećmi i niemowlętami.

Co ona sobie myślała, na moment odzyskując wiarę w to, że jednak tam w niebie jest jakiś Bóg? Że w ogóle istnieje jakieś niebo? Nie, jest tylko tu i teraz – *tu i teraz* będące jedynie wariacją na temat głodu, spiekoty, wyczerpania i bólu. Na temat długiego marszu przez pustynię, który dla jednych zakończył się w Aleppo, dla innych w Dajr az-Zaur, choć tak naprawdę to bez znaczenia, bo wszystko kończy się tutaj, gdzie nie ma nic prócz smutku i cierpienia.

Zaczyna mżyć i krople deszczu mieszają się ze spływającymi po jej twarzy łzami. Bierze głęboki oddech, bezskutecznie próbując opanować drżenie – czuje, jakby jej ciało znów opanowała gorączka – i odwraca się od pary zakochanych. Musi zniknąć, zanim ją zauważą. Jednak po chwili sobie uświadamia, że przecież dla tych dwojga jest przezroczysta jak powietrze. Widzą tylko siebie. Dla nich już od dawna jest martwa. Mimo to odchodzi, a im bardziej oddala się od konsulatu, tym bardziej przyspiesza kroku. W jej głowie powoli zapuszczają korzenie dwa krótkie słowa:

Jest martwa.

Z początku po prostu idzie przed siebie, nie obierając żadnego konkretnego kierunku. Jednak po jakimś czasie w jej umyśle krystalizuje się cel tej wędrówki. Zaczyna iść coraz szybciej, torując sobie drogę przez labirynt krętych uliczek. Ludzie pewnie patrzą na nią jak na wariatkę, ale to bez znaczenia. Zupełnie bez znaczenia. Teraz już wie nie tylko, gdzie to wszystko się kończy, ale i jak.

Rozdział 19

Kiedy powiedziałam mężowi, że planuję wykorzystać prywatną korespondencję moich dziadków z 1915 roku oraz historię spisaną przez Elizabeth Endicott zarówno w jej osobistym pamiętniku, jak i w relacjach dla Przyjaciół Armenii, usiadł prosto na łóżku i odłożył swoją książkę na kołdrę. Przez chwilę milczał, a potem powiedział – spokojnym, wyważonym tonem, ponieważ tak jak ja miał już dość naszych sypialnianych kłótni – że spodziewał się tego, ale powinnam się zastanowić, czy to na pewno słuszna decyzja. Armen i Elizabeth sami bardzo mało wyjawili swoim dzieciom i wnukom na temat koszmarnych przeżyć z czasów wojny, a to, jego zdaniem, wyraźny sygnał, że nie chcieli dzielić się z nikim swoją historią. Tragiczne doświadczenia, które ich naznaczyły, towarzyszyły im przez całe życie, aż do chwili, gdy zabrali je ze sobą do grobu. Nawet sam Armen nie wiedział wszystkiego. Jak przekonywał mnie mąż, z tego, co Elizabeth napisała do Przyjaciół Armenii, można swobodnie korzystać, ale to, co prywatne, wymaga specjalnego traktowania. W końcu – dodał – ani Armen, ani Elizabeth nie mogli już w żaden sposób mnie powstrzymać.

Ja z kolei argumentowałam, że skoro Elizabeth nie zniszczyła listów ani kartek z pamiętnika, choć przecież mogła to zrobić w każdej chwili, i postanowiła przekazać wszystko do muzeum, to być może w jakimś sensie sama liczyła na to, że któregoś dnia ktoś opowie tę historię – ujawni, co naprawdę się wydarzyło. Bob przyznał, że, przynajmniej teoretycznie, to możliwe.

– Ale przypomnij sobie, w jak opłakanym stanie byłaś po powrocie z Bostonu – powiedział. – Naprawdę chcesz znowu rozdrapywać te wszystkie rany? Chcesz jeszcze raz przez to przechodzić? Ale ja i tak już przez to przechodziłam. Co więcej, czułam, iż akt spisania historii moich dziadków mógłby okazać się dla mnie swoistym katharsis.

Myślę, że kurator muzealny i historyk Peter Vartanian w wielu kwestiach zgadzał się z moim mężem. Znacznie później, gdy wybraliśmy się razem na kawę w Watertown, już po tym, jak przeczytał pierwszy szkic mojej książki, zauważył z uśmiechem:

– Jeśli istnieje niebo i ponownie zobaczysz się tam ze swoimi dziadkami, będzie to spotkanie pełne emocji.

Rozumiał jednak, dlaczego to robię. I jestem przekonana, że przynajmniej w jakimś małym stopniu cieszy go fakt, iż postanowiłam przywłaszczyć sobie doświadczenia moich dziadków, by na ich gruncie stworzyć zakrojoną na dużo szerszą skalę historię Nikomu Nieznanej Rzezi.

Kiedy promowałam swoją poprzednią powieść, komiczną historyjkę o wizycie w Disneylandzie, która wymyka się spod kontroli, ludzie pytali mnie, nad czym obecnie pracuję, a ja odpowiadałam zgodnie z prawdą. Opowieść o małej grupce Ormian i bostończyków rozgrywająca się w 1915 roku to duża odmiana w stosunku do tego, co pisałam do tej pory. Moje powieści skupiały się zazwyczaj na współczesnych, nieco ekscentrycznych amerykańskich kobietach. Z reguły największe problemy, z jakimi zmagają się moje postacie, to drapieżni agenci nieruchomości, niekompetentne nianie czy – w przypadku mojej poprzedniej książki – nadgorliwa matka pchająca dziecko do kariery w show-biznesie. Mimo to podczas spotkań promocyjnych, jakie odbywałam przed publikacją tej opowieści, odnosiłam wrażenie, że moich czytelników temat zagłady Ormian interesuje głównie dlatego, że było to wydarzenie zakrojone na tak gigantyczną skalę, a jednocześnie prawie nikomu nieznane. Czy da się zamordować półtora miliona ludzi w tajemnicy przed całym światem?

Jedna osoba zapytała mnie na przykład, dlaczego władze tureckie pozwoliły tak wielu Ormianom pozostać w Aleppo. Odpowiedź brzmi: ostatecznie nie pozwoliły. Szesnastego września 1915 roku Talaat Pasza, minister spraw wewnętrznych, wydał rozporządzenie następującej treści: „Do lokalnych władz Aleppo. Jako pierwsi zostajecie poinformowani, iż Rząd, z rozkazu *Jemiet**, podjął decyzję o całkowitej eksterminacji Ormian mieszkających na terenie Turcji (…) Należy położyć kres ich egzystencji przy użyciu wszelkich dostępnych środków, bez żadnych skrupułów, nie biorąc pod uwagę względów takich jak wiek czy płeć".

Inni czytelnicy pytali na przykład, czy w ramach pracy nad książką wybieram się do Armenii. Tak, odbyłam taką podróż. Trzeba jednak zaznaczyć, że najgorsza część tej historii nie wydarzyła się wcale w Armenii, tylko na pustyni. W Aleppo i Dajr az-Zaur.

W każdym razie najkrótsza odpowiedź na to pierwsze pytanie – czy da się zamordować półtora miliona ludzi tak, żeby nikt się o tym nie dowiedział – jest w rzeczywistości bardzo prosta: tak, o ile zabije się ich na zupełnym odludziu.

Wczesnym rankiem Elizabeth stoi w progu sypialni Armena z szalem narzuconym na ramiona i patrzy na jego ciało spoczywające na łóżku. Leży na brzuchu, a spod pościeli, którą musiał zrzucić z siebie w nocy, wystaje naga noga. Promień słońca wpadający przez szparę w zatrzaśniętych okiennicach kładzie się na jego udzie niczym smuga świetlistej farby. W nocy, dopiero gdy jego oddech stał się miarowy i miała pewność, że zasnął, wygrzebała się spod pikowanej kapy i wróciła do swojej sypialni. Nie zastanawiała się nad tym, gdzie będzie spać, gdy dziesięć godzin wcześniej zamknęli się w tym pokoju. W ogóle o tym nie myślała. Zupełnie się zatraciła w dotyku dłoni Armena pieszczących jej kark i smaku anyżu, który pozostał na jego ustach po wieczornej kolacji, kiedy to popijając arak w towarzystwie Ryana Martina, Davida i Nevart, świętowali

---

* *Jemiet* – Komitet Jedności i Postępu.

jego powrót. Tym razem nie przerwał i nie odepchnął jej, jak wtedy na schodach. Później, gdy wylądowali na łóżku, a on w nią wszedł i zaczął miarowo się poruszać, Elizabeth wybuchnęła śmiechem.

Armen znieruchomiał i, wsparty na łokciu, niemal dotykając ustami jej twarzy, wyszeptał wesoło:

– Śmieszy cię to?

– Nie. Wcale nie. Ale kiedy sobie pomyślę: turecka kawa, arak, sziszα, a teraz jeszcze to... to coś mi się wydaje, że uroki Bostonu chyba mi już nie wystarczą – odparła, po czym ciasno oplotła nogami jego uda i mocniej przycisnęła go do siebie, by wszedł w nią jeszcze głębiej. Dopiero kilka godzin później zaczęła myśleć o innych mieszkańcach ośrodka – zwłaszcza o Hatoun – i doszła do wniosku, że chyba dla wszystkich będzie lepiej, jeśli obudzi się we własnej sypialni. W tej chwili Ryan Martin i David są w skrzydle budynku, gdzie znajdują się ich gabinety, a Hatoun i Nevart poszły razem z kucharką na rynek.

To zabawne, że Armen tak bardzo martwił się o jej nogę. Dzisiaj ona prawie w ogóle nie pamięta o ranie i zakażeniu. Zupełnie wyleciało jej z głowy, że wspominała mu o tym w jednym z listów.

Nagle, jak gdyby poczuł na sobie jej wzrok, Armen przewraca się na plecy i otwiera oczy. Już chce coś powiedzieć, ale Elizabeth jest od niego szybsza. Rzuca się przez pokój i jak szczeniak wskakuje mu do łóżka.

Siostra Irmingarda patrzy, jak amerykański konsul chwyta chłopca pod pachami, unosi go do góry i zaczyna wywijać nim w powietrzu. Dziecko piszczy z radości i woła: „Jeszcze raz!", gdy Ryan delikatnie stawia je na ziemi, pośród gromadki stłoczonych wokół sierot, które nie odstępują go na krok, odkąd przekroczył próg sierocińca.

– Muszę zobaczyć się z siostrą przełożoną – tłumaczy chłopcu, krztusząc się ze śmiechu, po czym klepie go po ramieniu, jakby chciał okazać mu w ten sposób czułość, a jednocześnie dać do zrozumienia, żeby już zmykał. Podnosi dłoń i osłania oczy przed rażącymi promieniami słońca. Dostrzega zakonnicę w rogu dziedzińca, skąd dogląda swoich wychowanków. Macha do niej na powitanie i rusza w jej stronę, przedzierając się przez otaczający go wianuszek sierot. Jeden z chłopców rzuca mu się do stóp i uczepia się jego nogi jak pies. Konsul się pochyla i strzepuje rękę dziecka ze swoich spodni.

– No już, już – mruczy pod nosem. – Posłuchaj, ta noga jest mi potrzebna. A ty, jak widzę, obie nogi masz w jak najlepszym porządku.

Gdy podchodzi do zakonnicy, składa jej lekki ukłon.

– Dzień dobry, siostro Irmingardo. Widzę, że pani podopieczni mają dziś wyjątkowo dużo energii.

Zakonnica uśmiecha się do niego. Jest przekonana, że zna powód wizyty konsula. Na pewno chce się wreszcie pozbyć tej małej, niemej przybłędy i przyszedł poprosić, żeby zabrała ją do siebie. Oczywiście siostra Irmingarda się zgodzi, ponieważ sierociniec to najlepsze miejsce dla tego dziecka. Może nie idealne, ale znacznie bardziej odpowiednie niż amerykański konsulat, gdzie matkuje jej pokiereszowana psychicznie wdowa i młoda kobieta, która dryfuje przez życie bez jasno wytyczonego celu.

– To ich ulubiona pora dnia – mówi mu. – Później, kiedy się trochę zmęczą, pójdą się zdrzemnąć. A potem, już do kolacji, będą siedzieć nad lekcjami.

Nagle z tyłu za nimi rozlega się jakiś pisk. Kilku wyrostków rzuca się na chłopca, którym jeszcze przed chwilą Ryan wymachiwał w powietrzu. Okładają go pięściami i kopią stopami obutymi w sandały. Zakonnica już chce wkroczyć do akcji, gdy z pomocą przychodzi jej siostra Geraldyna, która wpada pomiędzy kotłujących się rozrabiaków i ich rozdziela.

– Przychodzę do siostry z prośbą – mówi Ryan i chusteczką ociera z czoła krople potu.

Irmingarda kiwa głową i spokojnie czeka. *Wiedziałam, że tak będzie*, w myślach mówi do siebie. *Czy ktokolwiek mógł w to wątpić? Odpowiedź brzmi: nikt. Od samego początku było wiadomo, że to dziecko tutaj wróci.* Ale siostra Irmingarda wie też, że pycha to ciężki grzech, więc żeby jakoś opanować narastające w niej poczucie dumy, bierze wdech.

– Jestem w posiadaniu pewnych zdjęć – zaczyna konsul – ale to długa historia. W każdym razie muszę je wywieźć z Aleppo i pomyślałem sobie, że mogłaby mi w tym pomóc zakonnica.

Sayied Akcam zna tysiące przypadków kobiet, które popełniły samobójstwo, rzucając się w głębokie wody Eufratu – pewien szwajcarski lekarz, który przyjechał do niego z wizytą, opowiadał mu, jak zeszłego lata codziennie widział po kilka trupów niesionych nurtem rzeki – albo skacząc ze skalistych klifów na pustyni, ale do tej pory los oszczędził mu widoku zwłok samobójczyń. Do dzisiaj. Leżąca na łóżku przed nim kobieta wciąż jeszcze żyje, jednak jej oddech jest bardzo płytki i raczej nie odzyska już przytomności. Akcam szczerze wątpi, czy dożyje nawet popołudnia. Niemiecki żołnierz wraz z niemieckim dyplomatą przynieśli ją do szpitala o świcie. Znaleźli jej ciało pod wschodnimi murami cytadeli. Dyplomata się domyślił, kim jest ta kobieta, pomimo opuchlizny wielkości piłki na policzku i skorupy zaschniętej krwi, pokrywającej jej twarz od oka aż po samą szczękę – rozpoznał w niej Ormiankę, która sprzątała w konsulacie i zmieniała pościel. Stwierdziwszy, że w żaden sposób nie może jej już pomóc, lekarz kazał położyć ją w łóżku zajmowanym wcześniej przez dziewczynkę, która wczoraj została odesłana do sierocińca. Spadając z murów cytadeli, kobieta musiała wylądować na nogach, ponieważ kości stóp oraz golenie roztrzaskały się w drobny pył.

Nie ma stuprocentowej pewności, ale wydaje mu się, że widział ją w szpitalu tego lata. Co prawda twarze pacjentów nieco zamazują mu się w pamięci, jednak jak na swój wiek – z czego jest bardzo dumny – całkiem dobrze sobie radzi z ich zapamiętywaniem. Gdy kobieta podnosi jedną z powiek, od razu przypomina sobie te oczy: dwa migdały o przepięknych szarych źrenicach.

Zza pleców dobiegają go śmiechy. Gdy się odwraca, widzi Elizabeth, Nevart i Hatoun, które idą korytarzem w jego stronę. Zauważył, że Nevart ostatnio coraz częściej przyprowadza małą do szpitala. Czasem dziewczynka siada przy stoliku pod jego gabinetem i odrabia lekcje, a czasem chodzi za Nevart albo za którąś z pielęgniarek i roznosi wodę wracającym do zdrowia pacjentom.

– Dzień dobry, doktorze Akcam – Elizabeth wita się z nim lekkim, radosnym tonem.

Lekarz posyła im uśmiech, a jednocześnie stara się zasłonić ciało umierającej na łóżku kobiety, chcąc oszczędzić Hatoun tego widoku.

– Wydaje się pani bardzo szczęśliwa, panno Endicott – stwierdza Akcam. – Wygląda na to, że wczorajszy deszcz poprawił pani humor.

– Może i padało wczoraj przez cały dzień, ale za to przez całą noc świeciło słońce – mówi Nevart.

– Nie bardzo rozumiem – przyznaje lekarz, choć podejrzewa, że Amerykanka dostała pewnie jakieś dobre wiadomości.

– Wrócił przyjaciel Elizabeth, cały i zdrowy – wyjaśnia Nevart.

– Ten Ormianin? Inżynier z Van? – dopytuje Akcam, próbując ukryć zdumienie. Elizabeth opowiadała mu o Armenie i na podstawie tych opowieści wywnioskował, że Ormianin przepadł na zawsze w wojennej zawierusze.

Tym razem Elizabeth odpowiada sama, uśmiechając się tak szeroko, że jej twarz nabiera niemal dzikiego wyrazu.

– Tak. W pierwszej chwili myślałam, że to jakiś Beduin – oznajmia, wybuchając śmiechem. – Stał pod drzwiami konsulatu i w tym wieczornym świetle wyglądał jak członek perskiego plemienia, który ma za sobą ciężką przeprawę przez pustynię.

Dobre wiadomości to tak rzadki, a jednocześnie cenny skarb, że lekarz ma ochotę ją wyściskać, ale nie chce, by jego zachowanie zostało odebrane jako arogancja czy brak dobrych manier. Dlatego kiwa tylko głową, nieznacznie się kłaniając. W tym momencie Hatoun zerka mu przez ramię i dostrzega umierającą na łóżku kobietę. Lekarz kładzie dłonie na jej ramionach i chce ją odsunąć, ale dziewczynka stoi jak wryta, nie ruszając się z miejsca. Wyprostowana jak struna wpatruje się w szpitalne łóżko i choć Akcam wie, że widziała już dużo gorsze rzeczy, wolałby oszczędzić jej widoku konającej kobiety, której oddech z każdą chwilą staje się coraz płytszy. Jest zszokowany faktem, iż kobieta zdołała przeżyć tak długo, i postanawia podzielić się tą informacją z Elizabeth i Nevart. Mówi też, że rzuciła się z wału obronnego cytadeli. Przez cały ten czas Hatoun stoi nieruchomo niczym posąg. Gdy Akcam po raz kolejny próbuje ją odwrócić, strząsa z ramion jego dłonie. Nevart mija lekarza i sama zaczyna ciągnąć dziewczynkę, tłumacząc, że powinny się odsunąć, lecz w tym momencie Hatoun otwiera usta i, ku zaskoczeniu całej trójki, mówi:

– To jest ta kobieta, która chciała rozmawiać z księciem Ryanem. To ona stała wtedy za bramą. Ma na imię Karine.

Akcam nie ma pojęcia, do jakiej sytuacji nawiązuje dziewczynka, twierdząc, że to właśnie ta pacjentka któregoś razu chciała rozmawiać z konsulem, ale fakt, iż swojego dobroczyńcę nazywa księciem, wydaje mu się uroczy. Jednak już po chwili zaczyna do niego docierać niedorzeczność nadawania jakiemukolwiek Amerykaninowi królewskiego tytułu. W tym samym momencie na twarzach obu kobiet, a zwłaszcza Elizabeth, dostrzega wyraz zaniepokojenia.

– Hatoun – zaczyna Elizabeth, kucając i opierając dłonie na kolanach, dzięki czemu może spojrzeć dziewczynce prosto w oczy. – Mówisz, że to jest ta sama kobieta, która kilka dni temu przyszła do konsulatu? – pyta pełnym napięcia głosem.

Hatoun kiwa głową, nie odrywając wzroku od umierającej Ormianki.

– Jesteś pewna?

– Tak.

Elizabeth się podnosi i spogląda na łóżko, w którym leży kobieta. Czuje na sobie wzrok lekarza i Nevart. Nie ma pewności, ale wydaje jej się, że to właśnie ją minęła wczoraj na ulicy, chwilę przed tym, jak zobaczyła Armena. Czyżby Ormianka szła właśnie do konsula, chcąc jeszcze raz spróbować z nim porozmawiać? A może – i ta myśl całkiem wytrąca ją z równowagi – szukała Armena? Czuje, jak nagle ogarnia ją przygnębienie, i aż sama się dziwi tej nagłej zmianie nastroju. Dlatego jak najszybciej chce sobie dodać otuchy i utwierdzić się w przekonaniu, iż jej reakcja była przesadna.

– I miała na imię… Karine, tak? – pyta, usiłując stłumić nieoczekiwane drżenie głosu. *Mój Boże*, przychodzi jej nagle do głowy, *widziała, jak się obejmujemy*, lecz natychmiast usiłuje odegnać od siebie tę myśl. – Mówiła coś jeszcze? Powiedziała, dlaczego chce się zobaczyć z konsulem? Powiedziała ci, jak się nazywa?

– To akurat wiemy – wtrąca doktor Akcam, mając nadzieję, że trochę ją tym uspokoi. – Pracowała w niemieckim konsulacie. Nie pamiętam jej nazwiska, ale mam je zapisane w notesie. Pójdę do gabinetu i sprawdzę.

Wreszcie udaje mu się odciągnąć Hatoun od łóżka i przekonać, by poszła za nim. Elizabeth odprowadza ich wzrokiem. Kiedy tak patrzy na lekarza i dziewczynkę oddalających się w korytarzu między rzędami łóżek, już wie, jak się nazywa konająca obok kobieta. Wie też, dlaczego zeszłej nocy rzuciła się ze szczytu cytadeli. Niczego w życiu nie była tak pewna. Siada na brzegu łóżka i drżącymi palcami głaszcze Ormiankę po policzku, który nie roztrzaskał się o kamienie u podnóża fortecy. Jest zaskoczona przenikliwym chłodem skóry na twarzy Karine, sięga więc po jej rękę. Jest zimna jak lód. Zastanawia się, czy nie powinna poprosić Nevart, żeby natychmiast pobiegła do ośrodka, żeby popędziła co sił w płucach i jak najszybciej sprowadziła Armena do szpitala. *Biegnij! Biegnij!*, słyszy wykrzyczaną w myślach prośbę. Jednak zanim jest w stanie podjąć jakąkolwiek decyzję, zanim jest w stanie w ogóle otworzyć usta, ciałem kobiety wstrząsa ledwie zauważalny skurcz.

I już po wszystkim.

Gdzieś, jakby z oddali dociera do niej głos Nevart – pyta, czy wszystko w porządku. Elizabeth ściska dłoń martwej kobiety i składa pocałunek na jej czole. Bierze głęboki oddech, próbując się uspokoić, ale drżenie, które wcześniej opanowało jej palce, teraz rozeszło się po całych ramionach. W tym momencie podejmuje decyzję. Nie może wskrzesić umarłych; może jedynie wskrzesić ból i tęsknotę, nieznośne zawodzenie duchów. Armen już raz przeżył stratę Karine: musiał się zmierzyć z cierpieniem, rozpaczą i wyrwą w duszy ziejącą niczym bezdenna otchłań. Dopiero teraz, choć to zakrawa na prawdziwy cud, jego rany powoli zaczynają się goić. Czy w takim momencie powinna zrzucić na jego barki część tego ciężaru wiedzy i winy, który już zawsze, jak podejrzewa, będzie kładł się cieniem na wszystkich zachodach słońca w jej życiu? Czy on, tak samo jak ona, powinien dźwigać ten krzyż?

Może kiedyś będzie żałowała swojej decyzji. A może wcale nie. Ale jedno wie na pewno: nie zmieni zdania. Mruży oczy, powstrzymując łzy, i posyła Nevart blady uśmiech.

– Tak, wszystko w porządku – odpowiada, na siłę nadając swym słowom stanowczy ton. – Po prostu to takie smutne, że już nigdy się nie dowiemy, czego ta nieszczęsna kobieta chciała od pana Martina i w jaki sposób mógł jej pomóc.

Rozdział 20

Kiedy zgłębiałam historię swoich dziadków w 2011 roku, udało mi się umówić na herbatę z osobą, która ocalała z ludobójstwa Ormian. Trudno w to uwierzyć, ale na świecie żyją wciąż naoczni świadkowie tych wydarzeń. Pamiętacie taką starą reklamę w telewizji, w której para starszych ludzi mieszkających na Kaukazie tłumaczy swoją długowieczność jedzeniem dużych ilości jogurtu? Cóż, wygląda na to, że naprawdę mamy wyjątkowo silne i wytrzymałe geny. Ten Ormianin, który przeżył masakrę, miał sto dwa lata, kiedy się spotkaliśmy. Aż do chwili, gdy skończył dziewięćdziesiąt jeden lat, pracował jako rzeźnik, a więc przeszedł na emeryturę nieco ponad dziesięć lat przed naszym spotkaniem. Urodził się w 1909 roku w wiosce niedaleko Zejtun i jako sześciolatek został zapędzony na Pustynię Syryjską razem z matką i trzema siostrami, z których dwie tam zmarły, ale jemu, matce i ostatniej z dziewcząt udało się przeżyć. Po wojnie, zamiast pozostać na Bliskim Wschodzie albo wzorem wielu innych chodzących szkieletów wyemigrować do Francji czy Stanów Zjednoczonych, matka zabrała ich do Armenii. Nie z powrotem do Zejtun w Turcji, lecz do nowo powstałego, niepodległego państwa zrodzonego z popiołów dzikiej i makabrycznej wojny, wzniesionego na gruzach dwóch umierających imperiów: osmańskiego i rosyjskiego. Tamten kraj nie utrzymał się długo na mapie – w 1922 roku Armenia była już jedną z republik Związku Radzieckiego.

I tu powracamy do naszego studwuletniego bohatera. W 1941 roku, w wieku trzydziestu dwóch lat, został siłą wcielony do armii, by bronić Matki Rosji przed nazistami. W październiku 1942 roku, kiedy walczył na obrzeżach Stalingradu, znalazł się w grupie żołnierzy piechoty otoczonych przez niemieckie czołgi i zmuszonych do kapitulacji. Następne dwa i pół roku spędził w nazistowskim obozie jenieckim, gdzie traktowano go – na równi z wszystkimi rosyjskimi więźniami – jak słowiańskiego „podczłowieka". Po raz drugi w życiu niemal wykończyły go głód i choroby. Później został wysłany do obozu w Berlinie, gdzie jako jedyny członek grupy, do której go przydzielono, wrócił cało z akcji usuwania amerykańskich i brytyjskich niewybuchów pośród licznych ruin w mieście. Niedługo po tym, jak ocaliła go jego własna armia w 1945 roku, dowiedział się, że jego żona i syn zmarli, choć nikt nie umiał mu powiedzieć, jak do tego doszło. Z początku uznano go za tchórza (ponieważ się poddał), a potem za kolaboranta (ponieważ przeżył). Spodziewał się, że władze wyślą do gułagu. Tak się jednak nie stało. Został deportowany. Wygnany. Do dzisiaj nie ma pojęcia, dlaczego; gdy go o to spytałam, tylko wzruszył ramionami, mówiąc: „Kiedyś w końcu szczęście musiało się do mnie uśmiechnąć".

W 1948 roku przybył do Stanów Zjednoczonych, trzy lata później ożenił się ponownie i dochował się czwórki dzieci – dwóch synów i dwóch córek – z których wszystkie również nadal żyją. Jego żona towarzyszyła mu podczas naszej rozmowy, ponieważ sama liczy sobie zaledwie osiemdziesiąt trzy lata i ma dużo lepszy słuch od męża. Mężczyzna spędził w Stanach Zjednoczonych kolejne sześćdziesiąt pięć lat, wiodąc tu całkiem szczęśliwe życie. Nie da się tego ustalić z całą pewnością, ale jestem przekonana, że należy do bardzo wąskiej grupy ludzi: jest Ormianinem, który przeżył zarówno ludobójstwo dokonane przez Turków, jak i nazistowski obóz jeniecki.

Starszy mężczyzna obserwuje, jak dziewczynka ostrożnie kładzie głowę lalki na ladzie straganu, obok ogórków i oliwek. Jak się już zdążył zorientować, nie należy do bandy zagłodzonych dzieciaków, które przychodzą do niego i żebrzą o jedzenie, więc jej nie przepędza. Pewnie gdzieś w mieście ma matkę, ciotkę albo starszą siostrę. Kiedy zjawia się przy jego stoisku, lubi w milczeniu patrzeć na tłumy ludzi, które przetaczają się rankiem przez bazar, a w miarę upływu godzin powoli się przerzedzają. Jednak ostatnio nie przychodzi już tak często, jak kiedyś, a jej wizyty są krótsze. Mężczyzna nie jest pewien, czy kiedykolwiek słyszał, żeby to dziecko się odezwało. Podejrzewa, że może obcięli jej język.

Przez jakiś czas widywał ją z koleżanką, która na pewno była sierotą, i to w dodatku strasznie niesforną. Każdego dnia próbowała ukraść ogórka z jego straganu – traktowała to jak świetną zabawę. Ale jakiś czas temu przepadła bez wieści.

– To pańskie dziecko? – pyta jedna z klientek, wskazując na dziewczynkę. Sprzedawca odpowiada jej, że nie, że to tylko jakaś przybłęda, która lubi stąd obserwować bazar. Kiedy klientka odchodzi od lady i znika w tłumie, mężczyzna spogląda na Hatoun. W jej oczach dostrzega wzmożoną czujność. Chętnie by ją zapytał, co takiego zobaczyła, ale wie, że to nie ma sensu, bo ona mu nigdy nie odpowie. Z ciekawością podąża wzrokiem za jej skupionym spojrzeniem. Jakieś trzydzieści metrów dalej stoi kobieta. Ma na sobie zachodni strój składający się z bluzki i spódnicy, ale jej włosy są kruczoczarne i na pewno jest Ormianką. Niesie koszyk, przewieszony przez ramię, jednak z tej odległości nie można dostrzec, co ma w środku. Nigdy wcześniej nie widział jej w pobliżu swojego stoiska, co oznacza, że albo ma kucharkę, albo ogórki i oliwki kupuje gdzie indziej.

– Twoja mama nie wie, że przychodzisz się tu bawić, prawda? – pyta milczącą dziewczynkę, próbując ją sprowokować. Ta kobieta to na pewno jej matka albo ciotka, jest o tym przekonany. Zastanawia się, czy nie powinien do niej krzyknąć, że tu, przy jego straganie, jest jej córka, lecz w tym momencie dostrzega przyczynę niepokoju dziewczynki. Za plecami kobiety czai się dwóch opryszków. Na oko mają szesnaście, może siedemnaście lat. Gdyby był młodszy, przechodzi mu przez myśl, odważniejszy albo po prostu bardziej skory do pomocy, ostrzegłby ją – krzyknąłby, żeby uciekała albo żeby się odwróciła, rzuciła koszyk i zasłoniła twarz rękami. Ale i tak chyba zaryzykuje. Jednak w tym momencie milcząca dziewczynka nagle, zupełnie nieoczekiwanie odzyskuje głos.

– Nevart! – wrzeszczy co sił w płucach. – Nevart! – Jej krzyk, głośniejszy od myśliwskiego rogu, przebija się przez zgiełk panujący na bazarze: przez żywe dyskusje klientów targujących się z kupcami, przez hałas dzwonków pobrzękujących na szyjach zwierząt. Dziewczynka puszcza się pędem w kierunku kobiety o imieniu Nevart, przemierzając dzielący je dystans dosłownie w ułamku sekundy. Kobieta kuca naprzeciwko dziecka, a wyraz troski malujący się na jej twarzy przechodzi w zaskoczenie, a potem ulgę. W tym samym momencie dwóch opryszków rzuca się na nią, dziewczynkę zostawiając w spokoju. Najwyraźniej interesuje ich tylko ta Nevart.

Sprzedawca jak zahipnotyzowany przygląda się całej scenie. Może ktoś inny – młodszy, silniejszy mężczyzna – przyjdzie jej z pomocą. Jeśli nie, te dwa zbiry pewnie ją pobiją i ukradną koszyk. Patrząc na ich ubrania, stwierdza, że raczej nie są wysłannikami szejka albo jakiegoś bogatego kupca, który upatrzył sobie Nevart i chce ją porwać do swojego haremu. Poza tym, mimo że nie brak jej urody, nie jest ani wystarczająco piękna, ani wystarczająco młoda.

Lecz oto nagle sprzedawca doznaje kolejnego szoku, tym razem dużo głębszego niż wstrząs, jakiego doświadczył w chwili, gdy ta mała otworzyła usta i zaczęła wykrzykiwać imię „Nevart". Dziewczynka zaczyna kopać jednego z napastników, lecz kobieta, zamiast się bronić, obejmuje go. Chłopak najwyraźniej wcale nie ma zamiaru zrobić jej krzywdy. Śmieje się i także bierze ją w ramiona. Drugi opryszek również wybucha śmiechem. Z oczu kobiety płyną łzy. Szlochając, kręci głową. Całuje dziewczynkę w policzek i szepcze jej coś do ucha. Mała podnosi wzrok na dwóch młodych chłopców i przygląda im się z odrobiną zaciekawienia. W jej oczach widać ulgę. Wokół nich powoli zbiera się tłum gapiów. Stary sprzedawca zostawia swój stragan i dołącza do grona obserwatorów.

Patrzy, słucha i kiwa głową. Nie pomylił się, zakładając, iż kobieta jest czyjąś ciotką, tyle tylko, że nie tej dziewczynki, która od dawna kręciła się po bazarze, a dwóch nastoletnich chłopców, którzy – tak samo jak ona i ta mała – przeżyli deportację i nie dali się zabić na ulicach pogrążonego w chaosie Aleppo.

Wzruszony straganiarz wraca do swoich ogórków i oliwek, zastanawiając się, czy na starość nie zrobił się zbyt sentymentalny. Gdy dociera do swojego stolika, spostrzega na blacie złotowłosą głowę lalki i rusza z powrotem za dziewczynką, która jest już na środku bazaru razem z Nevart i jej dwoma siostrzeńcami.

– Hej, ty! – woła za nią, żałując, że nie zapytał wcześniej, jak ma na imię. – Młoda damo!

Dziewczynka się odwraca. Wszyscy się odwracają. Mężczyzna podnosi do góry główkę lalki i nagle, w przypływie młodzieńczej energii, jakiej nie czuł już od lat, szczerzy zęby w uśmiechu i, jakby to była piłka, rzuca ją w stronę dziecka. Jeden z chłopaków łapie główkę, przygląda jej się przez chwilę, po czym wręcza ją właścicielce niczym z trudem zdobytą i pieczołowicie przechowywaną pomarańczę. Dziewczynka najpierw spogląda na chłopca, potem przenosi wzrok na sprzedawcę i – po raz pierwszy, odkąd ją zna – uśmiecha się. Uśmiecha się, macha do niego i wkłada główkę lalki do kieszonki w sukience. Mężczyzna wie, że już nigdy jej nie zobaczy. Choć nie ma pojęcia, skąd w nim ta pewność, jest przekonany, że się nie myli. I to przeświadczenie napełnia go niewytłumaczalnym smutkiem. Kręci głową, dochodząc do wniosku, że chyba naprawdę robi się zbyt ckliwy. Jednak nie poświęca tym przemyśleniom zbyt wiele czasu, ponieważ musi się zająć klientką, która właśnie podeszła do stoiska i chce kupić oliwki.

Po kolacji Ryan zasiada w selamliku i zapala papierosa, obserwując Elizabeth i Armena, którzy na zmianę zaciągają się dymem z sziszy. Stojący między nimi rozżarzony dzban fajki wodnej migocze niczym robaczek świętojański. Amerykanka wydaje się dziś jakaś ponura, choć z drugiej strony momentami zachowuje się nazbyt swobodnie – konsul sobie nie wyobraża, żeby w obecności ojca odważyła się zapalić nawet papierosa. Jednak Elizabeth uparcie powtarza, że wszystko w porządku, że nic jej nie jest. Zupełnie nic. Po prostu wciąż jest oszołomiona powrotem Armena do Aleppo. Ryan próbuje uwierzyć jej na słowo, lecz mimo to uważnie ją obserwuje.

Niedowierzaniem, a jednocześnie głębokim przerażeniem napawają go opowieści Armena o znikomej wiedzy na temat sytuacji Ormian wśród Australijczyków i Nowozelandczyków, których poznał na froncie.

– Brytyjczycy w Egipcie wiedzą trochę więcej.

– A ile to jest trochę? – pyta go Ryan.

– Coraz więcej ocalałych Ormian pojawia się w Kairze. W Port Saidzie. W Aleksandrii. Ale ludziom trudno uwierzyć w ich opowieści. Brytyjczycy wiedzą co prawda, że Ormianie umierają na terenie Anatolii podczas przeprowadzanych przez Turków deportacji, ale skala tej rzezi pozostaje dla nich nieznana.

– Czy nie rozumieją, że Turkom właśnie o to chodzi?

Armen potrząsa głową.

– Nie, nie rozumieją. Traktują to jako... jeden z elementów nowoczesnej wojny.

– A jak reagowali żołnierze w szpitalu, kiedy opowiadał im pan swoją historię? – pyta Ryan.

– Moją historię? Nikomu nie opowiadałem mojej historii. Byłem otoczony umierającymi mężczyznami albo kalekami. Żołnierzami, którzy oślepli, stracili ręce, nogi, fragmenty twarzy, na przykład nos albo żuchwę. Każdy z nas coś w życiu stracił.

Konsul rozumie stoicyzm Armena, co jednak nie zmienia faktu, iż czuje frustrację.

– Nie opowiedział im pan o swojej córce? O żonie? – dopytuje, nie kryjąc niedowierzania.

Armen już chce odpowiedzieć, ale Elizabeth wchodzi mu w słowo.

– Nie możemy wiecznie rozpamiętywać naszych osobistych tragedii.

– Słucham? – pyta Ryan bez chwili zastanowienia. Jest zaskoczony bezdusznością Elizabeth – akurat takiej reakcji nigdy by się po niej nie spodziewał. Już się szykuje do rozwinięcia swojego krótkiego pytania, ale Elizabeth sama podejmuje wątek:

– Chodzi mi o to, że jest jakaś granica bólu, rozpaczy i pustki, które człowiek może znieść na tym świecie. Doprawdy, ile cierpienia jest w stanie udźwignąć jeden człowiek? No ile? – mówi, niemal błagalnie patrząc na Armena, co nie uchodzi uwadze Ryana. Inżynier przytakuje skinieniem głowy i bierze w ręce dłoń młodej Amerykanki. Konsul powoli zaczyna rozumieć, co miała na myśli. Oczywiście nie wie wszystkiego i raczej nigdy się nie dowie, ale jedno wie na pewno: iskra, którą już wcześniej dostrzegł między Armenem i Elizabeth, jest dużo jaśniejsza niż węgielki żarzące się u podstawy sziszy, którą teraz wspólnie palą, i prawdopodobnie nie zgaśnie tak szybko jak one. Wstaje z krzesła ze świadomością, że na te pytania nie ma odpowiedzi i że ona wcale ich nie oczekuje. Podchodzi do kredensu i nalewa sobie do szklanki resztkę araku.

Nad ranem budynek konsulatu, skąpany w świetle księżyca, wynurza się niczym wyspa z oceanu cieni. Armen czuje, jak materac, na którym leży, ugina się. Mrugając, powoli otwiera oczy. Elizabeth wstała z łóżka. Widzi jej sylwetkę odcinającą się na tle okna. Cienka, niczym utkana z pajęczej sieci koszula nocna połyskuje w ciemności, jak gdyby padał na nią snop światła z latarki. Jej oddech jest całkiem bezgłośny.

– Co tam widzisz? – pyta, siadając na łóżku.

Elizabeth wciąż patrzy przez okno z ramionami skrzyżowanymi na klatce piersiowej.

– Patrzę na księżyc – mówi po chwili. – Będzie mi go brakować w Ameryce.

– Z tego, co wiem, tam też go całkiem dobrze widać.

– Ale tutaj patrzę na niebo dużo częściej – odpowiada, a w jej głosie pobrzmiewa nuta tęsknoty. – Nie jestem pewna, czy kiedykolwiek tak naprawdę patrzyłam na gwiazdy w Ameryce.

– Będę ci przypominał, żebyś co jakiś czas zadarła głowę i spojrzała w górę.

– Ale to już nie będzie to samo. Ach… – przerywa nagle, nie chcąc, by to jedno słowo, w którym kryje się więcej niż tylko zaskoczenie, rozwinęło się w pełne zdanie. Armen prostuje plecy i opiera się rękoma o materac.

– Co się stało? – pyta zaniepokojony.

– To tylko kot. Chyba właśnie coś upolował. Siedział na murze i nagle, zupełnie jak sokół, zanurkował na dziedziniec.

Jej słowa uspokajają Armena. Wraca do łóżka i siada obok niego, bosymi stopami dotykając drewnianej podłogi. Opiera głowę na jego piersi, a on ją przytula. Armen się zastanawia, jakie blizny przywiezie ze sobą do Bostonu, jak bardzo zmieniona wyda się swojej matce. W końcu widziała najgorsze zło tego świata, zderzyła się z zimną, twardą ścianą szaleństwa i wielkiej ludzkiej tragedii.

W sypialni na drugim końcu korytarza śpią Nevart i Hatoun. W pokoju na parterze asystent konsula także pogrążony jest we śnie. I tylko Ryan Martin leży w swoim łóżku z szeroko otwartymi oczami, wpatrując się w sufit. Próbuje się jakoś pokrzepić, myśląc o tym, że tej nocy mury starożytnej cytadeli górują nad pustym placem, lecz mimo to sen wciąż nie przychodzi.

Epilog

Kiedy już kończyłam pracę nad tą książką, zapuściłam się głęboko na Pustynię Syryjską, aby zobaczyć na własne oczy górę kości zwaną Dajr az-Zaur. Wybrałam się tam kilka miesięcy po dłuższym okresie niepokojów na całym Bliskim Wschodzie i zdecydowanej reakcji ze strony rządu, w wyniku której tysiące ludzi straciły życie. Choć zjawiłam się w Syrii jesienią, temperatura wciąż przywodziła na myśl saunę i cały czas nie mogłam się nadziwić, jak moja babcia była w stanie tu wytrzymać, nosząc gorsety, pończochy i suknie z wysokim kołnierzem. Po wylądowaniu w Bejrucie pojechałam samochodem w kierunku granicy syryjskiej. Pamiętam, jak mocno waliło mi serce, gdy zbliżałam się do pierwszego punktu kontrolnego, ponieważ na mojej wizie widniała informacja, że jestem pisarką, a w kwietniu z Syrii wydalono wszystkich zachodnich dziennikarzy. Przeszło mi wtedy przez myśl, że teoretycznie mogłabym tu skończyć jako gwiazda jednego z tych nagrań pokazywanych przez Al Jazeerę albo też wylądować w czeluściach jakiegoś komisariatu w Damaszku, czekając, aż dyplomaci wynegocjują moje zwolnienie. Mąż podzielał moje obawy. Nie towarzyszył mi w tej podróży, ponieważ po pierwsze, ktoś musiał zająć się dziećmi, a po drugie – i choć nasze żarty na ten temat stanowiły jedynie próbkę naszego wisielczego humoru, oboje wiedzieliśmy, że niestety kryje się w tym ziarno prawdy – nie chcieliśmy, żeby zostały sierotami.

Pojechałam do Syrii razem z dwoma Ormianami. Jeden jest amerykańskim obywatelem i wykłada w Hunter College na Manhattanie, a drugi to obywatel Libii, który mieszka w Watertown i redaguje wydawaną w Stanach ormiańską gazetę. Obaj byli wtedy po trzydziestce, czyli ponad dziesięć lat młodsi ode mnie.

Jazda do Dajr az-Zaur upłynęła nam spokojnie i bez niespodzianek. Za oknem przesuwał się ciągle taki sam krajobraz: panoramiczne pustkowie, surowe i posępne, choć na niektórych odcinkach na swój sposób piękne. No ale przez cały czas siedziałam w klimatyzowanym samochodzie, a w rękach trzymałam butelkę wody, z której mogłam w każdej chwili skorzystać. Nie wyobrażałam sobie, żebym zaszła daleko na piechotę. Kiedy dotarliśmy do miasta, moi nowi przyjaciele wzięli mnie za rękę i zaprowadzili do kościoła poświęconego pamięci ludobójstwa Ormian. Obaj odbyli już przedtem tę pielgrzymkę, a teraz wolno pokierowali mnie do miejsca, które na moment przeniosło nas do piekła naszych wspólnych przodków. Weszliśmy do środka i stanęliśmy przed Kolumną Zmartwychwstania, która wyrasta spod ziemi jak rakieta, otoczona przez kości męczenników – świadectwo tamtych wydarzeń. Nic nie powiedziałam, ani w części kościelnej, ani w części muzealnej, ponieważ żadne słowa nie były potrzebne. I tylko szeptem powtarzałam modlitwy, zarówno na terenie kompleksu, jak i później, gdy wyszliśmy na zewnątrz i pod palącym słońcem dotykaliśmy wystających z ziemi fragmentów żeber i czaszek, wyblakłych pozostałości po unicestwionej cywilizacji.

Nie mamy stuprocentowej pewności, czy to niemiecka zakonnica o imieniu Irmingarda była odpowiedzialna za przewiezienie fotografii Helmuta Krausego z Syrii do Stanów Zjednoczonych niemal sto lat temu. Ale według biuletynu informacyjnego wydanego przez Przyjaciół Armenii w styczniu 1916 roku miała ona w tamtym miesiącu zaplanowane wystąpienie w kościele unitariańskim na Arlington Street w Bostonie. Przyjechała tam na zaproszenie amerykańskiej misjonarki Alicii Wells. Jedno ze zdjęć autorstwa Krausego – inne niż wstrząsający portret Karine Petrosian, który zapewne uznano za zbyt drastyczny dla ówczesnych czytelników – znalazłam na mikrofiszy artykułu z „The Boston Globe" pt. *Barbarzyństwo na pustyni*. Dlatego właśnie zakładam, że to siostra Irmingarda, być może w zmowie z niezastąpioną panną Wells, przywiozła płytki fotograficzne do Ameryki. Moja babcia wyraźnie nie darzyła obu kobiet sympatią – zwłaszcza Alicii Wells – ale mam poczucie, że zarówno misjonarka, jak i zakonnica szczerze wierzyły w swoją misję i kiedy Ryan Martin potrzebował ich pomocy, ryzykowały własnym życiem, by w sekrecie przemycić zdjęcia do Ameryki.

Sam Martin natomiast pozostał w Aleppo aż do 1923 roku i przez cały ten czas niestrudzenie pracował na rzecz Ormian ocalałych z masakry. Następnie został przeniesiony do Livorno we Włoszech – po Aleppo ta placówka musiała mu się wydawać nieporównanie bardziej cywilizowana – aż wreszcie zakończył swą dyplomatyczną karierę w Ontario.

Moi dziadkowie wyjechali razem z Aleppo w marcu 1916 roku i pobrali się w Bostonie rok później. Po wojnie dziadek próbował odnaleźć swojego brata Garo poprzez Czerwony Krzyż i różne agencje humanitarne działające na Kaukazie i w Armenii, ale nie przyniosło to żadnych rezultatów. W końcu oboje postanowili zamieszkać w Westchester, rezygnując z Bostonu i jego okolic, ponieważ Armen otrzymał propozycję pracy jako inżynier w prężnie rozwijających się liniach kolejowych na północ od Manhattanu. Pracował tam aż do emerytury.

Ostatnia korespondencja pomiędzy Elizabeth i Nevart, jaką udało mi się znaleźć, to list, który moja babcia otrzymała od swojej ormiańskiej przyjaciółki, opatrzony datą 13 października 1921 roku. Nevart mieszkała już wtedy razem z Hatoun w Erywaniu. Życie w tym mieście z pewnością nie było łatwe. W ciągu poprzednich kilku lat Ormianie walczyli z Turkami, Gruzinami i Azerami. (Kto wie? Może po prostu nie umiemy się bawić z innymi dziećmi w piaskownicy?) Nevart i Hatoun nigdy nie wprowadziły się do domu doktora Akcama i jego żony, ale nie wiem, czy to dlatego, że lekarz zmarł na cholerę – na co może wskazywać jedno nieco zagadkowe zdanie listu – czy raczej dlatego, że jej siostrzeńcy odnaleźli ją w Aleppo, a dla nich w domu Akcama nie było już miejsca. Tak czy inaczej, w 1921 roku w Erywaniu brakowało zarówno jedzenia, jak i paliwa – Nevart się martwiła, że gdy nadejdzie zima, ona i Hatoun nie będą w stanie ogrzać maleńkiego pokoju, w którym wspólnie mieszkały. Potwierdził to również mój ponad stuletni rozmówca w trakcie prowadzonego przeze mnie wywiadu, opowiadając, że tamte lata były niezwykle ciężkie, i choć nie chciał wyjść na pesymistę, raczej wątpił w to, aby tej dwójce udało się zbyt długo przetrwać w epoce reżimu stalinowskiego. Z drugiej strony przyznał, iż Ormianie są w stanie bardzo dużo przetrzymać, więc nigdy nic nie wiadomo.

To prawda. Nigdy nie wiadomo. Jak stwierdziła sama Nevart, gdy Elizabeth po raz pierwszy zobaczyła ją i Hatoun na placu pod przytłaczającą bryłą cytadeli, obie półżywe z głodu i wycieńczone długim marszem przez pustynię w pełnym słońcu, były niezniszczalne. I chyba właśnie z tego względu pozwolę sobie na jeszcze jedną, ostatnią dygresję. W trakcie pisania tej książki odbyłam spotkanie z czytelnikami w bibliotece w Pasadenie w stanie Kalifornia, gdzie opowiadałam o swoich badaniach i o doświadczeniach moich dziadków. Wśród ludzi na widowni znalazła się młoda kobieta, przedstawicielka jednej z okolicznych księgarni. Miała na imię Jessica. Po moim wystąpieniu podeszła do mnie, ponieważ sama miała ormiańskie korzenie i chciała się ze mną podzielić pewną intrygującą informacją: otóż jej babcia, która zmarła, kiedy Jessica była małą dziewczynką, również nazywała się Hatoun. Od matki wiedziała, że Hatoun urodziła się w Adanie, a potem mieszkała w Aleppo i Erywaniu, zanim w 1922 roku razem z innymi sierotami wysłano ją do Libanu, a stamtąd do Ameryki. W historii rodziny Jessiki nie było jednak nikogo o imieniu Nevart. Wygląda na to, że Nevart zniknęła bez śladu – najprawdopodobniej pochłonęły ją ciągłe walki albo epidemie, które co rusz wstrząsały republiką armeńską w jej krótkotrwałym powojennym wcieleniu.

Jessica przyznała też, że nikt nie uważał jej babci za osobę ponurą czy udręczoną przez bolesne wspomnienia. Wszyscy dobrze wiedzieli, że Hatoun ocalała z zagłady, ale ona nie rozpamiętywała zbytnio swojej przeszłości. Ani córce, ani wnuczce nigdy nie wydawała się przesadnie poważna.

– Powiedz mi, co pamiętasz na temat swojej babci – poprosiłam Jessikę. – Cokolwiek. Choć jedno wspomnienie, obojętnie jakie.

Kobieta westchnęła. Była o połowę młodsza ode mnie, miała okrągłe oczy i kasztanowe włosy, a z boku szyi przeuroczy tatuaż przedstawiający różę.

– Kiedyś – zaczęła – gdy razem z dziadkiem przyjechali do nas z wizytą, wysiadł prąd. Miałam wtedy z pięć lat. Siedzieliśmy w ciemnościach przez wiele godzin – tak mi się przynajmniej wydawało, w końcu byłam naprawdę mała – a ona niemal przez cały ten czas czytała mi na głos przy latarce.

– Musiałyście pewnie przerobić cały stos książek – stwierdziłam, przypominając sobie kolorowe książeczki, które razem z mężem musieliśmy czytać dzieciom, kiedy były w tym wieku.

Jessica potrząsnęła głową.

– Nie, tylko jedną. I tamtego wieczoru nawet jej nie skończyłyśmy, bardzo dużo jeszcze zostało. Ale to była ulubiona książka babci i czytała mi ją zawsze, kiedy nas odwiedzała albo kiedy ja zostawałam w domu dziadków. Boże, nawet dała mojej matce imię po głównej bohaterce.

Przeszedł mnie lekki dreszcz. W tym momencie wiedziałam już na pewno, że to ta sama Hatoun, którą opiekowały się Nevart i Elizabeth, dziecko, które wspólnie uratowały niemal sto lat temu.

– Niech zgadnę, twoja matka ma na imię Alicja, prawda? – zapytałam.

– O Boże, skąd pani wie?

Próbowałam jej to wytłumaczyć, najlepiej jak potrafiłam. Ale słowa zagubiły się wśród obrazów bezkresnych piasków pustyni, która już zawsze będzie skrywać kości naszych przodków, zarówno Jessiki, jak i moich. Moje ciało całe się trzęsło, targane niekontrolowanym, rwanym płaczem, podobnie jak tamtego dnia przed rokiem, gdy wyszłam z muzeum w Watertown, a potem stałam na tyłach auli w szkole podstawowej i patrzyłam, jak śpiewa moja córka. Tym razem jednak z oczu płynęły mi także łzy szczęścia, ponieważ wiedziałam, że pośród tych wszystkich duchów zmarłych z Aleppo była także babcia tej młodej kobiety: cicha, czujna, skupiona dziewczynka o imieniu Hatoun.

Od autora

Wielkimi krokami zbliża się setna rocznica ludobójstwa Ormian. 24 kwietnia 1915 roku w Konstantynopolu przeprowadzono obławę na ormiańskich intelektualistów, pracowników umysłowych, wydawców i przywódców religijnych, z których większość została potem stracona. Tego dnia rozpoczął się najkoszmarniejszy okres w historii Armenii, trwający przez kolejnych osiem lat, choć do najgorszych incydentów dochodziło podczas pierwszych osiemnastu miesięcy, których kulminacją były masakry w Ras al--Ajn i Dajr az-Zaur w 1916 roku.

Starałem się osadzić tę fikcyjną opowieść w konkretnym kontekście historycznym, ukazując szczegóły dotyczące ludobójstwa, a także nakreślić wiarygodny obraz Aleppo i Gallipoli z 1915 roku. I choć wykorzystałem wspomnienia naocznych świadków tamtych wydarzeń, moja książka to dzieło wyobraźni. Tworząc bohaterów takich jak Ryan Donald Martin czy Ulrich Lange, inspirowałem się autentycznymi postaciami: w przypadku tego pierwszego był to amerykański konsul w Aleppo, Jesse B. Jackson, zaś w przypadku drugiego – niemiecki konsul Walter Rossler. Posiadamy jednak tak niewiele informacji na temat obu dyplomatów, że umieszczenie ich w tej powieści byłoby po prostu nieuczciwe. Niemniej, niektóre z uwag tudzież zapisków Martina i Langego zostały bezpośrednio zaczerpnięte z korespondencji Jacksona i Rosslera.

Podziękowania

To moja czternasta powieść i jak zwykle w dużym stopniu polegałem na mądrości innych. Przede wszystkim jestem wdzięczny swoim ormiańskim dziadkom, nieżyjącym już od trzydziestu i czterdziestu lat, których salon – Aneks Otomański, jak nazwała go raz moja matka – stał się dla mnie w jakimś sensie inspiracją do stworzenia tej opowieści. Armen i Elizabeth zdecydowanie nie są zawoalowaną wersją moich prawdziwych dziadków, ale ta książka pewnie nigdy by nie powstała, gdyby nie ich lutnia *oud*, ich *boreg* i stół do bilarda – a także opasłe tomy zapisane alfabetem, którego nie byłem w stanie odszyfrować, choć babcia zawsze chciała, żebym nauczył się je czytać. To samo dotyczy Rose Mary Muench, mojej ukochanej ciotki, która pod wieloma względami była dla mnie drugą matką, oraz mojego ojca, Arama Bohjaliana – oboje zawsze zapewniali mi wgląd w historię mojej rodziny, jak również stanowili niewyczerpane źródło domysłów, spekulacji i niewiarygodnie interesującej fikcji wszędzie tam, gdzie prawda okazywała się dla nas nieosiągalna.

Khatchig Mouradian, wydawca czasopisma „The Armenian Weekly" i niezmordowany głos rozsądku w kwestii relacji ormiańsko-tureckich, był zarówno wielkim orędownikiem tej książki na wczesnym etapie jej powstawania, jak również jednym z jej pierwszych czytelników. Jego wskazówki są nieocenione, a przy tym zawsze udziela ich w sposób nad wyraz cierpliwy. Mam również dług wobec Petera Balakiana, poety, historyka i autora wspomnień, któ-rego dzieła były dla mnie niezwykle inspirujące i pouczające zara-zem. Wielkie wyrazy wdzięczności należą się także: Nicole Vartanian z Hunter College za przeczytanie manuskryptu i jej rady dotyczą-ce m.in. doboru imion dla moich postaci; Toddowi Gustofsonowi z Eastman House w Rochester za podzielenie się fachową wiedzą na temat aparatu fotograficznego marki Ernemann Minor używane-go przez Helmuta; oraz Gary'emu Lind-Sinanianowi z ormiańskiej biblioteki i muzeum w Watertown w stanie Massachussets, za cały dodatkowy czas, jaki mi poświęcił, gdy zwiedzałem jego muzeum.

Nieocenioną pomoc w pracy nad tą powieścią stanowiły liczne książki, pamiętniki i artykuły, w tym: *Armenian Golgotha: A Memo-ir of the Armenian Genocide, 1915–1918* Grigorisa Balakiana; *Black Dog of Fate: An American Son Uncovers His Armenian Past: A Me-moir* oraz *The Burning Tigris: The Armenian Genocide and America's Response*, obie autorstwa Petera Balakiana; „'A Fate Worse than Dying': Sexual Violence during the Armenian Genocide", artykuł Matthiasa Bjørnlunda zawarty w zbiorze *Brutality and Desire: War and Sexuality in Europe's Twentieth Century* pod redakcją Dagma-ra Herzoga; „Power Politics, Prejudice, Protest and Propaganda: A Reassessment of the German Role in the Armenian Genocide in WWI", artykuł Donalda Bloxhama zawarty w zbiorze *The Ar-menian Genocide and the Shoah* pod redakcją Hansa-Lukasa Kiesera i Dominika J. Schallera; „The Baghdad Railway and the Armenian Genocide, 1915–1916: A Case Study in German Resistance and Complicity", artykuł Hilmara Kaisera zawarty w zbiorze *Remem-brance and Denial: The Case of the Armenian Genocide* pod redakcją Richarda G. Hovannisiana; *The Tragedy of Bitlis* Grace H. Knapp; oraz *Armenian Atrocities, The Murder of a Nation* Arnolda Josepha Toynbee i Jamesa Bryce'a. Muszę wymienić także trzy powieści, głęboko poruszające, a jednocześnie niezwykle pomocne z punk-tu widzenia historycznego: *Rise the Euphrates* Carol Edgarian, *The Gendarme* Marka T. Mustiana oraz majestatyczną epopeję Franza Werfela z 1933 roku pt. *Czterdzieści dni Musa Dah*.

Na gorące podziękowania zasługują także Jane Gelfman i jej zespół w Gelfman Schneider – Cathy Gleason i Victoria Marini; Arlynn Greenbaum z Authors Unlimited; Dean Schramm z Schramm Group; oraz Todd Doughty, Suzanne Herz, Sonny Mehta, Anne Messitte, Roz Parr, Russell Perreault, John Pitts, Alison Rich, Kate Runde, Bill Thomas i cała fantastyczna ekipa z Knopf Doubleday Publishing Group. I oczywiście gigantyczne wyrazy wdzięczności kieruję pod adresem mojej redaktorki, Jenny Jackson, która z przenikliwością, mądrością i nierzadko wielkim poczuciem humoru pomagała mi sterować tą łodzią, oferując tak wiele cennych rad, zarówno dużych, jak i małych, że nie sposób ich tu wszystkich wymienić. Jenny, praca z tobą to prawdziwa przyjemność.

I wreszcie, każdego dnia dziękuję losowi za moją wspaniałą żonę, Victorię Blewer, która cierpliwie czyta każde napisane przeze mnie słowo – i robi to nieprzerwanie, odkąd oboje byliśmy na pierwszym roku studiów. W sumie daje to już co najmniej dwa i ćwierć miliona słów, a niewykluczone, że znacznie więcej.

Jeszcze raz dziękuję wam wszystkim.